D0190923

FOLIO JUNIOR

Titre original : *Montmorency on the rocks*
Publié initialement en Grande-Bretagne par Scholastic Ltd, 2004
© Eleanor Updale, 2004
© Éditions Gallimard Jeunesse, 2005, pour la traduction et les illustrations

Eleanor Updale

Montmorency

et le mystère de l'île maudite

Illustrations
de Chloé Bureau du Colombier

Traduit de l'anglais
par Vanessa Rubio

FOLIO JUNIOR/**GALLIMARD** JEUNESSE

Lorsque le premier tome de Montmorency *est paru, j'ai été invitée dans mon ancienne école élémentaire pour parler de mon livre avec les élèves. Cette visite m'a rappelé mes professeurs d'alors, qui m'ont fait entrer dans le monde de l'histoire... et des histoires. Mais ce qui m'a le plus impressionnée c'est que, malgré les contraintes actuelles de l'éducation, cette école a su rester un endroit où l'on encourage le plaisir d'écrire. Ainsi je dédie cette seconde aventure de Montmorency à tous les écrivains en herbe de Dog Kennel Hill School – et, bien sûr, à Jim, Andrew, Catherine et Flora qui vivent au quotidien en compagnie de Montmorency.*

I

Été 1885 : Les Bains Turcs

Le docteur Robert Farcett avait eu une rude journée. Le matin même, pourtant, il était impatient de montrer sa toute dernière technique chirurgicale à un parterre d'étudiants et de pontes de la médecine. Il avait la certitude que sa nouvelle méthode d'ablation de la vésicule biliaire réduirait la durée de l'opération et augmenterait les chances de survie du patient. Il était sûr de battre son propre record entre le premier coup de scalpel et le dernier point de suture. Il s'était même permis d'esquisser une révérence alors que des applaudissements enthousiastes saluaient son arrivée dans la salle d'opération. Mais en quelques minutes, tout avait mal tourné. Avait-il commis une erreur ? Son patient souffrait-il d'une anomalie anatomique, possédait-il un terrain propice aux hémorragies ? Pour une raison inconnue, sa cavité abdominale s'était remplie de sang, si bien que les mains du docteur Farcett avaient pataugé à tâtons, tentant vainement de reconnecter veines et artères. Après avoir lutté avec acharnement, maculant le sol et ses vêtements de taches sinistres, il avait dû relever la tête du corps sans vie de son patient pour affronter le regard de la foule silencieuse. Certains étaient pétrifiés, sous le choc, d'autres au contraire ne pouvaient cacher leur joie d'avoir vu l'étoile montante de la médecine londonienne commettre une erreur fatale, et qui plus est en public.

A plat ventre sur la table de massage en marbre du hammam, Farcett se repassait l'enchaînement des événements, cherchant explications et excuses, sans parvenir toutefois à chasser de son esprit un fait honteux dont l'assistance n'avait pas eu connaissance : la vésicule de cet homme était parfaitement saine. Il s'agissait en réalité d'un patient hypocondriaque, qui fréquentait assidûment le cabinet du docteur Farcett, se croyant toujours malade. Ce dernier l'avait choisi pour sa démonstration parce qu'il était en excellente santé et présentait donc les meilleures chances de résister à l'opération. Au lieu de cela, sa vie avait été sacrifiée sur l'autel de la vanité et de l'ambition du médecin. Farcett avait l'impression de mériter tous les coups et les claques que le gigantesque masseur administrait à son dos en sueur, dans la vapeur des Bains Turcs. Rapprochement sinistre, les carreaux de céramique du sol et des murs lui rappelaient ceux de la morgue et, en dépit de la chaleur et de l'odeur épicée qui parfumait sa peau, il ne parvenait pas à oublier l'image de cet autre corps, sans vie, privé de sensations, qui reposait sur une table semblable, à quelques kilomètres de là seulement.

Il n'avait aucune envie de venir aux Bains, mais il avait promis à Lord George Fox-Selwyn de l'y retrouver. Son ami, dont il connaissait la double vie d'espion, avait passé près d'un an à l'étranger pour l'une de ses mystérieuses missions et le billet qu'il lui avait envoyé à son retour laissait entendre qu'il avait quelque chose d'urgent à lui confier :

Robert,

Je suis rentré sain et sauf, mais épuisé et soucieux. Retrouvez-moi aux Bains Turcs de Xandan à six heures. Il s'agit d'une affaire de la plus haute importance.

En toute hâte,
George

Tandis que le docteur Farcett se faisait malmener par son masseur, Lord George Fox-Selwyn s'engouffrait dans le hall d'entrée du rez-de-chaussée, poussant les grandes portes battantes des Bains Turcs.

L'architecture exotique du bâtiment étonnait, voire scandalisait les habitants de Londres. Les vitraux ouvragés des murs et de la coupole baignaient d'une exquise lumière les rutilants carreaux de céramique, où étaient peints des paysages lointains peuplés de déesses et de jeunes esclaves. Une fontaine murmurait doucement au milieu d'un bassin dont le fond bleu azur donnait à l'eau éclat et profondeur. Le sol était en mosaïque de marbre ; fougères et palmiers en pots s'épanouissaient dans une chaleur moite. Dans la salle froide, où les clients se reposaient après un bain de vapeur et une friction énergique, régnait une luxueuse atmosphère de calme et d'indolence. En arrivant aux Bains, George Fox-Selwyn ne put réprimer un sourire devant cet orientalisme de pacotille. Il était revenu la veille d'un long voyage en Turquie et dans les Balkans. A Constantinople, avec son compagnon de route, Montmorency, ils s'étaient plongés dans des trésors de senteurs et de saveurs à côté desquels les vapeurs des Bains de Xandan n'évoquaient guère plus qu'une vulgaire blanchisserie. Les femmes plantureuses en robes légères ornant les murs de ce nouveau lieu à la mode faisaient le régal de l'avant-garde de la société londonienne et faisaient frémir les plus prudes, qui criaient à la dépravation. Mais comparées aux beautés bien vivantes, qui leur avaient apporté de véritables amphores d'eau et d'huile dans la chaleur de l'empire Ottoman, les nymphes de la fresque étaient tout simplement ridicules.

Fox-Selwyn se dévêtit et enroula une grande serviette autour de sa taille généreuse en la serrant soigneusement pour qu'elle ne dévoilât aucun détail compromettant. Puis il s'assit sur un banc en bois afin de remettre de l'ordre dans ses pensées avant d'aller retrouver Robert Farcett. En effet, lors du voyage de retour, il avait pris la difficile, et peut-être même dangereuse, décision de dire au docteur la vérité à propos de Montmorency. Durant ces cinq dernières années, il avait fait en sorte que jamais ses deux amis ne se croisent. Le médecin ne savait rien du rôle que jouait Montmorency dans la vie de Fox-

Selwyn, et Montmorency ignorait que Robert Farcett, médecin attitré de Fox-Selwyn, était celui-là même qui l'avait soigné lorsqu'il était en prison.

Montmorency avait débuté dans la vie comme escroc à la petite semaine. Gravement blessé lors d'un cambriolage, il avait été emprisonné, ce qui avait permis au docteur Farcett de l'utiliser comme cobaye. Le médecin avait patiemment reconstruit son corps meurtri et avait exhibé cette preuve vivante de ses talents de chirurgien. Lorsqu'il était sorti de prison, voilà presque six ans, Montmorency avait pris la résolution de changer de vie. Il s'était petit à petit forgé une nouvelle identité d'homme du monde – transformation financée par une série de vols audacieux perpétrés par son double, Lecassé, un malfaiteur qui se faufilait d'un bout à l'autre de la capitale en empruntant son réseau d'égouts, invisible et insaisissable. Au bout du compte, Montmorency avait amassé une fortune suffisante pour subvenir à ses besoins. Il faisait fructifier son argent par des paris et des placements et, de plus, recevait de temps à autre une enveloppe du gouvernement en compensation de ses services d'espion international.

Lorsque Fox-Selwyn l'avait rencontré, Montmorency était déjà riche. Jamais il ne lui avait avoué les soupçons qu'il entretenait sur son obscur passé. Pourtant, il avait découvert certaines choses. Montmorency s'imaginait désormais pouvoir passer sans difficulté pour un homme issu des classes les plus fortunées. La plupart du temps, il réussissait même à s'en convaincre lui-même. Il croyait avoir enterré son ancienne vie, ignorant qu'elle fascinait de plus en plus Lord Fox-Selwyn. Comme Montmorency se montrait réticent à évoquer ce passé, son ami, dissimulé derrière son masque de politesse toute britannique, n'insistait pas. Il ne cessait pourtant de traquer chez lui des signes susceptibles de trahir sa nature amorale ou criminelle. Et il en trouvait parfois, à son grand désarroi.

Alors qu'ils faisaient route vers l'Orient, Montmorency s'était comporté en authentique héros. Son ingéniosité leur avait ouvert les portes des palais et des soirées où ils recueillaient des informations sur les complots et alliances menaçant les intérêts britanniques à l'étranger. Ses talents d'imitateur, ainsi que son sang-froid, leur avaient permis de se mêler aussi bien aux soldats et aux princes qu'aux mendiants et aux voleurs, et même d'échapper aux agents ennemis en trouvant refuge dans un monastère isolé, déguisés en moines. Fox-Selwyn admirait Montmorency, il était conscient qu'il lui devait certainement la vie. Mais il avait été effaré de trouver dans ses bagages l'un des rares trésors des moines. Et plus encore de constater l'attrait irrésistible qu'exerçaient sur lui les drogues et potions des marchés turcs. Fox-Selwyn consacrait le peu de temps libre qu'ils avaient à chiner tapis, statues et antiquités pour ses maisons de campagne. Alors qu'il organisait l'acheminement de ses achats en Angleterre, Montmorency, lui, allait frayer avec la pègre ottomane et revenait en possession de substances qui agissaient sur son comportement et qui, plus d'une fois, avaient affecté son jugement jusqu'à les mettre en danger.

Au début, Montmorency semblait prendre grand plaisir à la consommation de ces drogues. Il riait, plaisantait, pouvait rester des heures entières à glousser tout seul, allongé dans la fournaise de leur chambre d'hôtel. Mais les cauchemars étaient ensuite apparus, et avec eux les larmes, les gémissements et, parfois, un cri – quelque chose comme « Frankenstein ». Fox-Selwyn avait tenté de découvrir ce qui le tourmentait ainsi.

– Ne me demande rien, George. Promets-moi que tu ne me poseras plus cette question, avait répliqué Montmorency, d'un ton si grave qu'il n'avait pas insisté de peur de précipiter son ami dans un gouffre invisible.

En une autre occasion, encore sous l'emprise de sa dernière dose, il avait failli les faire repérer en s'emportant contre un fonctionnaire turc qui semblait s'ingénier à retarder leur départ. Il s'était mis à marmonner des insultes entre ses dents puis de plus en plus fort, tandis que l'homme lisait en suivant du doigt, ligne à ligne, tous leurs papiers d'identité, déchiffrant péniblement le moindre mot des passeports et sauf-conduits qui leur avaient été remis par les différents gouvernements au cours de leur voyage.

– Qu'est-ce que tu cherches, Ali ? avait raillé Montmorency. Qu'est-ce que tu t'imagines ? Que nous sommes des espions ou quoi ?

Il avait donné une grande tape dans le dos de Fox-Selwyn.

– Tu trouves que mon ami a l'air d'un espion ?

Il avait mis l'homme dans un tel état de fureur que Fox-Selwyn avait été contraint de lui offrir la moitié de sa petite réserve de billets pour qu'il les laisse franchir la frontière. Il avait maudit Montmorency car, par sa faute, il avait dû s'abaisser à appeler un de ses contacts à Bucarest afin qu'il leur prête l'argent nécessaire pour regagner l'Angleterre.

Quand Montmorency avait retrouvé ses esprits, Fox-Selwyn lui avait raconté comment il s'était comporté sous l'emprise de la drogue, et Montmorency avait promis en larmoyant de ne plus jamais recommencer. Mais quelques jours plus tard, dans l'auberge où ils avaient fait halte, Fox-Selwyn avait été réveillé en pleine nuit par un Montmorency hurlant et délirant. La semaine suivante, sur un bateau qui remontait le Danube, cela s'était reproduit. Très vite, ces scènes s'étaient multipliées. A certains moments, Montmorency se figeait, comme paralysé, le regard fixe, dans une sorte de transe. A d'autres, il divaguait et laissait échapper des secrets que, sobre, il aurait emportés dans la tombe. Un jour, il avait même entrepris de manger ses bottes. Fox-Selwyn avait déjà vu Montmorency ivre en d'innombrables occasions, mais là, c'était différent, il s'agissait de quelque chose d'encore plus destructeur, d'encore plus incontrôlable. Il savait que la drogue ne lui procurait plus aucun plaisir et craignait qu'il ne soit devenu dépendant aussi bien physiquement que psychologiquement. Une dépendance contre laquelle il était incapable de lutter, même s'il le désirait plus que tout. Fox-Selwyn avait essayé de trouver où il cachait son poison afin de le jeter. Il avait bien découvert une petite bourse cousue dans la doublure d'un manteau, mais son ami semblait en posséder des réserves inépuisables.

Le temps qu'ils rejoignent Londres, Fox-Selwyn avait compris que Montmorency avait besoin de consulter un médecin, c'était indispensable – pour son bien, mais également pour la sécurité de l'État. Étant donné le caractère sensible de leur activité, il fallait s'adresser à un praticien de toute confiance. Le nom de Robert Farcett s'était alors imposé à George Fox-Selwyn. Il avait effectivement toute confiance en lui, en tant qu'homme et ami. Mais il savait qu'en mettant en contact Farcett et Montmorency, il risquait de perdre l'un ou l'autre, et peut-être les deux.

Néanmoins, il avait envoyé un billet chez Bargles, le club où séjournait Montmorency, lui demandant de le rejoindre aux Bains Turcs à sept heures. C'était l'endroit qu'il avait choisi pour le mettre en présence du médecin qui lui avait sauvé la vie. Ce dernier ne reconnaîtrait sans doute pas Montmorency à sa voix, ni à son allure, mais il ne manquerait pas d'identifier les cicatrices qui zébraient son corps, puisqu'elles étaient son œuvre. Fox-Selwyn avait donc une heure pour dresser le tableau de la situation au docteur et le convaincre d'aider Montmorency une nouvelle fois.

Il héla l'un des employés. L'homme approcha, un baquet d'eau débordant de mousse à la main.

– Bonsoir, milord. Quelle joie de vous revoir. Milord a-t-il fait bon voyage ?

– Des plus agréables, oui, mentit Fox-Selwyn en pensant à l'abominable trajet de retour. J'espérais que le docteur Farcett serait ici.

– Il est dans la cabine voisine, milord.

Fox-Selwyn lança un chaleureux bonjour à travers la cloison tout en s'allongeant pour laisser l'homme lui savonner le dos.

– On se retrouve dans la salle froide, Robert, cria-t-il. J'ai beaucoup de choses à vous raconter.

La voix du docteur Farcett lui parvint assourdie par la mince paroi de bois. Il ne saisit pas ce qu'il répondait, mais il n'avait pas l'air dans son assiette.

Fox-Selwyn avait répété plusieurs fois son discours intérieurement lorsqu'il rejoignit le docteur dans la salle froide. Ils s'allongèrent côte à côte, chacun sur un divan – Farcett mince et musclé, Fox-Selwyn immense et énorme, dépassant de la couche en longueur et en largeur. Plus d'une fois, il s'arma de courage pour aborder le sujet de Montmorency, mais finalement il dut changer ses plans. Farcett avait également besoin de son aide. Ils bavardèrent un moment, échangeant quelques civilités à propos de son voyage puis, tandis que Big Ben sonnait la demie, le médecin vida brusquement son cœur, racontant le drame qui s'était produit l'après-midi même dans la salle d'opération.

– Je ne peux plus continuer, George, soupira Farcett. Je viens de réaliser ce que je n'ai jamais voulu m'avouer. J'ai fait fausse route. Mon orgueil est passé avant mes patients. Je suis devenu médecin pour soigner les gens, pas pour les tuer.

Fox-Selwyn s'efforça de le rassurer, pris d'une inquiétude grandissante en entendant Big Ben annoncer qu'il était sept heures moins le quart. Il énuméra les nombreux succès de Farcett sur le plan médical, lui rappelant au passage qu'il avait su soulager ses maux et ses douleurs chaque fois qu'il avait fait appel à lui.

Mais Farcett ne l'écoutait pas.

– Non, non, je vais tout abandonner. Je ne suis plus en état d'exercer la médecine.

– Personne n'est au courant, n'est-ce pas ? demanda Fox-Selwyn. Tout le monde pense que la mort de cet homme n'est qu'un tragique accident, non ?

– Mais *moi*, je sais que ce n'en était pas un. Et c'est cela qui compte. Même si ces vautours venus assister au spectacle connaissaient la vérité, la plupart estimeraient que je n'ai rien fait de mal. Mais moi, je le sais, et j'ai pris ma décision. J'abandonne la médecine.

Fox-Selwyn essaya de le convaincre de réfléchir, mais cela ne fit que renforcer sa détermination. Pendant toute la conversation, il imaginait avec angoisse le moment où Montmorency allait arriver, paniquant intérieurement alors qu'il s'efforçait de paraître calme et rassurant pour endiguer le désespoir du médecin. L'horloge sonna sept heures. Mais Fox-Selwyn s'était inquiété pour rien. Montmorency ne vint pas au rendez-vous.

2
Dans les égouts

Lorsque le carillon de Big Ben sonna sept heures, Montmorency baignait dans une atmosphère chaude et moite, mais au parfum bien différent de celui des Bains Turcs. Il lâcha l'échelle métallique pour sauter sur l'étroit rebord longeant le flot d'eau nauséabonde qui coulait au fond de l'égout. Cela faisait bien longtemps, presque cinq ans, qu'il était descendu pour la dernière fois dans ce monde souterrain. Mais il n'avait pas oublié qu'il y avait trouvé refuge alors qu'il était dans une situation critique et que ces tunnels étaient devenus l'abri de Lecassé – son *alter ego* rustre et dangereux –, celui-là même qui avait pris les granulés marron dans la bourse en cuir cachée dans le double fond de sa valise et les avait broyés dans un verre de whisky une demi-heure plus tôt.

Lecassé avait refait surface dans la vie de Montmorency alors qu'il était en train de se préparer pour rejoindre Fox-Selwyn aux Bains Turcs, dans sa petite chambre, chez Bargles. Pourtant, tout se déroulait à merveille jusque-là.

Il s'était lavé, rasé, avait revêtu sa plus belle tenue de soirée, si jamais ils envisageaient d'aller dîner ensuite. Il ne lui manquait plus que son second bouton de manchette, qui devait être quelque part dans sa valise. Pourquoi sa main s'était-elle attardée sur le double fond ? Pourquoi avait-il cédé à l'appel de cette répugnante mixture ? La drogue avait depuis longtemps cessé de lui apporter tout plaisir, il ne pouvait pourtant y résister. Il avait bu d'un trait le liquide marron. Tout en l'avalant, il était tout de même conscient qu'ici, à Londres, il ne pouvait risquer d'être vu sous l'emprise de ce poison nauséabond. Mieux valait se terrer dans l'obscurité puante de ce tunnel sordide lorsque la drogue ferait son effet.

L'élan d'énergie et de lucidité qui lui avait donné la présence d'esprit de se changer et la force de soulever la plaque d'égout céderait vite la place aux vomissements et aux délires qui avaient tant inquiété son ami en revenant de Turquie. Trempé de sueur, le souffle court, il accrocha sa ceinture au bas de l'échelle, pour éviter de tomber dans l'eau si jamais il s'évanouissait. Dans la nuit, il se mit à trembler, à tanguer, tandis que des scènes de violence et de terreur défilaient dans son esprit, si claires, nettes, éblouissantes qu'elles lui brûlaient la rétine. Un fracas de bataille résonnait à ses oreilles. La peur battait à ses tempes. Et, brusquement, au moment où il croyait ne plus pouvoir tenir, tout redevint noir.

Lorsqu'il reprit conscience, la manche trempée de vomi puant, il devina que plusieurs heures s'étaient écoulées. L'instinct de survie de Lecassé resurgit, traquant le moindre indice pouvant l'informer de l'heure qu'il était. Il se trouvait à proximité d'un grand hôtel, et le flot d'eaux usées qui se déversait dans l'égout était plein de mousse... Les gens vidaient leurs baignoires, c'était le matin. Il avait raté son rendez-vous avec Fox-Selwyn aux Bains Turcs. A coup sûr, son vieil ami allait s'inquiéter. Il fallait sortir de là, rentrer, se changer. Il remonta l'échelle d'un pas chancelant qui n'avait rien de commun avec la détente athlétique du Lecassé d'autrefois, et poussa la lourde plaque de fonte de l'épaule, guettant les passants. Par chance, il n'y avait personne et il put se hisser sur le trottoir sans être vu. Maintenant, il fallait qu'il regagne sa chambre sans se faire remarquer.

Il était souvent rentré au petit matin, dans un état pitoyable, souillé par ses propres sécrétions ou celles des autres, mais jamais à ce point-là. Une fois encore, l'ingénieux Lecassé vint à la rescousse. Il ne passerait pas par la porte, mais s'introduirait dans le club par effraction. Il contourna le bâtiment, grimpa le long de la gouttière, puis força une petite fenêtre au même étage que sa chambre. Il se faufila à l'intérieur et se retrouva dans la salle de bains commune. Mais, alors qu'il ouvrait le robinet de la baignoire, il entendit le cri strident d'un sifflet de police en bas, dans la rue. On l'avait repéré. Lecassé prit le contrôle des opérations avec sang-froid. Il resta où il était, se frictionna le corps et les cheveux, éliminant toute trace de ses activités nocturnes. Lorsqu'il ressortit de la salle de bains, drapé dans un épais peignoir, il trouva Sam le portier sur le palier, en grande discussion avec un policier tout essoufflé.

– Je suis infiniment désolé, monsieur, commença Sam, mais il semblerait que nous soyons victimes d'une intrusion.

– Je l'ai vu escalader la gouttière, haleta le policier. J'ai traversé tout le parc en courant, j'étais de l'autre côté du lac. Je crois qu'il est passé par une fenêtre de cette façade.

– Tiens, c'est étrange, j'ai justement remarqué qu'elle était ouverte lorsque je suis entré pour prendre mon bain, expliqua Montmorency en montrant la fenêtre fracturée. Vous pensez qu'il se trouve encore dans le bâtiment ?

– Évaporé, monsieur, répondit Sam. Mais nous avons pris la liberté de regarder dans votre chambre...

– Et j'ai bien peur, monsieur, compléta le policier, que vous n'ayez été cambriolé.

– Il a dû rôder dans le couloir, reprit Sam, et s'introduire chez vous lorsqu'il a vu que vous alliez vous laver. Vous avez eu de la chance de ne pas le croiser, il aurait pu vous agresser !

Sam poussa la porte pour montrer l'intérieur de la chambre. Elle était telle que Montmorency l'avait laissée la veille au soir lorsqu'il avait filé après avoir pris la drogue turque. Sa valise était ouverte et toutes ses affaires retournées. La chaise qu'il avait fait tomber dans sa hâte était toujours à terre. Les éclats du verre où il avait préparé l'horrible mixture étaient éparpillés sur le sol et, sur le mur, une tache marron marquait l'endroit où il l'avait jeté, dans sa rage d'avoir une fois de plus cédé à la tentation. Le désespoir le submergea : force était de constater qu'il était tombé bien bas. Sam, le croyant bouleversé par le cambriolage, s'efforça de le réconforter :

– Ne vous inquiétez pas, monsieur. Nous allons nettoyer tout ça en un rien de temps. Habillez-vous, le petit déjeuner va bientôt être servi. Je vais dire à Sam de vous préparer un hareng avec un œuf poché et, quand vous remonterez, tout sera en ordre, il n'y paraîtra plus.

(Chez Bargles, par commodité, tous les domestiques étaient baptisés Sam.)

– Et je vais demander si quelqu'un a vu quelque chose, dit l'agent. Ne vous en faites pas. On va l'arrêter. On finit toujours par les arrêter !

« Non et heureusement », pensa Montmorency en hochant la tête d'un air pitoyable, ravi de jouer ce rôle de victime qu'on lui attribuait.

Tout en mangeant son hareng, il se dit qu'il avait bien de la chance et se demanda, une fois de plus, combien de temps cela durerait. Ce matin, il n'avait dû son salut qu'à son allié. Sans la présence d'esprit de Lecassé, Montmorency aurait pu dire adieu à cette belle vie, mais c'était aussi la faiblesse de Lecassé qui avait failli l'en priver. En se versant une nouvelle tasse de café avant de se beurrer un petit pain tout frais, il se promit de détruire ce qui lui restait de drogue dès qu'il remonterait. Mais bien sûr, il n'en fit rien. Il l'enveloppa dans plusieurs couches de papier journal et la cacha derrière son armoire, en se jurant de ne plus jamais, jamais y toucher.

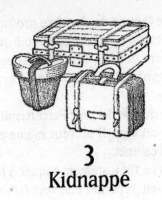

3
Kidnappé

Fox-Selwyn se retrouvait donc avec deux sérieux cas sur les bras. Le docteur Farcett, submergé par la honte, était prêt à tout abandonner, et même si l'hôpital souhaitait le garder, il démissionnerait sans doute, tournant le dos à la brillante carrière à laquelle il était promis. Quant à Montmorency, s'il n'était pas venu aux Bains Turcs, c'était sûrement qu'il avait eu un empêchement, mais Fox-Selwyn n'avait aucune illusion sur la nature de cet empêchement. Il décida de prendre en main ses deux amis et de les éloigner de Londres. En rentrant des Bains, il envoya un télégramme à son frère dans le Banffshire pour le prévenir qu'il comptait lui rendre visite avec deux de ses amis. Tôt le lendemain matin, alors que, chez Bargles, Montmorency jouait la scène du « cambriolage » en compagnie de Sam et du policier, Fox-Selwyn se rendit à la gare de King's Cross acheter trois billets de train pour le nord de l'Écosse.

Il passa déposer le premier chez Robert Farcett, où il

fut reçu par une femme de chambre profondément bouleversée. Elle était si contente de le voir qu'elle se lança dans un discours confus, pour se rappeler quelques secondes plus tard qu'elle était censée gratifier le lord d'une révérence.

– J'ignore ce qu'a le docteur Farcett, milord. Je ne l'ai jamais vu dans cet état. Il ne veut même pas me laisser entrer dans son cabinet.

Fox-Selwyn s'en fut justement toquer à la porte.

– Allez-vous-en, répondit une voix faible.

– Robert, c'est George. Ouvrez-moi, je vous en prie.

– Vous ne pouvez rien pour moi. Laissez-moi tranquille, répliqua Farcett.

– Mais… et vos patients ? Vous n'êtes pas censé vous rendre à l'hôpital aujourd'hui ? demanda Fox-Selwyn, espérant faire réagir le médecin en faisant appel à son sens du devoir.

– Je ne leur suis d'aucune utilité. Laissez-moi en paix.

– Vous n'avez pas l'air en paix, si je puis me permettre, Robert. Écoutez, je sais que vous n'avez pas envie de retourner à l'hôpital, et ce n'est peut-être pas plus mal pour le moment. Mais je vous propose de prendre un peu de recul. Ouvrez-moi et je vous expliquerai.

Il y eut un silence, puis Fox-Selwyn tourna la poignée. Il poussa doucement la porte. Le cabinet était toujours un peu en désordre mais, d'ordinaire, les médicaments que le docteur Farcett gardait en réserve étaient toujours soigneusement rangés dans un placard fermé à clef. Fox-Selwyn remarqua cette fois deux flacons de verre foncé posés sur le bureau. Les signes qui y étaient gravés indiquaient qu'il s'agissait de poison. A son grand soulagement, les deux fioles étaient pleines, mais il était sans doute arrivé juste à temps. Le docteur Farcett était assis à son bureau, le regard dans le vide, devant une lettre inachevée où il s'accusait de tous les maux. Lui qui arborait d'ordinaire une allure athlétique était affalé sur sa chaise, les cheveux dans les yeux. Les traits de son visage juvénile s'étaient creusés, révélant des rides qui n'auraient dû apparaître que dans bien des années. Il avait même du noir sous les ongles. Pourtant, et c'était un sujet de plaisanterie pour ceux qui le connaissaient, le médecin, obsédé par le pouvoir maléfique des microbes, ne cessait de se laver les mains. Il avait dû rester debout la nuit entière.

Farcett en était arrivé à un tel degré d'épuisement et de mépris de lui-même qu'il était prêt à faire tout ce que Fox-Selwyn lui demanderait. Le lord prit donc la direction des opérations. Il aida son ami à rédiger une lettre très digne pour prévenir l'hôpital qu'il allait s'absenter quelque temps et leur recommander un jeune confrère capable d'assurer le remplacement. Farcett avait également quelques patients personnels et, sous la dictée, il écrivit à chacun, expliquant simplement que ses obligations l'appelaient ailleurs et proposant les coordonnées de cabinets voisins. Fox-Selwyn chargea la femme de chambre de porter les messages, puis réfléchit un instant. Il n'était pas question de présenter le docteur à Montmorency pour le moment, ni de le laisser voyager seul dans cet état. Il envoya donc chercher son propre valet de chambre, Chivers, pour qu'il aide Farcett à faire ses bagages et l'accompagne en Écosse par le premier train. Puis il retourna à King's Cross acheter un quatrième billet et s'en fut chez Bargles pour s'occuper de Montmorency.

Il était presque midi lorsqu'il arriva au club et trouva Sam le concierge dans un état d'agitation inhabituel. Il n'eut même pas le temps de lui tendre son chapeau, sa cape et sa canne que déjà celui-ci se lançait dans une étrange histoire où revenait sans cesse le mot « cambriolage ». Un instant, Fox-Selwyn fut pris d'un doute : peut-être avait-il mal jugé son ami. Peut-être n'était-ce pas la drogue qui l'avait retenu la veille au soir ? Puis il glissa un regard dans l'étroit corridor qui menait au grand bar (le bien nommé « Assoiffé Majeur ») et vit Montmorency, entouré d'une foule admirative, racontant la fameuse histoire. Fox-Selwyn se pencha et écouta. Il avait souvent vu son ami en action. D'un bout à l'autre de l'Europe, il l'avait vu se tirer de bien des mauvais pas grâce à son éloquence. Il était présent lorsqu'il avait réussi à se faire passer pour un moine bénédictin aux yeux d'un membre des services secrets bulgares. Et il savait que, en la circonstance, il mentait. Lorsque le petit groupe se dispersa pour aller déjeuner à l'« Affamé Majeur » et l'« Affamé Mineur » (la grande et la petite salle à manger), Fox-Selwyn croisa son regard et lui glissa :

– Aux Conspirateurs.

Il faisait référence au petit box qui ne pouvait accueillir que deux convives, où les membres se retrouvaient pour converser en privé. Montmorency prit l'air penaud, réalisant que son ami se doutait de ce qui s'était passé la veille. Ils s'installèrent côte à côte sur la banquette de velours violet. Il essaya à plusieurs reprises de prendre la parole mais ne parvint pas à trouver ses mots.

– Je n'ai pas pu résister…, bafouilla-t-il.

Fox-Selwyn l'interrompit aussitôt d'un ton impérieux :

– Vous me raconterez ça dans le train. Nous partons pour l'Écosse.

Il sortit sa montre à gousset de la poche de son gilet aux broderies multicolores.

– Nous ferions aussi bien d'attendre le train de nuit, maintenant. Demandez à Sam de faire vos bagages. Je reviendrai pour dîner assez tôt, puis nous prendrons un fiacre jusqu'à la gare.

Montmorency comprit qu'il n'avait pas le choix. Il passa l'après-midi à préparer ce voyage imprévu, ce qui lui fournit tout du moins un prétexte pour s'adonner à un autre de ses vices : le shopping. Il n'avait pas le temps de se rendre chez son tailleur, mais il prit plaisir à flâner deux bonnes heures dans l'un des plus grands et des plus coûteux magasins de Londres, s'équipant de pied en cap pour un séjour dans une contrée qu'il devinait très froide. De retour au club, il devisa gaiement avec le Sam qui avait assisté au « cambriolage » et qui préparait maintenant ses bagages.

– Ça va vous faire du bien de partir un peu après le choc que vous avez reçu ce matin, monsieur. Et puis ça sera enfin l'occasion de mettre vos bottes.

Sam voulait parler des hautes cuissardes que Montmorency avait rangées sous son lit, prétendant qu'il s'agissait de bottes de pêche, alors qu'elles constituaient le dernier vestige des aventures de Lecassé dans les égouts. Fut un temps, Montmorency en avait appuyé une contre le mur pour lui servir de cendrier lorsqu'il fumait au lit. Il n'avait jamais envisagé qu'elles puissent servir pour leur usage initial.

– Je vais les attacher l'une à l'autre, ce sera plus facile à transporter dans le train, décréta Sam.

Tandis qu'il partait chercher de la corde, Montmorency sortit le paquet caché derrière l'armoire et le fourra dans la botte gauche. Il était rongé par le remords, conscient qu'il aurait dû profiter de cette occasion pour arrêter définitivement la drogue. Il allait le reprendre pour le jeter quand Sam revint, annonçant d'une voix pressante :

– Lord George Fox-Selwyn est en bas, monsieur. Il m'a chargé de vous dire qu'il avait déjà commandé à dîner.

Effectivement, Fox-Selwyn était assis tout seul dans la salle à manger, en train de vérifier les billets de train. Cette journée passée à organiser la retraite de ses deux amis en détresse l'avait fatigué. Voilà, il allait les soustraire à l'agitation de Londres, leur faire goûter la paix de la campagne. Il était convaincu qu'ils avaient simplement besoin d'un peu de repos pour se retrouver. Redevenir comme avant. Comment aurait-il pu se douter qu'ils repartaient tous les trois pour de nouvelles aventures qui allaient les rapprocher plus encore et leur faire découvrir des facettes insoupçonnées de leurs personnalités ?

4
Le wagon-lit

Les nombreux bagages de Montmorency remplirent le fiacre qui les conduisit à la gare. Ils réussirent cependant à tout caser car, heureusement, Lord George Fox-Selwyn, lui, voyageait léger : juste un petit sac et le pique-nique préparé par sa cuisinière. Elle n'avait pas oublié d'y glisser, comme d'habitude, un morceau de caramel fait maison et le marteau en argent fétiche de Fox-Selwyn. La perspective de briser le bloc de sucre poisseux et d'en grignoter toute la nuit lui rendait l'idée du long trajet plus supportable... et même séduisante. Il expliqua qu'il n'était pas nécessaire d'emporter de vêtements car son frère lui prêterait tout ce dont il aurait besoin – ils faisaient à peu près la même taille. Montmorency était curieux de rencontrer un homme de la même carrure que Fox-Selwyn. Il se demanda si le frère aîné de George, qui était encore plus mons-trueusement riche, avait d'aussi petits pieds.

Montmorency s'assit sur la banquette qui serait sa

couche pour la nuit en attendant le départ du train. Le petit compartiment lui rappelait la cellule de prison dans laquelle il était resté enfermé pendant trois ans. Ce lieu confiné où il avait échafaudé le plan génial qui avait transformé sa vie de façon si spectaculaire. A l'époque, il ne possédait rien, pas même le contrôle de sa propre existence. Désormais, il croulait sous les biens, comme en témoignait cette minuscule cabine encombrée. Il voulut prendre une lourde valise afin d'en sortir son pyjama pour pouvoir se coucher. Il attira dans le même mouvement les cuissardes qui dépassaient de son lit. Aussitôt, il se souvint du petit paquet qu'il y avait dissimulé. Un peu de drogue l'aiderait peut-être à passer une meilleure nuit. Il glissa la main dans le fond et en sortit la boule de papier journal. Il retira les couches une à une, oscillant entre le désir de prélever juste une pincée du produit puis de cacher le reste, et celui de confier le tout à Fox-Selwyn afin qu'il s'en débarrasse.

Dans le compartiment voisin, le lord était en proie au même genre de combat intérieur. Il avait déjà enfilé sa longue chemise de nuit rayée, mais ne pouvait se résoudre à se plonger dans son livre. Le docteur Farcett appréciait-il la compagnie de son domestique, Chivers ? – ils devaient être en Écosse à l'heure qu'il était. Il espérait que le médecin se portait mieux, mais il en doutait. Sa main chercha à tâtons le paquet de caramel. Il glissa un doigt sous le papier pour sentir sa surface lisse. Il n'avait pas faim, il brûlait juste d'envie de sortir son petit marteau afin de casser le caramel en morceaux. Mais il connaissait la suite : le train n'aurait pas encore quitté

Londres qu'il n'en resterait déjà plus une miette. Et il passerait la nuit à saliver, contrarié de ne plus en avoir. Il valait mieux attendre, il le savait. Pourtant, il sentait déjà le parfum du sucre brûlé, cette odeur entêtante qu'il adorait depuis l'enfance. Il fouilla dans son sac à la recherche du marteau et le regarda posé dans sa paume, avec l'excitation mêlée de culpabilité d'un petit garçon qui s'apprête à briser une vitre, caillou en main. Tout honteux, il reposa caramel et marteau, puis ouvrit le rideau pour regarder par la fenêtre.

Le train était toujours en gare. Sur le quai, une petite bande joyeuse disait au revoir à un couple qui partait en voyage de noces. La jeune mariée écoutait, rougissante, les plaisanteries que ses frères échangeaient avec le marié sur la nuit à venir.

– Attention, Crewe, il risque d'y avoir de sacrées secousses pendant le voyage !

– Ignore-les, conseilla une femme plus âgée qui se tenait aux côtés de la mariée, probablement sa mère. Mais souviens-toi bien de tout ce que je t'ai appris.

Et elle se mit à sangloter, tirant un grand mouchoir de la poche de son manteau pour s'essuyer les yeux. La jeune fille la prit dans ses bras. Des spasmes agitaient les épaules de la mère.

– Ne pleure pas, maman, la consola l'un des garçons. Tu sais ce qu'on dit : tu ne perds pas une fille, tu gagnes un fils.

– Elle en a déjà bien assez, répliqua un vieil homme, toussant entre deux bouffées de cigarettes. Allez, Molly, arrête !

La femme releva la tête, serrant son mouchoir.

– Mais je ne pleure pas. Regardez, cria-t-elle en montrant le train du doigt.

Fox-Selwyn comprit alors qu'elle se moquait de lui, collé à la vitre, avec sa chemise de nuit rayée. Il referma le rideau et, marteau et caramel sous le bras, s'en fut voir Montmorency.

En entendant frapper, celui-ci cacha instinctivement le paquet sous son oreiller. Il s'allongea vite par-dessus, en s'efforçant de prendre un air dégagé. La large carrure de Fox-Selwyn emplissait l'encadrement de la porte. Il dut baisser la tête, et se tourner légèrement de côté pour faire entrer son ventre proéminent dans le compartiment. Montmorency leva les yeux vers lui, conscient que la culpabilité devait se lire sur son visage… mais fut surpris de trouver la même expression sur celui de son vieil ami.

– Tenez, lui dit Fox-Selwyn, en lui tendant le bloc de caramel. Prenez-le, et ne me le rendez pas avant qu'on ait au moins dépassé Watford. Je me connais !

Montmorency saisit le paquet avec un sourire indulgent et le glissa sous son oreiller. C'était le moment idéal pour lui remettre son propre paquet frauduleux, il le savait. Maintenant plus que jamais, son ami serait à même de comprendre le combat qu'il devait mener pour arrêter la drogue. Alors qu'il cherchait à tâtons la bourse de cuir, une petite tête ronde surgit sous le bras du lord.

– Vos billets, s'il vous plaît, messieurs, annonça le contrôleur, visiblement accoutumé à croiser des voyageurs plus ou moins dévêtus.

Fox-Selwyn porta la main à l'endroit où ses poches auraient dû se trouver s'il avait encore porté son costume.

– Ah… Il faut que je retourne dans mon compartiment, dit-il en essayant de faire volte-face.

Il se prit les pieds dans les bagages de Montmorency, tituba et eut toutes les peines à se rattraper, ses petits pieds esquissant des pas de danse entre les sacs et les malles, à la manière d'une ballerine. Finalement, il décida de sortir à reculons, et le contrôleur, qui attendait patiemment dans le couloir, s'esquiva juste à temps pour éviter d'être aplati contre la cloison.

– Un instant, je vous prie, lança le lord en manœuvrant pour regagner sa cabine.

Un remue-ménage mêlé de jurons s'ensuivit tandis qu'il cherchait son ticket parmi les vêtements en tas sur le sol.

Le contrôleur était en train de vérifier le ticket de Montmorency quand il réapparut, triomphant. Alors qu'ils reprenaient leur petit ballet de contorsions pour permettre au contrôleur de s'extirper du compartiment tandis que Fox-Selwyn y entrait, le train démarra avec une secousse et ils s'affalèrent tous deux sur Montmorency. Sur le quai, Molly agitait son grand mouchoir blanc pour dire au revoir au couple de jeunes mariés. L'un des avantages à voyager en compagnie de Lord George Fox-Selwyn, c'était que l'on pouvait toujours compter sur lui pour voir le côté comique des choses. Alors qu'il écrasait de tout son poids Montmorency et le contrôleur, il partit d'un grand éclat de rire communicatif. L'hilarité générale fit trembler les cloisons du petit compartiment tandis que le train s'ébranlait, prenant la direction du nord.

Mais soudain ils se turent. Un coup sourd avait retenti, énorme… boum!, secouant brusquement le wagon. Le train reprit vite son balancement normal, mais les trois hommes savaient qu'il y avait un problème. Un bref instant, ils pensèrent qu'il s'agissait d'une avarie touchant les roues ou les rails. Mais Fox-Selwyn connaissait ce bruit pour l'avoir souvent entendu au cours de ses voyages dans les Balkans en guerre. Il s'agissait d'une explosion. Un accident peut-être, ou un acte terroriste. Mais le train prit de la vitesse, filant vers l'Écosse, et le temps que la nouvelle parvienne aux rédactions des journaux de là-bas, ni Fox-Selwyn ni Montmorency ne sauraient réellement ce qui s'était produit et pourquoi.

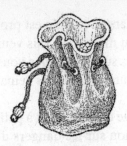

5
Manœuvres de nuit

Le contrôleur ôta sa casquette, rajusta son uniforme, puis enjamba Fox-Selwyn pour rejoindre le couloir où de nombreux passagers, certains encore habillés, d'autres en chemise de nuit (et même un avec sa brosse à dents à la main), étaient sortis pour voir ce qui se passait.

– Pas de panique ! ordonna-t-il d'une voix toute professionnelle. Je vous assure que notre train est en parfait état. S'il y avait le moindre problème, le conducteur se serait arrêté. Il a dû y avoir une explosion quelque part à Londres. Sans doute une fuite de gaz, ça ne m'étonnerait pas, ou bien un incident à la fabrique de feux d'artifice de Highgate. A cette période de l'année, ils travaillent nuit et jour pour préparer la fête de Guy Fawkes[1]. En tout cas, nous sommes déjà loin et hors de danger, désormais.

1. Le 5 novembre, les Britanniques lancent des feux d'artifice et brûlent des pantins à l'effigie de Guy Fawkes pour célébrer l'échec de ce catholique dont la « conspiration des poudres » visait à faire exploser le Parlement.

Vous avez de la chance : ce train est probablement l'endroit le plus sûr au monde. Je vais venir contrôler vos billets, puis je vous suggère d'aller vous coucher. Nous arrivons à Édimbourg à six heures demain matin, la nuit sera courte !

L'attroupement se dispersa petit à petit, mais chacun y allait de son opinion sur les dangers du gaz et de son anecdote dramatique sur des amis d'amis, victimes de la négligence de ces grippe-sous de compagnie des gaz qui s'enrichissaient en omettant d'entretenir leurs installations au mépris de la sécurité des bonnes gens. Quelques minutes plus tard, le couloir avait retrouvé son calme. Fox-Selwyn fit un saut jusqu'à son compartiment pour prendre la flasque de whisky que sa cuisinière avait glissé dans le panier de pique-nique. Lorsqu'il revint, prêt à discuter de la menace terroriste irlandaise des Fenians qui ne supportaient pas que les Britanniques gouvernent leur pays, il trouva Montmorency profondément endormi, encore tout habillé, épuisé par les événements des dernières vingt-quatre heures. Fox-Selwyn referma la porte derrière lui et alla se mettre au lit à son tour. Il était bien content que le train ne se soit pas arrêté, ce qui aurait contrarié ses projets en l'empêchant d'emmener ses amis loin de la ville. Le contrôleur avait sans doute raison. Il s'agissait certainement d'une simple fuite de gaz. Il s'était laissé emporter par son imagination, rendue fertile par ses nombreux voyages, et voyait des terroristes là où il n'y avait probablement que des employés négligents. Il ferma les yeux et dirigea ses pensées vers l'Écosse.

Mais il était incapable de trouver le sommeil. Le wagon de bois grinçait, crissait, cahotait, et il avait un courant d'air dans le dos – cette minuscule couverture ne le couvrait pas complètement, elle s'arrêtait juste au niveau de ses fesses, qui dépassaient de la couchette. En voulant se retourner, il défit les draps de l'autre côté. Il essaya de refaire le lit sans se lever mais, en tirant le drap de dessus, il ne réussit qu'à mettre en contact ses pieds avec la laine rugueuse de la couverture. Las et mal installé, il décida de ne plus bouger et de se forcer à dormir, mais son esprit le ramenait sans cesse à la tâche qui l'attendait. Comment allaient se passer les « retrouvailles » entre Montmorency et le docteur Farcett ? Il s'inquiétait pour le médecin. Pourvu que Chivers arrive à s'en sortir, il était dans un tel état. Ils ne devaient plus être très loin du domaine de son frère à l'heure qu'il était. A moins qu'ils ne se soient arrêtés dans un hôtel pour la nuit… Fox-Selwyn gigota, essayant de trouver une position plus confortable. La couverture tomba du lit. Il n'y avait rien à faire. Il devait aller chercher son caramel.

La nuit était tombée et le couloir à peine éclairé. Pas un souffle ne s'échappait de la cabine de Montmorency. Il s'avança jusqu'au lit et chercha l'oreiller à tâtons. Son ami se retourna, sans toutefois se réveiller. Fox-Selwyn glissa la main bien à plat entre le drap et la taie. Ah, le caramel ! Seulement, la tête de Montmorency reposait dessus, lourde de sommeil. Fox-Selwyn tira, mais rien ne vint. Il tira à nouveau… et le marteau tomba sur son pied. Il ouvrit la bouche pour pousser un cri, mais se retint juste à temps. Tandis qu'il se baissait pour ramasser le marteau et le glisser dans la poche de sa chemise de nuit, Montmorency remua. Il était maintenant face à lui et lui bloquait complètement l'accès au caramel. Fox-Selwyn passa la main par-dessus sa tête, retenant son souffle. Il glissa à nouveau la main sous l'oreiller, saisit le paquet et l'extirpa d'un geste victorieux. Mais il ne s'agissait pas de son caramel. C'était une bourse de cuir et, malheureusement, il devinait ce qu'elle contenait. Il retenta sa chance, trouva son caramel et s'en fut sans bruit.

Une fois dans sa cabine, il ouvrit le paquet qu'il avait découvert. Lorsqu'il renifla la poudre noire, le parfum douceâtre le replongea dans la crasse du marché turc où Montmorency avait cédé au vice. Il ouvrit la fenêtre, laissant soudain entrer le vacarme infernal des roues du train, l'odeur de la machine et un fin crachin. Nulle trace de civilisation. L'obscurité totale. Au moment où il jetait la bourse dans la nuit, le train émit un sifflement strident et s'enfonça dans un tunnel. Fox-Selwyn rabaissa brutalement la fenêtre, prit son marteau et réduisit son bloc de caramel en morceaux.

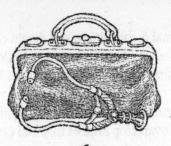

6
Remonter la pente...

Alors que Montmorency et Fox-Selwyn quittaient Londres, Chivers et le docteur Farcett arrivaient à Aberdeen. Chivers n'avait pas fait bon voyage. Pourtant, de jour, la ligne ferroviaire passait à proximité de sites qui comptaient parmi les plus pittoresques de Grande-Bretagne – ils avaient vu trois magnifiques cathédrales et longé une côte découpée où la mer semblait presque lécher les rails. En des temps moins troublés, le valet avait pourtant apprécié ce trajet vers le nord en compagnie de son maître, Lord George Fox-Selwyn, mais la triste silhouette affalée face à lui aujourd'hui gâchait tout le plaisir qu'on pouvait tirer de la contemplation du paysage. Le docteur Farcett restait replié sur lui-même, n'ouvrant la bouche que pour refuser la nourriture qu'on lui proposait. Il somnola un peu et, à un moment, se mit même à pleurer sans bruit dans le col de son manteau. Ils avaient changé à Édimbourg et devaient encore prendre un autre train à Aberdeen, mais il était tard et Chivers n'eut aucun mal à convaincre son docile compagnon de dormir à l'hôtel. Il porta les bagages du docteur Farcett dans sa chambre et prit la précaution de lui retirer son rasoir, au cas où des idées suicidaires lui viendraient au cours de la nuit. Puis il descendit au petit bar de l'établissement, il avait trop faim et trop soif pour se coucher immédiatement.

Lorsqu'il entra dans la pièce enfumée, une vingtaine d'yeux se tournèrent vers lui, tentant de le juger à son allure et à sa tenue. Chaque paire d'yeux était sertie dans un visage lunaire, au teint rougeâtre, garni d'un assortiment de dents tordues aux coloris divers. Une vingtaine de mains charnues serraient d'immenses chopes de bière entre leurs doigts potelés. Une dizaine de bedaines débordaient d'une dizaine de ceintures de pantalons. On aurait pu penser que les clients qui fréquentaient un pub si près de la gare étaient habitués à voir des étrangers, ils donnèrent pourtant à Chivers l'impression d'être un explorateur au cœur d'une contrée lointaine. Ils avaient immédiatement repéré qu'il était anglais, mais de quel milieu était-il issu ? Il était bien habillé, cependant quelque chose dans ses manières suggérait qu'il s'agissait d'un domestique et non d'un maître. Ils ne prirent aucun risque et, se contentant de l'ignorer, retournèrent à leurs conversations avec un vocabulaire qui n'appartenait qu'à eux et un accent terrible qui avalait la moitié des mots. Chivers était prêt à remonter dans sa chambre malgré la faim qui le tenaillait lorsque la patronne fit son apparition, chaleureuse et accueillante, bien qu'un peu difficile à comprendre.

– Qwa qu'vous voudrrrez pourrr vot' thé ?

Étant donné le contexte, il devina qu'elle lui demandait ce qu'il voulait pour le thé. Chez lui, on prenait le thé à quatre heures de l'après-midi. Il était beaucoup, beaucoup plus tard, mais il fit un effort : elle voulait sans doute parler du dîner.

– Que me proposez-vous ? demanda-t-il.

Même à ses propres oreilles, sa voix semblait ridicule en telle compagnie, avec son accent anglais, haut perché et pointu.

Heureusement, il n'y avait qu'un seul plat au menu. Il n'était pas bien sûr d'avoir saisi ce qu'elle avait dit, mais le plat en question se révéla être une consistante tourte à la viande, qu'il savoura avec la bière qu'elle lui avait apportée sans même lui demander. Il allait regagner sa chambre lorsque l'un des hommes assis à une petite table ronde dans un coin s'écroula brusquement, toussant, hoquetant, au bord de l'asphyxie. Les autres le regardaient s'étouffer, impuissants, tandis que la patronne lui tapait dans le dos. Le pauvre homme écarquillait les yeux, suppliant.

– Je vais chercher mon maître... il est médecin, annonça Chivers en sautant à bas de son tabouret avant de filer dans les escaliers.

Le docteur était assis au bord de son lit, absolument immobile, à l'endroit même où Chivers l'avait laissé. Il ne bougea pas davantage lorsque le valet lui cria qu'on avait besoin de son aide en bas.

– Je n'y peux rien. Je ne peux plus rien pour personne, murmura-t-il.

– Mais, monsieur, c'est une urgence. Ce pauvre homme ne peut plus respirer !

– Je ne peux rien faire. Je ne suis plus rien.

Farcett enfouit sa tête dans ses mains et se mit à se balancer sur place, les épaules secouées de sanglots.

Chivers avait passé sa vie à obéir aux ordres. Jamais durant ses longues années au service de Lord George Fox-Selwyn n'avait-il pris la parole sans qu'on la lui ait donnée, ou même formulé une opinion personnelle sans qu'on le lui ait expressément demandé. Mais, à cet instant précis, la peur qu'il éprouvait pour cet homme qui s'étouffait, la colère de constater que le médecin gâchait ses talents lui donnèrent l'assurance nécessaire : il adopta le ton qu'il réservait habituellement aux hommes de peine ou aux ouvriers dont le travail ne satisfaisait pas son maître.

– Docteur Farcett, il faut que vous veniez. Ce n'est pas le moment de s'apitoyer sur son propre sort. La vie d'un homme est en jeu. Descendez avec moi tout de suite.

Il prit la sacoche du médecin sur le lit, saisit Farcett par le bras et l'escorta jusqu'aux escaliers. Un souffle rauque et des gargouillements sinistres montaient du bar. La patronne hurlait :

– Docteurrr ! Docteurrrr !!! Viiite ! Viiite, j'vous en prrrie !

Chivers entraîna le médecin toujours replié sur lui-même, refusant obstinément d'être mêlé à tout cela.

Mais lorsque Farcett vit le corps à terre, le visage violet déformé par la panique, cherchant désespérément un souffle d'air, la compassion le submergea, balayant toute inhibition. Ses mains exécutèrent machinalement les gestes de premier secours, il força l'homme à ouvrir la bouche, puis avec une impressionnante paire de forceps tirée de son sac, il délogea le gros morceau de viande qui obstruait la trachée. L'homme toussa, crachota encore un peu, puis se redressa, bafouillant mille mercis.

Pour le plus grand embarras du docteur Farcett, les clients du pub le couvrirent alors de louanges. Il ne comprenait pas la moitié de ce qu'ils disaient, mais il saisissait le sens général. Il répéta encore et encore qu'il s'agissait d'un simple étouffement, que n'importe qui aurait pu sauver cet homme, qu'il voulait juste qu'on le laisse tranquille. Il avait raison. C'était un acte des plus simples, mais quelque chose d'important s'était néanmoins produit. Lorsqu'il remonta dans sa chambre, après avoir refusé les verres et le repas qu'on lui offrait, il se rendit dans la salle de bains et se lava les mains jusqu'à ce qu'elles aient retrouvé leur blancheur de porcelaine.

Chivers frappa timidement à la porte avant d'entrer, tout gêné.

– Je vous demande pardon, monsieur, je voulais vous présenter mes excuses pour ma conduite de tout à l'heure. Je n'aurais pas dû vous parler sur ce ton, mais dans l'urgence de la situation…

– Pas du tout, Chivers, c'est moi qui vous dois des excuses, j'en ai bien peur, répondit le médecin. Je n'ai pas été un compagnon de voyage très plaisant. J'ai des soucis.

Le valet l'interrompit :

– Vous n'avez pas à vous justifier, monsieur. Je ne vous demande rien. J'espère que vous vous sentirez mieux demain. Je vous réveillerai à sept heures car notre train part à huit. Aurez-vous besoin d'autre chose ce soir, monsieur?

– Non, merci, Chivers. Bonne nuit.

– Bonne nuit, monsieur, répondit le valet.

Puis, fermant la porte derrière lui, il redescendit achever son repas. Il avait bon espoir : le docteur serait sans doute d'humeur moins lugubre demain.

Farcett resta assis un moment au bord de son lit. Il avait rompu sa promesse de ne plus jamais toucher à un patient, mais il n'avait pas eu le choix, il le savait. S'il n'avait rien fait, cet homme serait mort et il s'en serait voulu encore plus. Il était reconnaissant à Chivers de l'avoir poussé à intervenir. Mais lorsqu'il s'allongea, il revit le cadavre à la morgue de Londres. Pendant des heures, les deux images alternèrent dans son esprit : celle de l'homme qu'il avait sauvé, celle de l'homme qu'il avait tué. Au bout du compte, il arriva à une sorte d'équilibre. Il ne reprendrait jamais son ambitieuse carrière et ses opérations en public, mais peut-être pouvait-il admettre qu'il possédait certaines compétences et les utiliser en cas d'absolue nécessité. Dès qu'il aurait un papier et un crayon, il écrirait sa lettre de démission à l'hôpital. Une fois cette décision prise, il put enfin dormir un peu.

A sept heures le lendemain matin, Chivers entra dans sa chambre avec un rasoir et un bol d'eau chaude. Le docteur Farcett parvint à manger un peu pour le petit déjeuner et, même s'il se montra assez maussade durant le trajet en train jusqu'au Banffshire, une fois dans le cabriolet qui les menait au château de Glendarvie, il avait retrouvé un air présentable. Il n'était pas tout à fait lui-même encore, mais il était en état d'être présenté au frère de Lord George Fox-Selwyn comme le chirurgien de Londres que ce dernier avait annoncé dans son télégramme.

7
... et la redescendre

Le wagon-lit arriva à Édimbourg à six heures du matin, comme prévu. Fox-Selwyn avait fini par sombrer dans un profond sommeil au moment où le train franchissait la frontière entre l'Angleterre et l'Écosse. Il émergea à grand-peine, et était toujours à s'habiller alors que les autres passagers commençaient à descendre du wagon. Dans le compartiment voisin, Montmorency avait dormi comme une souche. Pourtant, il avait également du mal à se mettre en train pour la journée. Son organisme réclamait une nouvelle dose de drogue, mais il avait eu beau retourner draps et couverture, il n'avait trouvé nulle trace de la bourse de cuir. Le bloc de caramel ayant aussi disparu, il devina ce qui s'était passé. Il ignorait en revanche que son ami avait jeté le stupéfiant par la fenêtre et que, bien loin derrière eux, dans un pré d'Angleterre, gisait le corps d'une chèvre qui, tentée par l'odorant paquet, n'en avait fait qu'une bouchée. Lorsque Fox-Selwyn apparut à la porte de son compartiment, Montmorency leva vers lui des yeux suppliants.

– Il n'y en a plus, annonça le lord d'un ton détaché qui n'admettait cependant pas de réplique. Vous allez devoir faire sans. J'ai tout jeté par la fenêtre il y a de cela plusieurs heures.

Montmorency s'effondra. Le simple fait de savoir qu'il ne pouvait bénéficier de cette aide artificielle, et ses symptômes empiraient déjà. Ses mains se mirent à trembler et, malgré la fraîcheur de l'aube écossaise, la sueur perla sur son front. Fox-Selwyn prit les choses en main, calmement, comme il l'avait si souvent fait lors de leur retour de Turquie. Il héla un porteur et demanda à ce qu'on transporte leurs bagages à la consigne pour qu'ils soient ensuite chargés à bord de leur prochain train. Il aida Montmorency à enfiler son pesant manteau neuf et l'entraîna se promener un peu pour tuer le temps en attendant que les hôtels commencent à servir le petit déjeuner.

En grimpant les marches pour quitter l'obscurité de la gare, Montmorency, qui pourtant se refermait petit à petit sur lui-même, dévoré par le manque, fut frappé par la splendeur de la ville. Le soleil répandait son éclat immaculé sur la cité, faisant ressortir la silhouette d'un antique château perché à plusieurs centaines de mètres de hauteur sur son étrange falaise volcanique. En contrebas, bordés par un boulevard aux boutiques élégantes, les jardins de Princes Street étincelaient de rosée. Fox-Selwyn accéléra le pas et se décida à poser les règles de base de leur séjour en Écosse.

– Vous ne pouvez pas continuer à prendre cette substance. Vous ne vous rendez pas compte de ce que vous faites lorsque vous êtes sous son emprise. Et dans ce métier, on ne peut se permettre de perdre le contrôle de soi-même. Que ça vous plaise ou non, vous détenez des secrets et des informations que de nombreuses personnes – amis ou ennemis – ne souhaitent pas voir dévoiler. Un seul mot de trop pourrait mettre en péril des vies, et pas uniquement les nôtres. Mais avec votre talent et vos compétences lorsque vous êtes en pleine possession de vos moyens, vous pourriez sauver de plus nombreuses vies encore. Vous n'avez pas le choix. Je crois que vous ne supporteriez pas de tomber dans des abîmes de dépravation, et je sais que d'autres, des personnes très haut placées au gouvernement, n'hésiteraient pas à vous faire éliminer si tel était le cas. Je ne les ai pas informées de votre état et, au nom de notre amitié, je suis prêt à vous donner une chance.

Un profond soulagement se lisait sur le visage de Montmorency, mais Fox-Selwyn n'en avait pas fini. Il prit son ami par les épaules et, le forçant à le regarder dans les yeux, posa son ultimatum :

– Surmontez cette épreuve et je ne dirai pas un mot. Je dois cependant vous prévenir que si jamais vous me trahissez ou si votre faiblesse met la nation en danger, je serai dans l'impossibilité de vous couvrir. Ne sous-estimez pas la gravité de l'affaire. Je veux que vous vous en sortiez et je vais faire tout ce qui est en mon pouvoir pour que vous y parveniez, même si je dois être dur avec vous.

Il le relâcha et attendit sa réponse.

Au fond, tout au fond de lui, Montmorency comprenait et appréciait que son ami se préoccupe de lui, mais ses tempes battaient et sa langue sèche paraissait énorme dans sa bouche. Après avoir essayé en vain de parler, il tendit le bras pour poser une main reconnaissante sur la joue de Fox-Selwyn. Mais soudain la nausée lui leva le cœur. Le château bien campé sur son roc primitif se mit à tanguer, et Montmorency se plia en deux. Fox-Selwyn le dirigea précipitamment vers le bord du sentier pour qu'il puisse vomir dans une poubelle. Puis il lui nettoya le visage et jeta le mouchoir en lin brodé à ses initiales.

– Regardez-vous, jeune homme ! s'exclama-t-il, irrité et inquiet.

Montmorency se détourna, rentrant la tête dans les épaules. Fox-Selwyn choisit ce moment pour faire sa première allusion, voilée, au docteur Farcett.

– J'imagine que ça ne va pas aller en s'arrangeant, dit-il, mais je connais une personne qui peut vous aider. Un homme qui, je pense, pourra vous soigner en toute confidentialité. Il nous attend à Glendarvie. Même si votre état empire durant le trajet, dites-vous que nous allons trouver là-bas un soutien, un espoir. Je ne vous demande rien d'autre que de m'accorder votre confiance, vous n'avez qu'à faire ce que je vous dis.

Montmorency était trop épuisé pour discuter. Mais si une moitié de son cœur se réjouissait d'avoir un ami si dévoué, l'autre le maudissait d'avoir jeté la substance qui aurait pu lui faire apprécier la beauté de cette matinée. Là-haut, sur l'esplanade du château, seuls sous le doux soleil d'été, ils partagèrent une cigarette. Fox-Selwyn l'alluma, en tira quelques bouffées puis la passa à son ami. Lorsque Montmorency la sortit de ses lèvres souillées de vomi pour la lui rendre, Fox-Selwyn déclina l'offre. Ils étaient proches, mais pas à ce point. Ils n'échangèrent pas un mot en redescendant la colline quand, soudain, une bonne centaine de cloches sonnèrent sept heures.

– Ah ! fit Fox-Selwyn en battant des mains avec son enthousiasme habituel. C'est l'heure du petit déjeuner.

Il entraîna Montmorency dans un grand hôtel où il commanda un véritable festin. Il mangea avec appétit, ne s'interrompant que pour redresser Montmorency lorsque celui-ci menaçait de tomber de sa chaise.

L'état de Montmorency ne cessa d'empirer durant le trajet, comme Fox-Selwyn l'avait prévu. A la gare d'Aberdeen, le lord demanda un fauteuil roulant afin de pouvoir transporter son ami jusqu'à un hôtel. Il espérait qu'une bonne nuit de sommeil le remettrait un peu sur pied avant d'entamer la dernière étape de leur voyage. Mais Montmorency ne ferma pas l'œil. La chambre même où le docteur Farcett avait dormi la veille résonna de ses divagations. Et seul un coquet pourboire et une histoire de sandwich avarié pris au buffet de la gare réussirent à calmer la patronne. Il fallut trois gaillards pour transporter Montmorency et ses bagages jusqu'au petit train qui emmena son corps tremblant, marmonnant et délirant dans le Banffshire. Lord George Fox-Selwyn était connu parmi les porteurs de la gare d'Aberdeen, et il était conscient que son étrange compagnon risquait de susciter des commérages. Il ne voulait surtout pas risquer que son identité et son triste état ne soient dévoilés, même ici, à des kilomètres de Londres. Mais quand, comme il le craignait, l'un des porteurs demanda le nom du malade, alors que Fox-Selwyn cherchait quoi répondre, par miracle, Montmorency se redressa, ouvrit un œil et marmonna :

– Le... casse-toi.

Il était retombé dans sa torpeur, bavant et tremblotant, lorsque Harvey, le vieux cocher de Glendarvie vint les chercher à la gare. Il restait encore une route éprouvante à parcourir pour atteindre les portes du domaine, en haut de la colline.

– Je suis content de vous voir, Harvey ! lança Fox-Selwyn, soulagé d'avoir une voiture à disposition. Mon frère a donc reçu mon télégramme. J'ai bien peur que mon ami ne soit pas en très grande forme.

– Je suis descendu attendre chaque train depuis hier, milord.

Harvey jeta un œil à Montmorency et constata :

– Heureusement que nous avons un médecin au château.

– Ah, ils sont bien arrivés, alors ?

– M. Chivers est arrivé avec le docteur hier soir, milord. Le marquis a demandé à ce qu'il soit logé dans la tour nord. Ce monsieur devra-t-il être installé auprès de lui ?

– Non, vous direz à Mme Grant de préparer la chambre

d'ami à côté de la mienne. Je ne voudrais pas infliger un patient au docteur Farcett sans l'avoir prévenu auparavant. Bon, nous allons passer par-derrière, pour plus de discrétion.

Harvey parut comprendre et ne posa pas de question.

– Très bien, milord, dit-il tranquillement, comme si cette étrange arrivée n'avait absolument rien d'anormal.

Alors qu'ils remontaient lentement l'étroite route qui traversait les bois entourant le château, Fox-Selwyn réfléchit... Comment allait-il procéder aux présentations ? Pendant ce temps, là-haut dans la tour nord, Chivers était occupé à ranger les affaires du docteur : plier les chemises, brosser les vestes et cirer les chaussures. Il guettait l'arrivée de son maître, imaginant à quel point milord serait content de constater que l'humeur du docteur s'était considérablement améliorée depuis leur départ matinal de Londres. Cela faisait un an qu'il n'avait pas vu Montmorency et il avait hâte de le retrouver, car ce jeune homme plein de vie était toujours un invité des plus plaisants. Premier arrivé, dernier parti, de toutes les fêtes, M. Montmorency savait distraire son monde, et laissait de généreux pourboires. Aussi Chivers fut-il horrifié en apercevant à travers la vitre l'épave que l'on faisait entrer par la porte de service, soutenue d'un côté par Harvey et de l'autre par Lord George Fox-Selwyn.

8
Le château de Glendarvie

Edward Augustus Fox-Selwyn (« Gus » pour les intimes) commençait à s'habituer à son nouveau nom. Après avoir passé la majeure partie de son existence en tant que comte de Drumillon, il était passé marquis de Rosseley, titre dont il avait hérité à la mort de son père. Son grand-père, le duc de Monaburn, était encore en vie, mais vieux et malade. Vraisemblablement, Gus allait devoir à nouveau changer de titre d'ici peu et prendre la tête de la famille en devenant duc. En effet, Gus était l'aîné et, de ce fait, selon la tradition britannique, il héritait de tout, même s'il avait à peine une heure de plus que son frère jumeau, George. Ce dernier avait reçu à la naissance le nom de Lord George Fox-Selwyn, titre honorifique qu'il conserverait à vie. Les autres titres reviendraient en cascade aux descendants de Gus, avec les biens qui les accompagnaient. Ainsi, son fils aîné, qui n'avait que cinq ans, était maintenant le nouveau comte de Drumillon. Son petit frère de trois ans, lui, se retrouvait affublé du nom de Lord Francis Fox-Selwyn. Ses parents avaient bon espoir que, en grandissant, il perde son cheveu sur la langue.

En devenant marquis de Rosseley, Gus avait hérité du château de Glendarvie, pied-à-terre de la famille en Écosse. Lorsque Gus et George étaient enfants, ils venaient y passer l'été. Les Fox-Selwyn possédaient cette magnifique demeure depuis de longues années et s'enorgueillissaient d'avoir découvert les merveilles de l'Écosse bien avant que le prince Albert ne fasse de Balmoral la résidence d'été de la reine. Au cours du siècle passé, ils n'avaient cessé de transformer et d'agrandir les bâtiments dans le plus pur style baronnial écossais. Et voilà que désormais, Gus, le nouveau marquis, était propriétaire du château et des immenses terres qui l'entouraient.

Il se trouve que cet arrangement convenait parfaitement aux deux frères. Gus appréciait sa vie tranquille en Écosse. Il avait épousé une Écossaise, Lady Lorna Gillivrie, maintenant marquise de Rosseley, qui ne manifestait aucun intérêt pour les attraits de Londres et tenait à élever leurs deux jeunes fils à l'air pur du Banffshire. Elle n'aimait pas le monde et, par chance, lorsque George et ses compagnons arrivèrent au château, elle était partie avec ses enfants rendre visite à sa mère, à Inverness – ville qui était déjà bien assez animée à son goût. George n'aurait jamais pu se satisfaire d'une telle existence. Il avait du bien, ayant hérité par sa mère d'un grand nombre de propriétés en Angleterre. Il adorait Londres et était ravi de dilapider sa fortune en paris et boissons, pimentant sa vie par des missions aux quatre coins du monde, au service du gouvernement. En dehors de cela, George et Gus se ressemblaient beaucoup. Ils étaient grands et larges d'épaules, mais leur silhouette se resserrait vers le bas, terminée par de tout petits pieds, si bien que, grossièrement, ils avaient la forme d'un œuf. Leurs crânes à tous deux commençaient à s'éclaircir et ils avaient le même penchant pour les barbes bien fournies, tant appréciées du prince de Galles.

Une fois que, avec l'aide de Chivers, Lord George Fox-Selwyn eut fait prendre un bain à Montmorency puis l'eut mis au lit, il partit à la recherche de son frère. Scrutant les environs du château des marches du perron, il repéra Gus qui sortait des bois. Le docteur Farcett était à ses côtés, emmitouflé dans un manteau qu'on lui avait prêté, bien trop grand pour lui : il lui tombait aux chevilles, et ses mains disparaissaient dans les manches. Les deux hommes étaient armés de fusils et flanqués de deux petits chiens. Le marquis avait sur l'épaule quelque chose qui constituerait un jour ou l'autre leur repas. Ils bavardaient gaiement. Lord George Fox-Selwyn fut ravi de constater que, comme il l'avait espéré, son frère appréciait la compagnie du médecin. En approchant de la maison, Gus agita des oiseaux sanguinolents dans les airs.

– George ! On commençait à croire que tu ne viendrais pas. Je viens de montrer une partie du domaine à Robert. Il m'a raconté des anecdotes de l'époque où il était médecin.

– Il est toujours médecin, Gus, et sacrément doué, d'ailleurs. Il va soigner ta goutte en un rien de temps. Et j'ai également un autre patient à lui confier. J'aimerais en discuter avec vous deux, si vous le voulez bien.

Le sourire de Robert Farcett s'évanouit. Fox-Selwyn craignit un instant qu'il eût réellement perdu sa vocation.

Le docteur se mit à bafouiller qu'il ne voulait plus jamais exercer la médecine.

– George, j'ai envoyé ma démission à l'hôpital. Je ne veux plus être médecin, je ne peux rien pour vous.

Fox-Selwyn écarta ses objections d'un revers de main.

– Robert, je vous en prie. Je sais que vous croyez avoir ruiné votre carrière à Londres, mais j'ai besoin de vous, ici et maintenant. C'est une tâche difficile, une urgence. Vous êtes l'homme qu'il me faut. Et bien sûr, je vous paierai.

Farcett tenta vainement de répliquer, mais Fox-Selwyn coupa court à ses protestations :

– Robert, je vois bien que vous cherchez à vous punir en agissant ainsi, mais de quoi comptez-vous vivre une fois que vous aurez abandonné votre travail ?

– J'ai quelques économies…, répondit vaguement Farcett.

En vérité, il n'avait absolument pas envisagé la question.

– Ça ne durera pas éternellement, Robert. Laissez-moi vous embaucher en attendant que vous vous remettiez. Prenez le temps de réfléchir, je vous aiderai aussi longtemps que vous en aurez besoin.

Le médecin continua à objecter, mais il fut réduit au silence par une intervention chaleureuse du marquis, gêné d'assister à ces vulgaires tractations financières, qui proposa d'aller boire un verre à la bibliothèque avant le dîner. Une fois qu'ils furent installés dans les canapés défoncés de la douillette petite pièce, caractérisée par la rareté de ses livres, Gus alla droit au but :

– Que se passe-t-il donc ? Je suis toujours très heureux de te recevoir, George, mais d'habitude tu me préviens plus à l'avance. Lorna sera furieuse de ne pas avoir été avertie de ta visite. Ce n'est pas encore une de tes histoires d'espions, j'espère ?

– Hum… si, justement, en quelque sorte, répondit Fox-Selwyn d'un ton contrit.

– Oh, George, vas-tu finir un jour par grandir ? De qui te caches-tu aujourd'hui ?

– Eh bien, pour une fois, ce n'est pas moi qui suis en cause, Gus.

– Je suis désolé, tout est ma faute, intervint le docteur Farcett, confus, pensant que George faisait référence à lui. Je ne voulais pas m'imposer…

Fox-Selwyn tenta de le rassurer :

– Bien sûr que non, je vous ai fait venir ici dans un but précis, et pas uniquement pour votre bien. Comme je vous l'ai dit, j'ai besoin de votre aide. Et j'ai également besoin de la tranquillité de Glendarvie, Gus. J'ai amené un autre ami avec moi, un ami qui a de gros ennuis.

– Oh non ! Encore quelqu'un qui s'est ruiné au jeu, c'est ça ? s'écria Gus, exaspéré. Tu devrais laisser tes amis assumer leurs responsabilités, George. On ne peut pas tous les renflouer !

– Non, non, ce n'est pas une affaire d'argent. C'est bien pire. Mon ami risque de perdre la vie, ou tout du moins sa source de revenus et sa réputation. Et ce pays ne peut se passer de lui.

Fox-Selwyn leur fit le récit des exploits qu'il avait accompli en compagnie de Montmorency, leur raconta les nombreux actes de bravoure de son ami et, enfin, leur avoua cette faiblesse de caractère qui l'avait fait tomber si bas. Le marquis et le docteur écoutèrent, sentant qu'il ne leur avait cependant pas tout dit. George se leva et, prenant la carafe posée sur le manteau de la cheminée, il se versa un nouveau verre de whisky. Dos au feu, il prit le médecin à parti.

– Robert, je veux que vous m'aidiez à lui faire perdre ce vice. Et j'ai une raison de croire que lorsque vous l'aurez vu, vous aurez tout autant envie que moi de le sauver. Je sais très peu de son passé, mais ce que j'en ai deviné m'a convaincu de ne pas poser trop de questions. Il s'agit de l'homme qui m'a sauvé la vie la veille de notre rencontre, Robert. Vous vous rappelez, lorsque je vous ai fait venir pour examiner mon pied et que je vous ai raconté mon accident ?

Robert Farcett sourit en se remémorant cette première rencontre, cinq ans plus tôt – comme il avait été impressionné par la personnalité exubérante de ce nouveau patient qui allait devenir l'un de ses meilleurs amis.

– Vous vous rappelez ? insista Fox-Selwyn. Vous m'avez bandé le pied, puis je suis parti déjeuner avec l'homme qui m'avait sauvé la vie. Robert, je l'ai connu un jour avant vous, et nous sommes aussi proches l'un de l'autre que vous et moi.

– Dans ce cas, pourquoi ne me l'avez-vous jamais présenté ?

Fox-Selwyn fixa le fond de son verre et fit tourner son whisky.

– Ah, mais j'ai de bonnes raisons de croire que vous l'avez déjà rencontré. Vous devez même en savoir plus sur cet homme que moi-même. Quand vous vous retrouverez face à lui, je vous implore de ne pas le juger d'après ce que vous connaissez de son passé. De la même façon, je demande à Gus de ne pas le juger d'après l'état dans lequel il se trouve maintenant. Faites-moi confiance, je vous en prie, tous les deux. Et je vous en supplie, aidez mon ami.

Il y eut un silence. Le docteur Farcett et le marquis étaient surpris de cette solennité inhabituelle chez Fox-Selwyn. George avait toujours représenté, à leurs yeux, la frivolité incarnée, mais visiblement, pour une fois, il ne plaisantait pas.

– Très bien, je vous aiderai, soupira Farcett.

Apparemment, il n'avait pas le choix, le destin faisait encore appel à ses talents de médecin.

– … Mais pourquoi tant de mystère ? Qui est donc cet homme ?

– Je compte sur vous pour me le dire, répliqua Fox-Selwyn. Montons, je vais faire les présentations.

Les trois hommes grimpèrent le large escalier de bois jusqu'à l'étage que Gus et George avaient partagé dans leur enfance. Fox-Selwyn alluma une bougie et se dirigea vers une porte, au fond du couloir. Il l'ouvrit lentement, grimaçant au moindre grincement. Le souffle régulier d'une respiration leur parvenait de l'intérieur. Montmorency était couché sur le côté, profondément endormi, sans se douter de leur présence. Fox-Selwyn fit signe à Farcett d'approcher du lit. Le médecin baissa les yeux vers la tête qui reposait sur l'oreiller. Un visage fin, bronzé par le soleil méditerranéen, aux traits quelque peu tirés, marqués par les ravages de la drogue et le long voyage. Un visage qui lui était vaguement familier mais sur lequel il ne pouvait mettre un nom. Fox-Selwyn souleva le drap avec précaution. En dessous, l'homme était nu. Son dos était strié de vieilles cicatrices. Des bourrelets blancs irréguliers ressortaient sur la peau lisse. Par endroits, des points légèrement plus clairs indiquaient l'endroit des sutures. Farcett sut immédiatement qui était allongé devant lui. Ses lèvres articulèrent sans bruit le chiffre : « 487 ».

Fox-Selwyn ne quittait pas des yeux le visage du médecin.

– Vous savez de qui il s'agit, n'est-ce pas ? murmura-t-il. Redescendons, vous me raconterez.

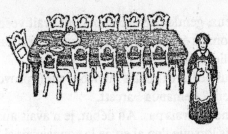

9
Un dîner à trois

Gus était tellement riche qu'il ne ressentait nul besoin, nulle envie de faire étalage de sa fortune. Glendarvie était un château spectaculaire et l'on n'avait pas hésité à consacrer les moyens nécessaires à chacune des étapes de sa construction, mais à l'intérieur, le luxe était réservé aux rares pièces destinées à recevoir des invités de marque. La famille Fox-Selwyn préférait un mode de vie plus simple, qui requérait tout de même le service de quelques domestiques et incluait les meilleurs mets et les vins les plus fins. Mais comme ils n'étaient que trois pour dîner ce soir-là, le marquis ordonna que le couvert fût dressé dans la petite salle à manger sur une immense table en bois, sans nappe. George, Gus et le docteur Farcett se regroupèrent à une extrémité et parlèrent de l'homme qui dormait en haut, ne s'arrêtant que lorsqu'on leur apportait les plats, par souci de discrétion. Le médecin décrivit l'homme dont il avait soigné les blessures en prison. Fox-Selwyn dépeignit un Montmorency courageux, gentleman accompli, qui avait vécu à l'hôtel Marimion. Ils étaient cependant tous deux incapables de faire le lien entre ces deux existences.

— Vous ne l'avez jamais interrogé sur la provenance de son argent ? demanda Farcett.

— Je ne pouvais pas. Au début, je n'avais aucun soupçon, puis lorsque j'en ai eu, je le connaissais si bien et je l'appréciais tant que... Et puis, j'avais également besoin de lui sur un plan professionnel...

Gus laissa échapper un soupir exaspéré et Farcett hocha la tête, compatissant.

Fox-Selwyn tenta de poursuivre son explication :

— Je ne pouvais plus me permettre de découvrir la vérité, Gus.

— Regarde les choses en face, George. Ça ne fait aucun doute : cet homme est un escroc.

— Je sais que c'est la seule explication valable, répondit son frère d'un air résigné, mais si tu voyais la noblesse dont il fait preuve, si tu discutais avec lui d'art ou d'opéra, tu comprendrais qu'il est bien plus que cela.

— Il joue sans doute les gentlemen pour repérer où commettre ses forfaits. Je demanderai aux domestiques de compter les couverts avant qu'il ne reparte.

— Il se comportera avec la plus grande dignité, je m'en porte garant. Enfin, une fois que nous l'aurons sevré. C'est là que vous intervenez, Robert.

— Il me semble que vous avez fait le plus dur, George, affirma le médecin. S'il n'a plus de stupéfiant en sa possession, il ne pourra certainement pas en trouver dans les environs. Mais s'il est véritablement dépendant, les prochains jours ne vont pas être une partie de plaisir. Il faudra le veiller nuit et jour.

George s'efforça de régler l'aspect pratique.

— Je vais rester à son chevet cette nuit. Et puis, Chivers pourra peut-être nous donner un coup de main.

— On a embauché une nouvelle fille en cuisine qui ferait une bonne infirmière, intervint Gus. Il s'agit de la nièce de Harvey, elle arrive des îles.

Son frère était sceptique.

— Tu penses qu'on peut lui faire confiance, elle saura tenir sa langue ?

— Ne t'inquiète pas pour ça. Sa voix est si fluette et son accent si fort que personne ne comprend un traître mot de ce qu'elle dit. Et elle me craint tellement que si je lui recommande la discrétion, elle n'ouvrira plus jamais la bouche.

Juste à ce moment, ils entendirent un grincement. La jeune fille en question entrait dans la pièce à reculons, poussant d'un coup de rein la grande porte de chêne, chargée d'un plateau presque trop large pour ses bras. Elle se dirigea vers la table, tout intimidée, et déposa devant eux trois parts d'*apple pie* fumantes, accompagnées de crème anglaise. Soulagée de n'avoir rien renversé, elle s'inclina rapidement et fila, se figeant, pétrifiée, lorsque Gus lança un tonitruant :

— Mademoiselle ?

— Oui, monsieur, chuchota-t-elle, fixant le sol.

C'était la première fois que le marquis s'adressait directement à elle.

— Comment vous appelez-vous ?

– Morag, monsieur, marmonna-t-elle, terrifiée.

Elle paraissait bien plus jeune que ses quinze ans.

– Bien. Morag, j'aimerais que tu viennes me voir demain matin après le petit déjeuner. Et ne prends pas cet air terrorisé, je ne vais pas te mettre à la porte.

– Merci, monsieur, fit-elle en s'inclinant à nouveau, sans oser le regarder dans les yeux. Ce sera tout, monsieur ?

– C'est tout pour ce soir, Morag. A demain matin.

La jeune fille quitta la pièce sans bruit, mais dès que la porte se fut refermée derrière elle, les hommes entendirent des pas précipités. La petite, effarée, se ruait à l'office pour raconter à la cuisinière ce que le marquis venait de lui dire.

Lorsqu'elle s'y engouffra, la plupart des domestiques étaient assis à une longue table, savourant le même repas que le marquis et ses invités à l'étage. Deux filles de cuisine avaient déjà commencé à laver la vaisselle des premiers plats, mais elles tendaient l'oreille pour écouter Chivers, le valet de Lord Fox-Selwyn, venu de Londres, lequel s'efforçait d'éluder les questions à propos du mystérieux homme qui dormait dans l'ancienne nursery. La veille, au dîner, ils avaient tous voulu en apprendre davantage à propos de l'invité surprise qui venait d'arriver, le docteur Farcett. Chivers s'était montré assez volubile, mais il savait où s'arrêter. Il n'avait dit mot de l'humeur sinistre du médecin durant le voyage et leur avait raconté l'épisode de l'étouffement sans mentionner qu'il avait dû le forcer à intervenir. L'histoire de ce sauvetage d'urgence avait beaucoup plu ; le séduisant docteur Farcett faisait déjà rêver et cancaner les femmes de chambre.

Chivers ignorait quel était exactement le problème de Montmorency, mais Fox-Selwyn, par son comportement lorsqu'ils l'avaient mis au lit, lui avait bien fait comprendre qu'il comptait sur sa discrétion. Comme souvent avec son maître, il y avait des sujets dont on ne parlait pas. Chivers savait pourtant qu'il fallait qu'il lâche quelques informations à propos de Montmorency, ou ses vieux amis de l'office de Glendarvie allaient soupçonner qu'il leur cachait quelque chose de vraiment intéressant.

– Tu le connais, non ? demanda la cuisinière.

– Oui, bien sûr, répondit Chivers, c'est l'un des meilleurs amis de mon maître. Il est très drôle, toujours plein d'entrain.

– Il avait l'air à demi mort quand je suis allé le chercher au train, remarqua Harvey.

– C'est quoi, son nom, déjà ?

– Montgomery ou quelque chose comme ça, répondit Harvey. J'ai pas bien compris ce que disait milord.

– Il s'appelle Montmorency, corrigea Chivers.

Il pouvait au moins leur dire ça sans trop en dévoiler.

– C'est un étranger alors ? fit l'une des femmes de chambre en essuyant un plat.

– Non, il est anglais, mais il rentre d'un voyage en Orient. Il a passé près d'un an là-bas avec mon maître.

– Tu es parti avec eux ? demanda la cuisinière dans l'espoir de recueillir des récits exotiques.

– Non, milord avait prêté mes services à la comtesse de Morbury, expliqua Chivers.

Il leva un sourcil. Peut-être quelques ragots à propos sur ce qui se passait dans la demeure des Morbury

détourneraient-ils l'attention du cas Montmorency...
Mais la cuisinière ne se laissa pas distraire.

– Il revient d'Orient... C'est là-bas qu'il est tombé
malade ?

– Baaah ! s'écria la femme de chambre en plongeant
les mains dans l'eau de vaisselle. S'il a une terrible maladie exotique, on risque de l'attraper, nous aussi !

– Ne sois pas bête, intervint la cuisinière. Milord n'a
rien attrapé du tout et ça fait pourtant des mois qu'il est
avec ce Montravency ou je ne sais quoi.

– Milord est en parfaite santé, confirma Chivers. Il n'a
pas changé.

– Il va donc dévorer la maison entière, meubles et ten-
tures compris ! conclut la cuisinière en se levant d'un
bond pour se remettre au travail. Harvey, je voudrais que
tu ailles me chercher deux ou trois choses au village. Je te
ferai une liste demain matin. Et vous, les filles, vous avez
intérêt à vous lever tôt. Il faudra faire du pain en plus,
préparer trois petits déjeuners complets ainsi qu'un plateau pour le malade. Heureusement que la marquise
n'est pas là, avec tout ce remue-ménage. Espérons qu'ils
seront tous repartis avant qu'elle revienne.

Une cloche sonna dans la salle de réception. Le marquis et ses invités avaient fini de dîner. Chivers se porta
volontaire pour aller voir ce qu'ils désiraient.

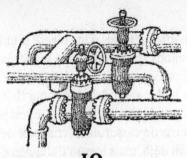

10
Des nouvelles fraîches

Ceux qui séjournaient au château de Glendarvie ne risquaient en aucun cas de mourir de faim. Le domaine comprenait plusieurs fermes, qui produisaient du bœuf et du porc, de l'avoine, de l'orge, du lait et des œufs tout frais. Dans l'enceinte même du château, une équipe de jardiniers cultivait un potager qui fournissait ses habitants en légumes frais tout au long de l'année et, faisait pousser, grâce à d'immenses serres, toutes sortes de fruits exotiques normalement introuvables dans ces régions du nord. Lord George Fox-Selwyn, sachant qu'il se verrait offrir un petit déjeuner substantiel, se leva tôt afin de s'ouvrir l'appétit par une promenade dans la propriété. Il avait bien dormi, dans son gros fauteuil de cuir, au chevet de Montmorency – celui-ci avait à peine remué pendant son sommeil et ne l'avait absolument pas dérangé. Il appela Chivers pour qu'il prenne la relève, puis après une brève toilette, il enfila ses bottes, siffla les deux cockers de Gus, Mac et Tessie, et sortit par la porte de derrière.

L'air du matin était frais. Une légère brume stagnait au creux des vallons qui entouraient le château. Tout était silencieux, Fox-Selwyn n'entendait que le crissement de ses pas et le halètement des chiens qui flairaient la piste des renards passés durant la nuit. De temps à autre, un cri ou un fracas de casserole s'échappait des cuisines où l'on travaillait déjà, mais lorsqu'il s'éloigna, le bruit s'estompa, remplacé par les bruissements d'ailes des oiseaux qui s'envolaient de leur abri de fougères, puis, dans la clairière qui s'étalait en bas de la pente, par le doux murmure de la rivière, au bord de laquelle il avait bien l'intention de s'offrir quelques heures de pêche avant la fin de son séjour. Les chevreuils dormaient encore, rassemblés en petits groupes paisibles au milieu des arbres ; ils se fondaient dans la végétation, presque invisibles au premier coup d'œil. Fox-Selwyn ne se sentait pas vraiment chez lui. Chez lui, ce serait toujours sa maison de Londres avec son confort moderne, à proximité de tous les plaisirs de la ville. Mais il savait apprécier la paix et le calme, tant que ce n'était que pour un court moment. Il se retourna vers le château. On distinguait à peine les vestiges des anciennes fortifications construites en des temps troublés. Les deux immenses tours qui encadraient le bâtiment étaient récentes, destinées à impressionner le visiteur et faire profiter du magnifique panorama sur les collines environnantes plutôt qu'à éloigner l'ennemi. L'interminable enfilade de pièces qui les reliait avait été construite pour le confort des habitants et non pour la défense, et la large allée sinueuse qui menait du portail au perron semblait dire « Bienvenue » et non

« Défense d'entrer ». Justement, Harvey la remontait, à bord du cabriolet. Il s'était rendu au village prendre le courrier et faire les courses de la cuisinière. Mac et Tessie coururent à sa rencontre, suivirent la voiture en haut de la colline, et derrière le château, jusqu'à la porte de service. Fox-Selwyn les rattrapa quelques minutes plus tard, essoufflé par cet exercice inaccoutumé. Il s'assit sur un muret tandis que Harvey repoussait les deux chiens turbulents qui, tout en sachant qu'il ne leur donnerait rien, ne pouvaient s'empêcher de quémander quand même. Le valet déchargea ses paquets. De l'un d'eux dépassait un quotidien londonien. Gus s'y était abonné afin de se tenir au courant des nouvelles d'un monde qui l'intriguait, mais auquel il n'avait aucune envie de prendre part. Le temps que le journal arrive à Glendarvie – ce qui prenait deux jours –, les plus importantes nouvelles avaient perdu toute leur importance, comme Gus aimait le rappeler à qui voulait l'entendre.

Celui-ci avait été imprimé alors que Fox-Selwyn et Montmorency cheminaient vers le nord dans leur wagon-lit. Les journalistes avaient dû travailler tard dans la nuit pour relater les événements de la soirée à la une de l'édition du matin. Le titre était plus gros que d'habitude, signe que l'affaire les avait passionnés, réduisant habilement l'espace laissé au texte où ils développaient les rares informations qu'ils avaient pu recueillir. Ce gros titre rappela aussitôt à Fox-Selwyn la mystérieuse détonation qu'ils avaient entendue alors que le train quittait la gare. Il lui semblait qu'une éternité s'était écoulée depuis. En réalité, l'incident s'était produit trois jours plus tôt.

« EXPLOSION À KING'S CROSS, annonçait le journal. DEUX MORTS, SEPT BLESSÉS. » Puis, en dessous, en caractères un peu plus petits : « LA COMPAGNIE DES GAZ OUVRE L'ENQUÊTE. » L'article dépeignait une scène de chaos tandis que les pompiers s'efforçaient de déblayer la zone. Pendant un instant, on avait craint que les grosses conduites de gaz proches de la gare n'explosent à leur tour. Les maisons et immeubles des rues voisines avaient été évacués, au cas où, et le journaliste, tenu à l'écart par les barrières de sécurité, avait passé la nuit à récolter les témoignages affolés des habitants. Son article ne donnait que peu de détails sur l'explosion elle-même et insistait surtout sur la puissante odeur de gaz, le courage des sauveteurs qui avaient travaillé dans le noir, craignant d'allumer des lanternes car une simple étincelle pouvait encore ajouter au drame. Le journal disait que les deux victimes semblaient être une femme entre deux âges et un vagabond, sans domicile fixe. Fox-Selwyn se repassa la scène. Il se rappelait effectivement un clochard crasseux, qui faisait la manche à l'entrée de la gare. Il était d'ailleurs un peu honteux de l'avoir ignoré. Enfin... dorénavant l'argent ne lui serait plus d'aucun secours. Il se souvenait également du petit groupe venu dire au revoir aux jeunes mariés qui partaient en voyage de noces, ceux qui avaient ri en l'apercevant en chemise de nuit, à la fenêtre. Ils devaient être en train de quitter la gare, épuisés par une journée de réjouissances, au moment où l'explosion avait eu lieu. La dernière chose qu'il avait vue avant de tomber à la renverse dans le compartiment de Montmorency, c'était ce grand mouchoir blanc, agité dans les airs sur le quai. Il espérait que cette joyeuse famille n'avait pas été touchée par le drame. Mais il le craignait. Voilà qui lui avait coupé l'appétit.

En entrant dans la salle où le petit déjeuner était servi, dédaignant la desserte chargée d'une abondance d'œufs, de viandes, de pain, de porridge et de fruits, il se versa une tasse de café et s'assit pour lire plus attentivement le journal. Gus, puis Farcett, le rejoignirent. Ils furent émus par la nouvelle, mais l'oublièrent vite, préoccupés par leurs projets pour la journée à venir. Alors qu'ils prenaient leur petit déjeuner, le docteur Farcett leur fit part de ses intentions concernant Montmorency.

— A-t-il passé une bonne nuit ? demanda-t-il.

— Dormi comme une souche.

— Bien, je veux être auprès de lui lorsqu'il se réveillera.

— Est-ce judicieux ? s'inquiéta le marquis. Il risque d'avoir un choc en vous reconnaissant, vous ne croyez pas ? Après tout, il ne vous a pas revu depuis sa sortie de prison.

— Tout à fait, confirma Farcett, mais ce que j'espère, c'est au contraire qu'il ne sera pas surpris. Réfléchissez. Au moment où il revient à lui, quoi de plus naturel que de voir mon visage ? Après tout, autrefois, c'est toujours moi qu'il voyait à son réveil, après chaque anesthésie. J'ai l'intention de profiter du moment où il est encore un peu étourdi pour briser la glace. Il pourra poser des questions plus tard, une fois qu'il aura intégré ma présence ici.

Gus était déçu.

– C'est donc vous qui assurerez la garde aujourd'hui, Robert ? Dommage, j'espérais que nous pourrions aller pêcher. Tenez, vous feriez bien de lui monter de quoi prendre un petit déjeuner.

Gus fit le tour de la desserte, soulevant une à une les cloches d'argent, pour constituer un assortiment complet, du boudin noir au fromage.

– Je vais demander à ce qu'on vous porte du café. Allez, filez.

Le docteur Farcett monta par l'escalier de service, en s'efforçant de ne pas renverser le lourd plateau. Il passa deux heures à lire, grignotant un peu de ci, de ça, jusqu'à ce qu'il ne reste plus que quelques restes froids et figés. Il finissait par se demander si cette mystérieuse drogue avait paralysé Montmorency pour toujours lorsque, soudain, son patient se mit à remuer.

II
Dans les hautes sphères du pouvoir

Pendant ce temps, à Londres, le nouveau ministre de l'Intérieur n'était pas le plus serein des hommes. Il s'était tellement plu aux Affaires étrangères, entouré de fins diplomates, à traiter avec les plus hauts dignitaires étrangers, qu'il espérait passer les dernières années de sa carrière politique là-bas, profitant de temps à autre d'un repos bienvenu lorsque son parti n'était pas au pouvoir. Mais le Premier ministre s'était retrouvé coincé : un député importun, malheureusement populaire, avait laissé entendre qu'il trouverait fort mérité d'être nommé ministre des Affaires étrangères. Du coup, le cabinet avait été remanié. Ainsi, l'homme qui s'était délecté des intrigues internationales avait été muté au ministère de l'Intérieur, où il était chargé d'un ramassis d'affaires plus ennuyeuses les unes que les autres. Si seulement tout avait pu se dérouler sans accroc... mais hélas, rien ne se passait jamais comme il fallait. Quand il n'y avait pas un problème dans les prisons, c'était la police qui lui causait du souci. Et voilà qu'une bombe venait d'exploser en plein cœur de Londres. Bien sûr, le Premier ministre attendait qu'il prenne des mesures. Mais voilà, bloqué dans cette ville écrasée par la chaleur alors que sa femme et ses enfants batifolaient à la campagne, il n'avait pas la moindre idée de ce qu'il devait faire.

Il avait eu une chance dans son malheur. L'explosion avait éventré une conduite de gaz et les journalistes en avaient aussitôt conclu que tout était la faute du gaz. Mais la compagnie qui gérait la distribution était formelle : c'était l'explosion qui avait causé la fuite et non le contraire. On avait réussi à convaincre le directeur de garder le silence «pour des raisons de sécurité nationale », et les inspecteurs qui avaient identifié la véritable cause de la fuite avaient été envoyés en mission urgente bien loin de la capitale. Le nouveau ministre de l'Intérieur était assez fier d'avoir, pour une fois, fait face à la situation avec habileté et détermination. Mais il savait qu'il parvenait à entretenir le flou sur cette histoire de gaz parce que c'était l'été et que le Parlement était en vacances. Si on lui avait réclamé des explications à la Chambre des Communes et qu'il eût dû avouer qu'il s'agissait d'une bombe, il aurait sûrement été démis de ses fonctions pour avoir menti aux parlementaires. Certes, il avait réussi à éviter la panique générale, mais le poseur de bombe courait toujours et, en tant que ministre de l'Intérieur, il se devait de le trouver et de le démasquer.

Quelles raisons avaient poussé le terroriste à agir ? Espérait-il un changement de gouvernement ? La libération d'un prisonnier ? Ou bien la chute du système tout entier ? Il était bien incapable de le deviner. Personne n'avait revendiqué l'attentat. Personne n'avait rien réclamé. Personne n'avait rien vu de suspect ce fameux soir. S'il lançait un appel à témoin, il risquait de raviver la panique et de relancer les rumeurs alarmistes qui avaient affolé la population après la série d'attentats ayant frappé la ville en début d'année. Au « cours de composition florale » de sa femme, il s'était produit des scènes d'hystérie collective : on craignait que des groupuscules anarchistes tentent de semer la terreur parmi la population pour que chacun se retourne contre l'ordre établi. Son majordome, habituellement flegmatique, se lançait parfois dans de violentes diatribes contre les Fenians, ces nationalistes qui voulaient chasser leurs dirigeants britanniques d'Irlande. Au cabinet, où une petite équipe partageait le secret sur la bombe de King's Cross, le ministre de l'Intérieur avait patiemment écouté divers exposés sur les Indiens, les Africains, les communistes, les nihilistes et autres « cinglés ». Qui étaient ces gens ? Où vivaient-ils ? Comment menaient-ils leurs actions ? Il avait commandé des rapports à ses nouveaux collaborateurs, mais leurs théories fumeuses s'étalaient sur des pages et des pages sans rien lui apprendre de nouveau.

Il avait demandé à consulter les dossiers de police les plus confidentiels de Scotland Yard, qui disposait d'un département spécial chargé de traquer les activistes fenians, mais ils étaient complètement démoralisés et désorganisés depuis que leur propre bureau avait sauté, un an auparavant. Rétrospectivement, il fallait reconnaître qu'il n'était pas très malin d'avoir installé le quartier général de cette unité juste au-dessus de toilettes publiques. Penser que l'un de leurs agents, qui montait la garde devant la porte des hommes, avait certainement dû saluer le poseur de bombe au passage, c'était pour le moins gênant. Finalement, la conséquence principale de cet acte terroriste avait été la fermeture de nombreuses toilettes publiques, un peu partout dans la capitale. Le nouveau ministre de l'Intérieur estimait que la gêne occasionnée par cette mesure était certainement une grande victoire pour les poseurs de bombes. Mais bien entendu il n'osait rien en dire à son équipe.

Il devait également affronter la méfiance ambiante. Les fonctionnaires du ministère de l'Intérieur considéraient depuis toujours leurs homologues des Affaires étrangères comme des amateurs, qui se tournaient les pouces. Il savait que ce manque de considération touchait aussi sa personne et que, parmi les hommes qu'il avait à son service, nombreux étaient ceux qui le méprisaient. En outre, quelqu'un d'autre avait pris la tête de son service de renseignements bien rôdé des Affaires étrangères. Ils en savaient plus que Scotland Yard sur les agents étrangers en mission sur le sol britannique, mais il n'était pas question qu'ils communiquent leurs informations au ministère de l'Intérieur. Dans un autre bâtiment encore, le ministère de la Défense avait ses propres espions mais, comme les autres, ils gardaient leurs précieux renseignements pour eux.

Quel casse-tête. Il allait bien falloir que quelqu'un tire cette affaire au clair, mais en tant que ministre de l'Intérieur, il se sentait bien mal placé pour le faire. Pour arrêter les poseurs de bombes, il faudrait contourner les lois, et la plus grande priorité du ministère de l'Intérieur était de les faire respecter, justement. Ah, comme il regrettait le temps où sa mission consistait à traquer les ennemis de la couronne à l'étranger, l'époque où Lord George Fox-Selwyn et son acolyte Montmorency déjouaient avec habileté les complots qui menaçaient les intérêts britanniques, en toute discrétion, et surtout sans avoir la presse sur les talons pour les harceler. Le nouveau ministre de l'Intérieur savait que, à l'étranger, Fox-Selwyn avait parfois recours à des méthodes peu orthodoxes : espionnage, corruption et autres magouilles qu'il n'aurait jamais pu défendre devant la Chambres des Communes. Cela allait à l'encontre de tout ce que les Britanniques se faisaient une fierté de respecter : sens du *fair play*, protection de la vie privée. Pourtant, il aurait eu bien besoin de quelqu'un comme lui pour éclaircir cette affaire...

Oui, il fallait qu'il lui parle. Le ministre prévint ses collaborateurs qu'il allait faire un tour pour se détendre, prit son chapeau et sa canne, et s'en fut à travers Saint James's Parc, en direction de la demeure de Fox-Selwyn. Les volets étaient clos. Il était absent. Le ministre se rendit chez Bargles, dans l'espoir d'y trouver Montmorency. Sam le portier se montra extrêmement courtois et le félicita pour son nouveau poste, mais fut incapable de l'éclairer sur le moyen de joindre

Fox-Selwyn et Montmorency, se contentant de répéter qu'ils étaient « partis en Écosse ».

« Pas étonnant qu'on ne parvienne pas à retrouver ces poseurs de bombes, se dit le ministre, quand il est déjà si compliqué de contacter ses propres amis ! »

Pour couronner le tout, le portier se lança dans un récit détaillé du cambriolage qui avait eu lieu dans la chambre de Montmorency en début de semaine.

– C'est consternant, cette insécurité grandissante de nos jours. Vous ne trouvez pas, monsieur ? On se demande ce que fait la police.

Il s'interrompit avant d'ajouter :

– Mais justement, c'est votre rayon, n'est-ce pas, monsieur ?

– Oui, Sam, répondit le ministre de l'Intérieur, abattu. Ne cherchez pas, tout est ma faute !

Et il repartit à son bureau d'un pas lent, en se demandant pourquoi diable il avait choisi de faire carrière dans la politique.

Cependant, il lui restait une raison de se réjouir : il avait une place d'opéra pour ce soir huit heures. En général, cela l'aidait à chasser ses soucis. Mais, cette fois, le spectacle – étalage de trahisons, de dépravation et d'assassinats – le ramena à ses propres responsabilités et manquements. En sortant de l'opéra pour regagner le Strand, il fut hélé par une grande fille outrageusement maquillée qui l'interpella en faisant la moue :

– Allez, un petit sourire, chéri ! On dirait que tu as bien besoin de compagnie.

Elle n'attendait visiblement pas de réponse, pourtant il lui répondit :

– Vous savez quoi ? Je crois que vous avez raison.

Quelques heures plus tard, dans un état d'ébriété avancée, il se dit qu'il s'était peut-être trop étendu sur ses problèmes personnels, plus qu'il ne l'aurait dû en tout cas. Le lendemain, lorsque son mal de tête commença à se dissiper, il réalisa qu'elle lui avait également confié quelque chose d'important.

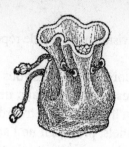

12
Un réveil cauchemardesque

Montmorency émergeait du sommeil. Il avait une crampe dans le mollet, il fallait qu'il s'étire, qu'il frotte son muscle contracté. Mais il ne pouvait se résoudre à ouvrir les paupières. D'étranges images défilaient encore devant ses yeux, il essayait de leur donner un sens cohérent. Où était-il ? Pourquoi se sentait-il si mal ? Il avait la vessie pleine. Il tenta un moment de commander à son corps de se lever mais, vaincu par l'épuisement, son esprit flottant décida finalement que ça n'en valait pas la peine et, bientôt, il sentit un liquide tiède tremper les draps. Conscient que quelqu'un se trouvait là, près de lui, il se força à ouvrir les paupières. Ce n'était que le docteur Farcett. Il avait dû subir une nouvelle opération. Tout s'expliquait. Il replongea dans ses rêves, submergé cette fois d'images de la prison, de l'hôpital, de son corps exhibé en public. Mais il refaisait régulièrement surface, réveillé par une envie... la faim, ou était-ce la soif ? Non, il désirait ardemment retrouver ce goût, un goût âcre, une amertume entêtante qui revenait sans cesse à sa mémoire mais sur laquelle il ne parvenait pas à mettre un nom. Il se revit dans un marché, un marché turc. Une main crasseuse lui passait une bourse de cuir en échange d'un billet. La drogue. Il lui fallait de la drogue. Il se redressa tout droit dans son lit et arracha les draps. Le docteur Farcett le prit par les épaules pour le forcer à se rallonger. Le docteur Farcett. Que faisait-il en Turquie ? Non, il n'était pas en Turquie. Ni en prison. Ni chez Bargles, ni au Marimion. Montmorency se débattit, cria, tira les cheveux du médecin, gigotant comme un diable pour tenter de lui échapper. La porte s'ouvrit alors et Fox-Selwyn accourut à la rescousse. Les deux cockers, Mac et Tessie, se ruèrent à sa suite dans la pièce et sautèrent sur le lit pour lécher la peau en sueur de l'inconnu. Ce n'était pas du tout le réveil en douceur que le docteur Farcett avait espéré. Il prit sa sacoche et imbiba un mouchoir de chloroforme pour le plaquer sur le nez et la bouche de Montmorency, le maintenant de force contre son oreiller. Au bout de quelques secondes, ce dernier se calma. Son regard perdu allait et venait de Farcett à Fox-Selwyn. Puis il ferma les yeux et sombra de nouveau dans l'inconscience.

Le médecin soupira :

– Ça sera encore plus dur que je ne le redoutais.

– Je ferais peut-être bien de rester un peu, constata Fox-Selwyn. Allez chercher Morag qu'elle change les draps.

Le docteur avait à peine quitté la pièce que Mac et Tessie s'étaient déjà jetés sur les restes du petit déjeuner, posés par terre, près de la chaise. Ils réussirent à nettoyer les assiettes avant que Lord George Fox-Selwyn ne parvienne à les mettre dehors.

Le marquis avait gentiment mais fermement prévenu Morag : ses nouvelles attributions requéraient la plus absolue discrétion. Pas de commérages avec les autres domestiques à propos du malade qu'elle soignait. Et elle devrait faire tout ce que le docteur Farcett lui demanderait. Pour lui faciliter les choses, le marquis l'accompagna à l'office afin d'expliquer à la cuisinière que Morag ne pourrait remplir toutes les tâches qui lui étaient habituellement confiées.

Tout en parlant, il trempa son doigt dans une jatte de pâte à gâteau et le lécha, puis expliqua que l'infortuné compagnon de Lord George Fox-Selwyn avait contracté une maladie lors de leur voyage à l'étranger. La fille de cuisine qui avait suggéré cette théorie la veille au soir eut du mal à dissimuler son sourire satisfait en baissant la tête vers les pommes de terre qu'elle était en train de peler. Sans réellement l'affirmer, Gus insinua que cette affection pouvait être contagieuse, escomptant que la peur persuaderait les domestiques de garder leurs distances. Il évoqua cependant des perspectives de guérison prochaine, tout en n'y croyant qu'à moitié.

La cuisinière affirma qu'elle comprenait (tout en fourrant un gros morceau de fromage sous un torchon pour empêcher son maître de s'y attaquer) et qu'il fallait souhaiter à ce visiteur imprévu un prompt rétablissement.

– Faudra-t-il lui préparer un menu spécial ? demanda-t-elle.

– Non, pas pour le moment, mais le docteur Farcett vous le fera savoir si besoin.

Alors que le marquis tendait la main vers une grappe de raisin qui le tentait fort, sur le vaisselier, le médecin fit justement son entrée avec pour mission d'envoyer Morag chercher du linge propre.

Avec l'aide de Chivers, Morag retourna le matelas et, sur son conseil, glissa une toile cirée sous les draps propres, en prévision de futurs « incidents ». Puis, seule, elle lava le corps strié de cicatrices de Montmorency, affalé dans le fauteuil. Elle fit de nouveau appel à Chivers afin de le remettre au lit. Les cicatrices l'intriguaient mais, conformément à ce que le marquis lui avait recommandé, elle n'en dit mot lorsqu'elle redescendit à l'office pour servir le repas de midi. Fox-Selwyn passa le reste de la journée au chevet de Montmorency. La jeune fille lui montait de temps à autre un plateau de rafraîchissements et, chaque fois, devait repousser les assauts de Mac et Tessie qui tentaient de saisir un morceau à grignoter. Elle remarqua que l'agitation du malade grandissait à chacune de ses visites, sans qu'il eût toutefois repris pleinement conscience. A l'heure du thé, avec Fox-Selwyn, ils tentèrent de lui faire boire un peu d'eau. Il finit par vider tout le verre... et, cinq minutes plus tard, elle dut refaire le lit, souillé cette fois par la bile verte qu'il avait régurgitée aussi vite qu'il avait absorbé le liquide.

Lorsqu'elle revint avec des draps propres, elle s'arrêta devant la porte. Les deux hommes se disputaient.

– Donnez m'en un peu, George ! suppliait Montmorency. Vous savez où elle se trouve. Je suis sûr que vous me l'avez prise dans le train.

– Oui, mais je m'en suis aussitôt débarrassé.

– C'était à moi, vous n'en aviez pas le droit, bon sang !

– J'en avais non seulement le droit, mais aussi le devoir.

– Mais j'en ai besoin.

– Je le sais, c'est pour ça que je l'ai jetée.

La voix de Montmorency se mua en gémissement plaintif :

– Retrouvez-la, George. Allez me la chercher.

– Impossible et, de toute façon, même si je le pouvais, je ne le ferais pas.

– Rien qu'un tout petit peu, George. Ça ne peut pas me faire de mal.

– Non content de vous faire du mal, ce poison vous tue. Et je ne vais pas vous laisser mourir.

– Mais ça chasserait les cauchemars, George.

– Non, justement, c'est la drogue qui vous les donne, mon ami ! Vous ne vous en rendez pas compte. Vous ne vivez plus dans la réalité, vous êtes dans votre monde.

Montmorency sanglotait à présent.

– Vous avez raison, reconnut-il en pensant aux images qui défilaient en permanence dans son esprit. J'ai cru voir le docteur Farcett, assis dans ce fauteuil, aussi clairement que je vous vois. Je ne vous ai jamais parlé du docteur Farcett, il me semble, George ?

– Non, car ce n'était pas utile, répondit Fox-Selwyn d'un ton apaisant.

Il n'avait pas envie de parler du docteur maintenant. Pour gagner du temps, il changea de sujet.

– Où est donc passée Morag ? Elle en met un temps pour trouver ces draps !

La jeune fille, saisissant l'occasion, frappa doucement à la porte. Tous les deux, ils aidèrent Montmorency à passer dans le fauteuil, puis ils firent le lit, écartant les chiens qui, pour jouer, bondissaient et se prenaient dans les draps. Morag était à Glendarvie depuis peu, mais elle savait rester à sa place et garder ses distances par rapport à ses maîtres. Elle était donc embarrassée de partager une tache subalterne avec le frère du marquis. Elle sentait d'instinct qu'il valait mieux que cela ne se sache pas en bas. Un lien étrange fait de secrets et d'angoisses était en train de se tisser entre elle et ces hommes venus de Londres. Montmorency gémit faiblement lorsqu'ils le bordèrent. Mac et Tessie se blottirent contre lui, comme pour le réconforter. Cette fois, Fox-Selwyn ne les chassa pas. Il les laissa sur le lit monter la garde pendant que Morag retournait à ses occupations habituelles et qu'il descendait consulter Gus et Farcett. Que fallait-il faire maintenant ?

– Ce n'est pas vraiment mon domaine, expliqua le médecin alors qu'ils se mettaient à table pour dîner. Je suis chirurgien. J'ai des confrères dont c'est la spécialité de traiter ce genre de problèmes.

– Mais vous êtes là, Robert, répliqua Fox-Selwyn avec un léger agacement, et je vous fais confiance. Vous avez déjà dû avoir l'occasion de discuter avec ces spécialistes. Vous avez sans doute un plan d'attaque à nous proposer.

– Tout ce que je peux dire, c'est qu'il faut que son organisme élimine la moindre trace de ce poison.

– Ça m'a l'air bien parti ! plaisanta le marquis en pensant au linge sale qui s'accumulait dans la buanderie.

– Il n'y a pas de quoi rire, Gus, répliqua Fox-Selwyn avec irritation.

– Il a raison, intervint Farcett, c'est une bonne chose qu'il vomisse.

– Allez, passe-moi la sauce, vieux frère, demanda Gus.

Ces détails crus ne semblaient en aucun cas lui couper l'appétit.

Fox-Selwyn poussa la saucière dans sa direction en poursuivant :

– Bon, il faut qu'il élimine, et après ? Son organisme réclame toujours cette ignoble drogue.

– Eh bien, comme pour n'importe quelle maladie, je recommanderais de l'exercice au grand air.

– Ça me rappelle l'école, commenta Gus. *Mens sana in corpore sano.*

– « Un esprit sain dans un corps sain. » Voilà le but que nous souhaitons tous atteindre, approuva George. Un peu de vin ?

– De longues balades et de la natation. Ça ne peut nous faire que du bien !

Gus se tapota la bedaine en se resservant des pommes de terre.

– Tout cela bien sûr, à condition qu'il n'ait plus de ce produit en sa possession, murmura Farcett. Vous dites que vous avez tout jeté, mais comment savoir s'il ne lui en reste pas en réserve, caché quelque part ? En fait, j'aurais bien aimé voir de quoi il s'agissait...

– Qui est avec lui en ce moment ? l'interrompit Gus en voyant arriver Morag, toujours de dos, avec un nouveau plat de légumes.

Les trois hommes se regardèrent, puis montèrent quatre à quatre pour découvrir Mac et Tessie profondément endormis sur le lit et Montmorency, assis, en train de secouer une de ses cuissardes, regrettant visiblement qu'elle soit vide.

– Je cherchais juste...

Il commença à se justifier, tandis que Fox-Selwyn faisait signe à son frère et au docteur Farcett de rester cachés, en retrait.

– Je sais fort bien ce que vous cherchiez ! s'exclama le lord, furieux. Levez-vous, vous dormirez dans la chambre de Chivers cette nuit.

Il poussa sans ménagement Montmorency vers la tour où son valet, d'une patience à toute épreuve, accepta la situation sans broncher. Chivers se prépara à passer la nuit au chevet d'un Montmorency délirant et pleurant, pendant que les autres fouillaient ses affaires. Ils examinèrent le moindre livre, le moindre gant, parfois distraits par une découverte inattendue. Gus, enthousiasmé par son matériel de pêche flambant neuf, faillit éborgner son frère en faisant mine de lancer la ligne. Farcett fut grandement impressionné par la facture du magasin de confection, pliée parmi les vêtements. Mais ils ne trouvèrent rien.

– Parfait, déclara le marquis en contemplant le désordre environnant. La cure de M. Montmorency peut donc commencer !

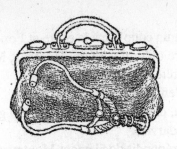

13
Les retrouvailles

Elle commença effectivement dès le lendemain matin, mais pas avant qu'ait eu lieu le face-à-face que Fox-Selwyn redoutait tant, et qu'il ne pouvait différer davantage. Il fallait que Montmorency accepte que Farcett resurgisse dans sa vie. Lorsque l'ancienne nursery eut été remise en ordre, Chivers fit redescendre Montmorency et l'installa dans le fauteuil, une couverture sur les genoux. Puis, fatigué par cette nuit agitée, il s'en fut annoncer à son maître que le patient avait retrouvé un calme relatif. Montmorency resta donc seul, balayant la pièce du regard. On avait ouvert les volets et, pour la première fois, il découvrit la nature réelle des silhouettes qui tournoyaient autour de lui dans la pénombre de ses cauchemars. Le monstre menaçant se révéla être un vieux cheval à bascule recouvert d'un drap ; l'homme à la dague un portemanteau cassé où pendait un parapluie fermé ; et le rire mystérieux et moqueur n'était autre que le chant d'un oiseau perché sur le conduit de cheminée, dont les trilles résonnaient jusque dans l'âtre.

On frappa un coup sec à la porte et Fox-Selwyn entra sans attendre qu'on l'y invite. Honteux, Montmorency détourna la tête.

Son ami s'efforça de paraître détendu.

– Eh bien, dit-il d'un ton un peu trop guilleret, vous voilà à Glendarvie.

– Je sais, répondit docilement Montmorency, Chivers m'a averti.

Fox-Selwyn arpentait la chambre, tripotant distraitement les objets familiers de son enfance.

– Quand Gus et moi étions petits, cette pièce était la nursery, dit-il en essayant de remettre en place la roue d'un train miniature rouillé. Mais tout ça a bien changé. Maintenant, les enfants ont une nouvelle chambre, dans l'autre aile.

Il tira le drap qui recouvrait le cheval de bois. Celui-ci se balança doucement lorsqu'il lui donna une tape affectueuse sur l'encolure. Le lord n'arrivait toujours pas à regarder Montmorency en face.

– J'ai passé des semaines enfermé ici lorsque j'ai eu la scarlatine.

– Et moi ? Ça fait longtemps que je suis là ?

– Non, deux jours seulement. Vous avez déjà l'air en meilleure forme, remarqua Fox-Selwyn, qui pourtant lui tournait le dos.

– Je vais parfaitement bien, affirma Montmorency.

Tentant de se lever, il faillit tomber à la renverse.

Fox-Selwyn bondit pour le rattraper et le fit rasseoir doucement.

– Vous avez bien failli mourir, cette fois. Cette drogue

s'est immiscée jusqu'au tréfonds de votre âme. Il faut que vous arrêtiez, il faut que vous vous battiez.

— Je vais essayer, mais c'est tellement dur…

— C'est pour cela que j'ai fait venir quelqu'un qui pourra vous y aider.

— Mais je ne veux pas voir d'étrangers, George, supplia-t-il. Je ne veux pas que ça se sache.

— Il s'agit d'un médecin, et il est déjà au courant. Il était là quand vous étiez au plus mal. Et ce n'est pas un étranger. Vous allez avoir une sacrée surprise, Montmorency. Peut-être même un choc.

Dehors, devant la porte, le docteur Farcett tendait l'oreille. Il était conscient du risque que prenait Fox-Selwyn en organisant cette rencontre. Depuis cinq ans, les deux amis avaient toute confiance l'un en l'autre et pourtant, pendant tout ce temps, Fox-Selwyn lui avait caché qu'il connaissait Robert Farcett. Comment Montmorency allait-il le prendre ? Cependant, si George avait agi ainsi, c'est qu'il se doutait que son ami malade lui cachait des choses, lui aussi. Tous ces secrets allaient devoir sortir de l'ombre, maintenant. Leur amitié survivrait-elle à ces révélations ? On ne pouvait prévoir la réaction qu'aurait Montmorency en revoyant Farcett. Le médecin lui avait imposé des souffrances insoutenables et l'avait exhibé, jour après jour, à la Société Scientifique, pour faire montre de ses talents de chirurgien. Exposé aux yeux d'une foule curieuse, nu, il avait été privé non seulement de sa liberté mais aussi de sa dignité. Par sa faute. Montmorency pourrait-il le lui pardonner ? Le méritait-il ? Farcett lui-même en doutait.

Fox-Selwyn se dirigea vers la porte.

– C'est bon, Robert, vous pouvez entrer.

Montmorency tourna la tête. Il le reconnut immédiatement.

– Docteur Farcett ! s'exclama-t-il en fixant l'homme qui lui tendait la main.

Et, bizarrement, Montmorency se sentit obligé de présenter le chirurgien à son ami.

– George, voici le docteur Farcett. Il… il…

Montmorency cherchait ses mots. Comment expliquer dans quelles circonstances il avait fait la connaissance du docteur ? En un éclair, des images de la prison, de l'hôpital et de l'estrade de la Société Scientifique le renvoyèrent à l'époque où le médecin tentait de reconstruire son corps. Comment mettre tout cela en paroles ? Finalement, il se contenta de bafouiller :

– Il m'a sauvé la vie.

– Je sais, répondit le lord tandis que le docteur serrait la main de Montmorency. Robert est un ami de longue date. J'ai pensé que le temps des retrouvailles était venu.

C'était maintenant au tour de Farcett de rester sans voix. Malgré l'intimité qui avait pu se créer entre eux, jamais il n'avait considéré son patient comme un égal, ni même comme un être humain doué de conscience. Et pourtant, Montmorency se tenait là, devant lui, bien vivant, et apparemment reconnaissant. Il sentit les larmes lui monter aux yeux. Il ne put qu'articuler une salutation embarrassée :

– Enchanté de vous revoir, monsieur Montmorency.

– Dites plutôt 487, corrigea celui-ci en faisant référence au matricule qui lui avait été attribué en prison.

Le docteur sourit.

– 487, en effet. Je me suis souvent demandé ce que vous étiez devenu.

Il repensa à la missive et à l'argent qu'il avait laissés à son intention en prévision de sa libération.

– Dites-moi, pourquoi ne m'avez-vous jamais contacté ? J'avais noté mon adresse…

Montmorency se souvint alors de l'enveloppe que lui avait donnée le directeur de la prison le jour de sa sortie.

– Alors cette lettre venait de vous ! Je n'ai jamais su ce qu'elle contenait, un gardien me l'a prise.

– J'ai été profondément déçu que vous ne m'ayez jamais rendu visite. Je proposais de vous payer pour que vous me laissiez finir mon travail.

– Vous avez fait preuve d'une grande bonté, Robert, remarqua Fox-Selwyn.

– Non, George, répliqua le médecin. Il n'y avait là aucune bonté. Ce n'était pas pour son bien, mais pour ma carrière. Je pensais uniquement à ça. Je lui dois tout, il est à l'origine de ma réussite.

Fox-Selwyn sentit que Farcett menaçait de recommencer à se déprécier, au moment où ils avaient le plus besoin de lui et de ses compétences professionnelles. Il joua sur son sens aigu de la culpabilité.

– Eh bien, voici justement une chance de vous acquitter de votre dette envers lui. Si vous parvenez à nous rendre notre Montmorency, personne ne devra plus rien à personne.

Cette fois, c'est Montmorency qui intervint :

– Vous voulez dire que nous nous devrons tout l'un à l'autre.

Ce marché leur convenait. Médecin et patient reprirent contact au cours d'une petite promenade qui marqua le début de la renaissance de Montmorency. Au déjeuner, on lui présenta Gus, auprès de qui il se confondit en excuses pour son comportement et tout le dérangement qu'il causait. Durant les deux semaines qui suivirent, ces promenades devinrent de plus en plus sportives. D'un bout à l'autre du domaine, on croisait Montmorency en train de faire de l'exercice, suivi de près par Mac et Tessie. Au fil du temps, ses crises de tremblements et ses accès de violence s'espacèrent, puis disparurent. De temps à autre, il se laissait aller à une pathétique petite crise de larmes – mais rien de comparable avec les vagues de désespoir profond qui le submergeaient les premiers jours. Montmorency se livrait peu à peu à Gus et à Robert, et même George découvrit sur lui des choses qu'il ignorait. Mais une question demeurait sans réponse. Nul n'avait réussi à lui faire dire précisément où il avait trouvé les fonds pour financer sa reconversion de détenu en gentleman. Et toute tentative réveillait le côté le plus sombre de Montmorency.

Croyant avoir choisi le moment idéal, dans les volutes de fumées d'un cigare, après un dîner particulièrement savoureux, Gus insista davantage encore que les autres :

– Allez, Monty, dites-nous comment vous avez fait. Vous étiez plutôt du genre cambriolage ou escroquerie ?

Ce à quoi Montmorency répliqua avec hargne :

– J'étais un voleur, point. C'est tout ce que j'ai à dire.

Puis il quitta la pièce en claquant la porte.

Les autres crurent y voir une réaction de honte. Mais, traversant le jardin à grands pas sous les étoiles, Montmorency réalisa qu'il y avait autre chose. Il ne pouvait se résoudre à révéler le secret de son monde souterrain, même à ses amis les plus intimes. Serait-il un jour assez proche de quelqu'un pour pouvoir le lui confier?

Le lendemain, les autres s'étaient résignés à ne pas en savoir plus. La femme de Gus devait bientôt rentrer de voyage et aucun d'eux ne voulait risquer de lui présenter un Montmorency de méchante humeur. Il s'avéra que la marquise le trouva charmant et plein d'humour. Elle fut ravie qu'il emmène enfants et chiens se promener dans la campagne ou faire de la barque sur le lac. Elle était, comme prévu, fâchée que George ne l'ait pas avertie de son arrivée – et cependant fière que ses domestiques aient su faire face à la situation en son absence. Et, bien qu'elle n'appréciât guère de recevoir des invités, si cela lui était imposé, elle préférait à tout autre ces trois hommes sympathiques, sans manières ni grands airs.

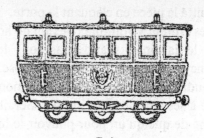

14
Nouvelles du nord, nouvelles du sud

Un matin, alors qu'ils étaient tous en train de prendre le petit déjeuner, comme d'ordinaire, Mac se faufilait entre leurs jambes dans l'espoir qu'un morceau tombe par terre, et Tessie se faisait disputer parce qu'elle mettait ses pattes sur la table pour essayer de subtiliser une saucisse ici ou là. Quand Montmorency poussa une couenne de bacon sur le bord de son assiette, elle tenta sa chance et se jeta dessus. Gus lança alors son habituel : « Descends, Tessie ! »... Sauf que, cette fois, la chienne se laissa retomber sur ses pattes, et sortit de la pièce en courant, suivie de près par son frère.

– Eh bien ! s'exclama la marquise, surprise. On dirait que vous arrivez enfin à vous faire obéir, Gus ! Mes félicitations !

En définitive, les chiens n'étaient pas si obéissants que ça. Ils avaient tout simplement entendu la carriole d'Harvey remonter l'allée et s'étaient précipités à sa rencontre, leurs longues oreilles volant presque à l'horizontale alors qu'ils coupaient à travers la pelouse. Par la fenêtre, l'assemblée vit le vieux cocher tendre une enveloppe à Morag, puis descendre de voiture pour s'empresser de porter un télégramme à Lord Fox-Selwyn. Tous se turent tandis qu'il l'ouvrait, s'obligeant à la discrétion, mais mourant d'envie de savoir ce qu'il contenait. Ce fut la marquise qui céda la première à la curiosité.

— Il ne s'agit pas d'une mauvaise nouvelle, j'espère…

— Non, répondit George en pliant le papier pour le glisser dans la poche de son gilet, pas vraiment. Mais ça ne m'arrange pas, cependant. Un mot du ministre de l'Intérieur…

Gus poussa un soupir exaspéré.

Son épouse, au contraire, parut ravie lorsque George annonça :

— Il faut que je rentre à Londres.

La conversation embraya aussitôt sur les horaires de train et les en-cas pour le voyage.

Le docteur Farcett prit Fox-Selwyn à part pour lui chuchoter :

— Vous ne pouvez pas emmener Montmorency, ce ne serait pas raisonnable.

— Je sais, répondit-il d'un ton calme, vous allez rester ici avec lui. J'essaierai d'être de retour d'ici peu.

Le valet revint alors dans la pièce. Lorsqu'il ouvrit la porte, une plainte aiguë monta du couloir.

— Ah, Harvey, fit la marquise, il va falloir que vous conduisiez Lord George Fox-Selwyn à la gare…

Elle s'interrompit, troublée par ces gémissements.

– Mon Dieu, que se passe-t-il ? Quel est donc ce bruit ?

– C'est Morag, m'dame, expliqua Harvey. Il y avait une lettre pour elle ce matin. Je crois qu'elle est sous le choc : son petit frère est mort. C'était encore un bébé... Sa mère n'est pas bien du tout, m'dame. Ses parents veulent qu'elle quitte Glendarvie pour retourner à Tarimond. Je m'demandais si je pourrais l'emmener là-bas, m'dame.

– Oh ciel, fit la marquise, paniquée à l'idée que l'organisation domestique du château s'en trouve perturbée. Ce serait fort inopportun, surtout en ce moment, alors que nous avons des invités. C'est à des centaines de kilomètres, et il vous faudra attendre un bateau en partance pour l'île. Vous serez absent au moins une semaine, au mieux. Sincèrement, je ne crois pas que...

Mais le docteur Farcett réfléchissait... et vite.

– Ne vous inquiétez pas, Lorna, dit-il. Je vais me charger de reconduire Morag chez elle. J'ai toujours voulu visiter les îles. Et vous pourriez venir avec moi, n'est-ce pas, Montmorency ? ajouta-t-il, comme s'il réfléchissait tout en parlant.

– Oh, vous feriez ça ? s'extasia la marquise, incapable de cacher son soulagement à la perspective de se débarrasser de tous ses invités d'un seul coup. Je suis sûre que la famille de Morag vous en serait très reconnaissante. Et comme ça, Harvey pourrait rester ici, avec nous.

– Ce sera un plaisir, affirma Montmorency. Enfin, pour une triste occasion, se corrigea-t-il en se rappelant que Morag venait de perdre un être cher et que Harvey, son oncle, se trouvait toujours dans la pièce.

C'est ainsi que, avant midi, une carriole chargée de bagages et de provisions emporta tous les invités à la gare de Glendarvie. C'est là qu'ils commencèrent leur long voyage ensemble pour remonter vers le nord à bord d'un petit tortillard. Puis les deux groupes se séparèrent à une intersection ferroviaire connue pour les hautes piles de tonneaux de whisky vides qui bordaient ses voies. Fox-Selwyn et Chivers prirent le train vers l'est, en direction d'Aberdeen. George avait englouti ses provisions avant d'avoir atteint Inverurie. Farcett et Montmorency, eux, s'efforcèrent de montrer plus de retenue en compagnie de la pauvre Morag. Ils s'abstinrent de toucher à leur panier, en attendant (une éternité !) le train qui partait dans la direction opposée et les mènerait vers l'ouest, les bateaux et les îles.

15
Péchés capitaux

Lord George Fox-Selwyn adorait Londres, mais c'était l'été, il faisait chaud, et la plupart de ses amis étaient en vacances. Dès qu'ils arrivèrent, Chivers lui fit couler un bain et ôta les housses de protection qui recouvraient les meubles, tandis que son maître rédigeait un mot pour annoncer son retour au ministre de l'Intérieur. Il ne savait pas bien pourquoi ce dernier l'avait convoqué, mais le ministre avait laissé entendre que l'affaire avait un lien avec l'explosion de King's Cross. En entrant en gare à bord du wagon-lit, il avait cherché en vain des traces de cet incident : on remarquait à peine le brique-tage neuf et le coup de peinture fraîche. L'explosion s'étant produite juste devant le comptoir des réserva-tions, à l'entrée de la gare, la compagnie des chemins de fer s'était empressée de faire réparer les dégâts, de peur que les voyageurs effrayés ne renoncent à prendre le train. Et ce faisant, ils avaient détruit le peu de preuves dont on disposait pour déterminer la cause de l'explosion. Dans le journal que Fox-Selwyn acheta au kiosque de la gare, on n'en parlait à peine. On n'y trouvait que quelques lettres de lecteurs qui s'insurgeaient contre les pratiques mesquines des compagnies de gaz et réclamaient une nouvelle législation imposant des critères de sécurité plus stricts.

Fox-Selwyn avait pratiquement fini de s'habiller lorsqu'un garçon de courses apporta la réponse à son petit mot. Le ministre de l'Intérieur voulait le voir, mais pas à son bureau. Ils se retrouveraient à St James's Park, près du bassin, à trois heures. Fox-Selwyn, arrivé le premier sur les lieux, regarda les canards s'ébattre joyeusement dans l'eau. Levant les yeux, il aperçut une silhouette familière venir à sa rencontre. Son ami, pourtant de haute stature, marchait les épaules voûtées, en fixant ses chaussures. Lui qui d'habitude paraissait si sûr de lui, parfois même un peu trop… il était à peine reconnaissable.

– Alors, ce nouveau poste ? s'enquit Fox-Selwyn en lui serrant la main.

– Un supplice, mon vieux. Un véritable supplice, répondit le ministre d'un ton lugubre. Je n'aime pas ce boulot et il me le rend bien. Chaque fois que je pense avoir réglé un dossier, un nouveau problème surgit, d'une tout autre nature.

– Mais c'était pareil aux Affaires étrangères, non ?

– Oui, mais je pouvais toujours rejeter la faute sur « monsieur L'Étranger ». Et puis, de toute façon, la plupart des gens ne s'intéressent pas à ce qui se passe en dehors du pays. Alors qu'en revanche « monsieur Tout-le-monde » prétend tout savoir sur la Grande-Bretagne.

Le moindre badaud se prend pour un expert en politique intérieure. Jusqu'à mon jardinier, qui me donne des conseils.

– Et que vous conseille-t-il ?

– De jeter tout le monde en prison. Sauf lui, bien entendu. Parfois, je me demande s'il n'a pas raison.

– Que puis-je pour vous ?

– C'est à propos de cette maudite bombe.

– Alors il s'agissait d'une bombe, et non d'une fuite de gaz ?

– J'aurais préféré qu'il s'agisse d'un problème de gaz, soupira le ministre de l'Intérieur, hélas c'était bien une bombe – artisanale, mais efficace. Sans doute déposée dans une poubelle ou dissimulée à l'intérieur d'une valise. Quel désastre ! Une vraie boucherie. Ces pauvres bougres ont été taillés en pièces. On a tout nettoyé dans la nuit, de sorte qu'il ne reste plus rien au matin. L'explosion a touché une conduite de gaz, on a donc pu évoquer l'éventualité d'une fuite pour éviter la panique. Mais c'était une bombe. La question étant : qui l'a posée ?

– Entre les Irlandais ou les anarchistes, vous voulez dire ? suggéra Fox-Selwyn.

– Ça pourrait être n'importe qui : les Russes, les Indiens, les Africains, les Afghans, les Slaves, les Serbes… ou même un fou isolé. Les paris sont ouverts…

– Et qu'en dit votre cabinet ?

– Mon cabinet, George ? Mais ils n'ont pas la moindre piste.

– Et c'est là que j'interviens ?

104

– Oui, exactement. Considérez cela comme une mission à l'étranger, George. Vous allez d'ailleurs œuvrer en territoire étranger. J'aimerais que vous alliez où mes hommes ne vont pas d'habitude. Et je crois même pouvoir vous mettre sur une piste. L'autre jour, j'ai eu vent de quelques renseignements qui m'ont donné à réfléchir... Quand je vous révélerai d'où je les tiens, vous comprendrez pourquoi je ne peux rien dire à mon équipe.

Et le ministre de l'Intérieur, un homme qui avait fait le baisemain à la reine (et dont la présence serait requise à son chevet lors de l'accouchement, dans l'éventualité hautement improbable d'une nouvelle naissance royale), raconta à Fox-Selwyn sa soirée à l'opéra et sa rencontre avec une sympathique jeune femme arpentant le trottoir. Elle lui avait parlé d'un homme suspect qui avait pris une chambre chez elle le jour de l'explosion. A plusieurs reprises, il s'était armé de courage, déterminé à confier ce qu'il savait à son directeur de cabinet ou au préfet de police de la ville. Mais chaque fois qu'il s'était retrouvé face à ces modèles de droiture, il s'était dégonflé – d'autant plus qu'il était tellement ivre ce soir-là, qu'il ne parvenait plus à se rappeler le nom de la fille ni son adresse. Il ne se rappelait pas non plus exactement ce qu'elle lui avait dit, mais il se souvenait avoir eu un moment de lucidité et s'être dit qu'elle détenait la clef, ou l'une des clefs du mystère.

– A vous de jouer, conclut-il. Il ne s'agit pas d'une mission officielle, bien entendu.

– Bien entendu.

– Mais je vous soutiendrai dans toutes les démarches que vous entreprendrez et je vous tirerai d'affaire si jamais vous étiez arrêté ou que vous rencontriez le moindre problème.

– Comme vous l'avez fait en Perse ? remarqua perfidement Fox-Selwyn.

Certes, il était un peu injuste de rappeler à son employeur la seule occasion où il avait failli à son devoir et l'avait laissé croupir dans une cellule répugnante pendant des semaines, mais bon...

– Il nous était impossible de reconnaître que nous étions mouillés dans cette affaire, vous le savez parfaitement.

– Tout à fait et là, c'est la même chose, non ?

– Oui, un peu... A moins que tout se passe bien, évidemment.

– Au quel cas, vous vous en attribuerez le mérite.

– C'est ça, la politique, George ! Mais si vous n'êtes pas intéressé...

– Je n'ai pas dit ça.

– Bien entendu.

Le ministre de l'Intérieur lui donna une grande tape dans le dos.

– Vous marchez, n'est-ce pas ?

– Je vais essayer, mais il faudra que vous me disiez ce que sait votre cabinet.

– Ça ne prendra pas longtemps ! s'esclaffa le ministre avec amertume, puis il ajouta : Mettez votre ami Montmorency sur le coup. Cette affaire est tout à fait dans ses cordes.

Fox-Selwyn ne répondit pas, plongé dans ses pensées. Le Montmorency d'autrefois aurait adoré ce genre d'enquête, mais aujourd'hui, était-il assez solide pour reprendre le travail ? Pourrait-il résister aux nombreuses tentations de la vie londonienne ? Fox-Selwyn en doutait. Le ministre de l'Intérieur interrompit ses réflexions.

– Que faisiez-vous donc en Écosse, tous les deux ?

– Oh, nous flânions, tranquilles…

– George, vous n'êtes pas du genre à flâner tranquillement et vous le savez. Ce pauvre Montmorency va devenir fou si vous l'abandonnez dans ce trou. (« Il deviendra fou si je le ramène ici, plutôt », pensa Fox-Selwyn.) Que se passe-t-il, George ? Pourquoi êtes-vous soudain si silencieux ?

– Je ne sais pas, soupira Fox-Selwyn. J'ai abusé de l'air de la campagne, il faut croire.

– Exactement, il vous faut de l'action. Alors vous acceptez la mission ?

– Je ferai de mon mieux pour vous satisfaire.

– Vous n'agissez pas seulement pour moi, mais pour la reine !

– Oh, oui, pour elle aussi, naturellement, se corrigea Fox-Selwyn, agacé par le ton pompeux qu'avait soudain adopté son ami. Mais surtout pour que les gens puissent se rendre à la gare sans risquer de se faire tuer.

Le ministre de l'Intérieur regarda aux alentours. Une nurse poussant un landau approchait, accompagnée par un vilain petit gamin qui faisait courir un bâton contre le grillage autour de la mare. Les deux hommes étaient sur son passage mais il poursuivit son chemin en cognant le bâton dans leurs jambes pour ne pas interrompre le bruit régulier qu'il produisait.

– Dis donc, mon petit bonhomme! s'écria le ministre d'un ton qui n'avait rien de méchant. Ce n'est pas très gentil ce que tu viens de faire!

La nurse prit l'enfant par la main et l'entraîna bien vite, tournant la tête pour fixer les deux hommes d'un air outragé.

– Combien de fois dois-je te répéter de ne pas parler aux inconnus? cria-t-elle en secouant l'enfant jusqu'aux larmes. Tu ne sais pas ce qu'ils pourraient te faire! Celui-là serait bien capable de t'enlever pour te vendre en esclavage ou te manger pour son dîner.

– Vous voyez? Voilà ce que les gens pensent de moi! s'exclama le ministre de l'Intérieur, atterré.

Puis une fois qu'ils furent à nouveau seuls, il se rapprocha de Fox-Selwyn et baissa la voix:

– Je rapporterai le dossier à la maison demain soir. Venez dîner à six heures, d'accord?

– Bien, j'apporterai mes lunettes.

– Ravi de vous revoir, mon vieil ami.

– Six heures, j'y serai. A demain.

Après une nouvelle poignée de main, ils se séparèrent pour partir chacun dans une direction opposée, comme deux anciens camarades de classe qui se seraient croisés par hasard dans un parc par un lourd après-midi d'été.

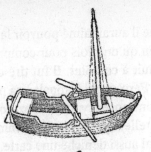

16
La traversée

De Glendarvie, il fallait trois jours de voyage pour rallier Tarimond, l'île natale de Morag. Après le petit train, on en prenait un plus grand qui conduisait à un port où l'on passait la nuit à l'auberge. Farcett et Montmorency avaient fini par s'habituer au murmure étouffé de la voix de Morag et par recueillir quelques renseignements sur sa famille et la vie qu'ils menaient dans leur ferme isolée. Du port, un grand bateau les emmena sur une grande île ; là, un poney et une carriole leur firent traverser des paysages d'une beauté à couper le souffle pour les déposer dans un autre port, où ils prirent une autre chambre pour la nuit. Réveillé de bonne heure, Montmorency admira l'eau bleue et les collines sauvages à l'horizon. Derrière, il n'apercevait plus que le haut sommet des montagnes qu'ils avaient quittées la veille. Il avait faim – c'était la première fois qu'il se réveillait avec l'envie de manger, et non de reprendre une dose de cette drogue turque. Il détestait ce poison, désormais. Mais… maintenant qu'il y pensait, comme il aurait aimé pouvoir la sentir, la goûter à nouveau, rien qu'une fois pour comprendre pourquoi elle l'avait séduit à ce point. Il fut tiré de ses réflexions par le docteur Farcett qui frappait à sa porte.

– Allez, Montmorency, dépêchez-vous. J'ai réussi à trouver un batelier qui peut nous emmener presque à destination. J'ai aussi déniché une carte.

Montmorency fit entrer le médecin, qui déplia son acquisition et l'étala sur le lit. Harvey avait essayé de leur montrer Tarimond sur l'atlas, à Glendarvie, mais les distances avaient été artificiellement réduites afin de faire tenir toutes les îles britanniques sur une seule page. Montmorency pouvait donc pour la première fois réellement se rendre compte des kilomètres qui les séparaient de Tarimond. C'était l'une des plus lointaines îles éparpillées dans l'océan Atlantique, en une sorte de bouquet qui s'épanouissait en direction du nord-ouest. Lorsque Morag les rejoignit, le docteur Farcett l'informa qu'il avait trouvé un bateau.

– Mais il nous déposera seulement ici, expliqua-t-il en pointant une île voisine de Tarimond.

– Parfait ! assura Morag. On trouvera sans problème un autre bateau là-bas. Mais il faudra ramer nous-mêmes pour la dernière étape. En partant maintenant, nous devrions y être avant la tombée de la nuit.

Ce fut un long voyage, dans le froid et l'humidité, et seul l'enthousiasme de Morag à l'idée de revoir sa famille motiva les deux hommes et les empêcha de renoncer. Maintenant qu'ils approchaient de Tarimond, elle se détendait et ils purent discuter comme de vrais compagnons de voyage et non plus en tant que maîtres et domestique. Elle leur parla de sa petite île, de la vie rude qu'on y menait. Les moutons qu'on y élevait n'avaient rien en commun avec les animaux bien dodus de Glendarvie. Comme les humains, ils devaient tirer leur subsistance du sol rocailleux et lorsque l'année était exceptionnellement sèche, ou torrentiellement humide, hommes et bêtes souffraient ensemble. Les contacts avec le continent étaient rares car, par certains temps, il pouvait être dangereux de s'y rendre. Les habitants de Tarimond devaient donc subvenir eux-mêmes à leurs besoins. Ils ne pouvaient pas compter sur un ravitaillement venu d'ailleurs. La vie était parfois courte. Elle avait été bien trop courte pour Robbie qui, comme tant d'enfants de l'île, paraissait en pleine santé à la naissance, puis s'était étiolé et avait trouvé la mort avant l'âge de deux mois. La mère de Morag avait ainsi perdu cinq enfants. Sa tante avait un bébé malade et de nombreuses familles s'inquiétaient pour leurs enfants. Piqué au vif dans sa curiosité de médecin, le docteur Farcett tenta de cerner le problème tandis que la frêle embarcation les menait d'île en île. Il posa des questions :

– Y a-t-il toujours eu autant de morts parmi les nouveau-nés ?

– Oh non, ma grand-mère a eu onze enfants, expliqua Morag, et neuf d'entre eux sont encore en vie.

– Ces décès affectent-ils toujours la même famille ?

– Non, mais évidemment, sur Tarimond, nous sommes presque tous parents d'une façon ou d'une autre.

Montmorency se joignit à la conversation. Les bébés étaient-ils nourris convenablement ? A quel moment tombaient-ils malades ? Farcett voulait en savoir plus. Quels étaient les symptômes qui conduisaient à la mort ? Qu'en pensait le médecin de l'île ?

— Un médecin ! s'esclaffa Morag – et c'était la première fois qu'il l'entendait rire. On n'a pas de médecin ici. Vous êtes le premier docteur que je rencontre !

— Mais qui s'occupe des malades ?

— Nous tous, docteur Farcett. Mais certains d'entre nous sont plus doués que d'autres. Il n'y a pas meilleure que Maggie Goudie, à ce qu'on dit.

— Et vous, Morag, vous êtes douée ? demanda Montmorency.

Morag répliqua d'un ton vif :

— Plus que vous croyez, monsieur. Je sais faire autre chose que changer les draps !

Elle rougit de son audace, mais Montmorency et Farcett se trouvèrent aussi un peu honteux, chacun pour des raisons qui lui étaient propres. Malgré ses longues études, Farcett connaissait assez peu les remèdes et pratiques de guérison traditionnels et craignait qu'ils ne concurrencent son beau savoir scientifique. Quant à Montmorency, il revit brusquement, dans un vague souvenir, la jeune fille mince et délicate qui avait baigné son corps et lui avait apporté un peu de bien-être quand il était au plus mal.

Les deux hommes avaient hâte d'arriver à Tarimond pour constater tout cela de leurs propres yeux, si bien que, malgré la fatigue de cette longue journée, ils ramèrent dur sur la petite barque que Morag avait trouvée, comme prévu, attachée à un ponton.

— A qui appartient ce bateau ? A qui doit-on payer ? s'inquiéta Farcett, gêné de l'avoir détaché sans la permission de son propriétaire.

— Il est à tout le monde, expliqua Morag en riant tandis que le médecin regardait autour de lui, cherchant le kiosque où un homme coiffé d'une casquette lui vendrait un ticket. Il y en a trois. On l'amarrera en face, et voilà. Et si les trois se retrouvent sur Tarimond, les hommes en rapporteront deux de l'autre côté.

Il y eut un silence, le rythme régulier des rames s'interrompit le temps que Montmorency et Farcett comprennent ce qu'elle voulait dire.

— Oh, je vois ! s'exclama enfin Montmorency. Ils traverseront avec deux bateaux pour en laisser un sur l'île voisine et repartir avec l'autre.

— Mais pourquoi n'y a-t-il pas davantage de barques ? demanda le docteur. Ainsi ils n'auraient pas besoin de faire l'aller-retour aussi fréquemment.

— Ou bien quelqu'un pourrait être chargé de faire la traversée entre les deux îles, un travail rémunéré, proposa Montmorency.

— Écoutez-vous, tous les deux ! Vous n'êtes pas encore arrivés que vous essayez déjà de nous changer !

Morag prenait plus d'assurance à mesure qu'ils s'éloignaient du château et approchaient de son domaine à elle. Ce fut au tour de Farcett de rougir sous ses moqueries enjouées, mais il ajouta tout de même :

– Enfin, les hommes de l'île pourraient au moins faire payer les passagers, non ?

– Et comment sauraient-ils que quelqu'un arrive ? demanda Morag. A votre avis, on traverse souvent ? Pas vraiment. Et on a très rarement de la visite. Je vous préviens, il y aura sûrement du monde pour vous accueillir.

Montmorency et Farcett s'étaient imaginés arriver discrètement dans une petite ferme isolée. Personne ne les attendait, mais le bruit courait déjà : on avait repéré un bateau ! Et avant même d'avoir atteint la terre ferme, ils étaient déjà en passe de devenir des célébrités. Tout le monde voulait voir Morag et découvrir ceux qu'ils l'avaient ramenée de Glendarvie. Les habitants de l'île se montrèrent assez réservés, intimidés par l'accent et la tenue des nouveaux arrivants. Ils restaient en retrait, les fixant d'un regard sévère, comme s'ils redoutaient l'invasion. Mais dans leur for intérieur, ils se tordirent de rire lorsqu'ils virent Montmorency tomber à l'eau en tentant de s'extirper de la barque.

17
Bienvenue sur Tarimond

Les parents de Morag vivaient au beau milieu de l'île. Ils n'avaient pas été prévenus de l'arrivée des visiteurs. Pour eux, c'était une dure journée de labeur qui s'achevait, comme tant d'autres. Sa mère était dans le jardin, luttant contre le vent pour décrocher les vêtements de la corde à linge avant la tombée de la nuit. Morag courut vers elle et elles tombèrent dans les bras l'une de l'autre, criant, pleurant, accablées de chagrin par la mort du petit Robbie. Montmorency et Farcett n'auraient su dire si elles parlaient anglais, ou quelque étrange dialecte local. Mais nul n'était besoin de comprendre : leur intonation et leurs mouvements exprimaient toute l'intensité de leur douleur et les deux hommes se tinrent à l'écart, soucieux de ne pas les importuner. Pourtant, la mère de Morag, les apercevant, s'essuya les yeux sur sa manche et vint à leur rencontre pour les saluer, reconnaissante qu'ils aient pris la peine de raccompagner sa fille jusqu'ici.

Montmorency et Farcett avaient sous-estimé le temps que mettait le courrier partant de Tarimond pour arriver à Glendarvie. La lettre reçue en début de semaine datait de près d'un mois. Elle avait transité de main en main, attendant qu'un fermier ou qu'un marin veuille bien l'emporter d'une île à l'autre. Sa course ne s'était accélérée qu'une fois arrivée à Oban, sur le continent, où un train postal l'avait déposée dans le Banffshire le lendemain matin. Les nouvelles contenues dans cette lettre n'étaient donc plus très fraîches. Le docteur Farcett fut déçu, sans oser l'avouer, bien sûr, de ne pas avoir de corps à examiner. Robbie était mort et enterré depuis longtemps, et reposait dans le cimetière de l'austère église de pierre, sur un cap battu par les vents en surplomb de la mer. Il ne s'agissait même pas de la tombe la plus récente. La tante de Morag ainsi qu'une autre famille de l'île étaient également en deuil.

Une fois qu'ils furent dans le minuscule cottage, la mère de Morag fit signe aux visiteurs de s'asseoir à la table qui occupait le centre de la pièce. Elle prit sa fille à part pour lui chuchoter quelques mots en montrant Montmorency du doigt. Elle voulait que Morag essaie de le convaincre d'ôter ses vêtements trempés et d'enfiler à la place une tenue de travail de son père. Tout d'abord, Montmorency protesta, puis, réalisant que sa pudeur pourrait être mal interprétée, il céda et se déshabilla dans un coin tandis que les autres détournaient les yeux. La mère de Morag pendit ses habits au-dessus du feu, où mijotait doucement une marmite. Elle leur servit deux bols de soupe fumante. Les hommes attendaient les cuillères, mais Morag leur fit signe dans le dos de sa mère. A ses mimiques, ils comprirent qu'ils devaient boire au bol. Farcett bava, laissant couler un filet de soupe sur sa chemise, ce qui fit rire tout le monde. Morag jeta un œil aux sacs qui étaient tombés à l'eau : à l'intérieur, tout était trempé. Elle en sortit vêtements, brosses, lotions, babioles et livres, puis les éparpilla un peu partout dans la pièce dénudée pour qu'ils sèchent.

Environ une demi-heure plus tard, le père de Morag rentra, chargé d'une caisse pleine de légumes terreux et de quelques mottes de tourbe pour le feu. Comme Morag à Glendarvie, il poussa la porte d'un coup de rein, se retournant sur le seuil de la pièce. Il se figea en découvrant l'étrange scène qui se jouait devant lui. Il laissa échapper ce qui devait être un juron local, car sa femme le reprit sèchement. Morag entreprit de présenter les visiteurs, mais son père, trop mal à l'aise, ne savait plus comment se comporter. Il leur adressa à peine un signe de tête, salua sa fille avec retenue – il était ravi de la revoir, mais ne souhaitait pas se montrer trop tendre en public. Il dénicha une petite place pour poser son chargement boueux parmi toutes les belles affaires des deux nouveaux venus, puis s'assit à table en silence.

Morag lui tendit un bol de soupe et tenta de réchauffer l'atmosphère. Elle se mit à raconter leur voyage, et la vie à Glendarvie. Soudain, comparée au fort accent de ses parents, la voix de Morag semblait parfaitement compréhensible. Elle devrait d'ailleurs jouer les interprètes pour les deux Londoniens pendant toute la durée de leur séjour. Lorsque Morag expliqua que le prénom du docteur

Farcett était Robert, sa mère lui caressa la joue, en souvenir du petit Robbie, le fils chéri qu'elle avait perdu. Quand Morag ajouta qu'il était médecin, son père se raidit, soupçonneux, et lança un regard à sa femme, qui tâta distraitement son ventre avant de changer de sujet. Elle demanda alors le nom de baptême de Montmorency. Morag ne le connaissait pas, et lui-même ne donna pas de réponse. Il resta donc M. Montmorency durant tout le séjour.

Farcett et Montmorency se demandaient tous les deux où ils allaient bien pouvoir passer la nuit. Durant le voyage, Farcett s'était imaginé trouver une petite auberge coquette avec un feu crépitant, un chat ronronnant, un ou deux chiens et des chopes remplies à ras bord d'une bière locale. Dans l'esprit de Montmorency, après un bon repas campagnard, un aubergiste chaleureux leur aurait montré leurs chambres, charmé de recevoir deux riches visiteurs. Ils réalisaient maintenant à regret qu'aucun établissement de la sorte n'existait à Tarimond. Le cottage de Morag ne comptait que deux pièces : la cuisine chaleureuse où ils étaient assis et une chambre plus petite et plus sombre, garnie de matelas de paille à même le sol. Ce qu'ils apercevaient dans l'entrebâillement du rideau tendu entre les deux pièces n'était guère engageant. La mère de Morag chassa son mari du coffre sur lequel il était assis pour en lever le couvercle. Elle en sortit une pile de couvertures rugueuses qu'elle porta dans la chambre, tout en bavardant avec sa fille. Morag revint ensuite dans la cuisine pour expliquer à Montmorency et Farcett que ses parents tenaient à ce qu'ils prennent leur lit.

– Venez, je vais vous montrer.

Ils la suivirent dans la pièce voisine et la virent ouvrir ce qui ressemblait à une large armoire, qui lui arrivait à peu près au niveau de la taille et occupait pratiquement tout le mur du fond. A l'intérieur, ils découvrirent un matelas pour deux personnes.

– Vous êtes obligés d'accepter, pouffa-t-elle, sinon ils vont être affreusement vexés.

Les deux compères s'efforcèrent de prendre l'air ravi, mais l'expression de leur visage fit glousser Morag de plus belle.

– J'ai dû m'habituer à vos façons de faire, à votre tour, maintenant !

Brusquement, les deux hommes réalisèrent tout ce que Morag avait dû apprendre en arrivant au château de Glendarvie. Bien loin d'être timide et gauche, elle s'était au contraire montrée vive et débrouillarde, s'adaptant aux us et coutumes de ses employeurs sans qu'on ait vraiment besoin de lui expliquer quoi que ce soit. Empreints d'un nouveau respect pour la jeune fille, ils décidèrent de ne pas protester à propos du couchage.

Mais leur résignation polie ne leur permit pas pour autant de passer une bonne nuit. De plus grande taille que les parents de Morag, ils ne pouvaient s'allonger complètement. Cherchant une position confortable pour essayer de s'endormir, ils échangeaient coups de coude et coups de genou dans le ventre et le dos chaque fois qu'ils se retournaient. Et, chaque fois, balbutiaient quelques mots d'excuses, tout gênés… jusqu'à ce qu'ils réalisent que la famille de Morag, qui dormait par terre devant l'armoire, devait tout entendre. Ils passèrent donc le reste de la nuit immobiles, évitant de se regarder, à tenter de trouver le sommeil. Ils pensaient d'ailleurs ne pas avoir fermé l'œil de la nuit, mais ils ronflaient en chœur lorsque des cris stridents et tout un vacarme sur le toit les réveillèrent en sursaut. Ils se redressèrent d'un seul mouvement, ouvrant le placard dans leur élan, et se retrouvèrent face à leurs hôtes.

— Ne vous inquiétez pas, messieurs, les rassura Morag. Ce sont les oiseaux de mer, ils viennent trouver refuge ici quand une tempête se prépare.

— Une tempête ! s'écria Montmorency au désespoir.

Après cette nuit agitée, il était déterminé à rentrer à Londres, ou tout du moins à Glendarvie, le plus tôt possible.

— Mais comment va-t-on faire pour repartir ?

— Personne n'ira nulle part par ce temps-là, marmonna le père de Morag. Venez manger votre porridge, ensuite Morag vous fera faire le tour de l'île avant que le vent se lève.

Montmorency et Farcett se traînèrent jusqu'à la cuisine. Le docteur n'avait jamais mangé ce genre de bouillie bien compacte. Montmorency, oui… en prison. Il s'efforça de vider son assiette d'un air reconnaissant, malgré les douloureux souvenirs que la mixture lui évoquait.

— Allez, venez, vous deux ! lança Morag qui prenait de plus en plus d'assurance à mesure qu'ils perdaient la leur. Vous boirez une tasse de thé quand on reviendra.

Les deux comparses durent arpenter l'île sur les pas de leur jeune guide. Elle ne cessait de répéter qu'ils ne la voyaient pas sous son meilleur jour, obscurcie par la tempête qui menaçait. A chaque maison qu'ils croisaient, les habitants les fixaient en leur adressant un salut froid et soupçonneux. Farcett s'aperçut rapidement que les familles qui les dévisageaient ainsi étaient uniquement constituées d'une mère, d'un père et d'enfants déjà grands – aucun rejeton en dessous de sept ou huit ans. Il y avait beaucoup de jeunes adultes, en pleine santé, bâtis pour une vie de dur labeur, mais il manquait une classe d'âge entière.

Lorsqu'ils arrivèrent au cimetière, ils eurent la confirmation de ce que Morag leur avait expliqué durant le trajet en bateau. En haut de la falaise, bercées par le bruit des vagues se fracassant sur les rochers en contrebas, s'alignaient des rangées de minuscules tombes. Sur chaque petite croix étaient gravés un nom et un âge. Des jumeaux étaient mort-nés, une fillette avait succombé à deux jours, mais la plupart avaient vécu environ huit semaines. Morag s'agenouilla près de celle qui portait le nom de son petit frère, Robbie, tandis que le docteur Farcett, tirant un morceau de papier et un moignon de crayon de sa poche, tourna le dos au vent et à la mer pour prendre quelques notes. Il aperçut alors une étrange silhouette sortant de l'église et traversant les longues herbes à grands pas pour venir à leur rencontre. La tempête naissante faisait battre sa grande robe noire et une touffe de cheveux blancs hirsutes encadrait son visage. Il criait quelque chose en faisant de grands gestes fiévreux.

Farcett se tourna vers Morag.

– Qui est-ce ?

En découvrant l'homme qui paraissait si agité, elle sursauta, soudain paniquée, comme prise en faute.

– Le père Michael. On ferait mieux de partir.

L'autre approcha, criant toujours, mais ses mots furent engloutis par le grondement du vent et des vagues. Ils finirent par distinguer des bribes de phrases lorsqu'il fut assez près.

– Rentre chez toi, Morag! Va-t'en! Va-t'en immédiatement!

– Bon, il faut y aller. Suivez-moi, soupira la jeune fille, en se mettant à courir, fuyant le prêtre, ses imprécations et ses gesticulations.

Farcett et Montmorency ne discutèrent pas. Cet homme sinistre était assez menaçant pour être pris au sérieux.

– Allez-vous-en! grondait-il et ses bras écartés lui donnaient l'air d'une immense chauve-souris préhistorique.

Les premières lourdes gouttes les frappèrent de côté, venues de la mer. Ils coururent sous la pluie jusqu'au cottage où la mère de Morag était en train d'assujettir soigneusement les volets en prévision de la tempête. Montmorency aurait tout donné pour fuir les périls de Tarimond et retrouver le confort de Glendarvie. Mais le docteur Farcett, lui, n'était plus si pressé de rentrer. Il désirait rester afin de découvrir pour quelle raison tous ces nourrissons avaient trouvé la mort.

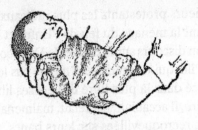

18
Une nouvelle vie

La tempête dura quatre jours. Montmorency et Farcett n'avaient jamais connu pareil temps. La pluie cinglait les rochers et même les habitants de l'île devaient lutter contre le vent pour rester debout. Mais il fallait bien s'occuper des bêtes et préserver les maigres cultures. Ils se relayaient donc pour s'aventurer dehors et veiller à ce que le nécessaire soit fait. Le dimanche, tous bravèrent le vent pour se rendre à l'église où le père Michael leur demanda de prier pour un temps plus clément, tout en insinuant que cette tempête devait être une punition divine pour quelque faute qu'ils auraient commise.

Le prêtre n'était pas originaire de Tarimond. Il avait été envoyé, ou était venu de son plein gré, de Glasgow. Il ne parlait pas le dialecte local de l'île et ne faisait aucun effort pour l'apprendre. Peu importait, la plus grande partie de l'office était dite en latin. Mais le père Michael avait apporté de nombreux changements au rite catholique traditionnel. Il avait adopté la violence passionnée des prêcheurs protestants les plus radicaux de Glasgow, brandissant la menace du feu de l'Enfer et de la damnation, et son discours sur la colère de Dieu contre les habitants de l'île, qui ne méritaient même pas le salut, aurait été déplacé dans la plus libre des églises libres. Du haut de sa chaire, il accablait, harcelait, malmenait ses ouailles trempées, recroquevillées sur leurs bancs. Assis dans le fond, Montmorency et Farcett se demandaient ce que les paroissiens pouvaient bien comprendre à ce sermon. Mais le message passait surtout grâce au ton du père Michael, à l'expression de son visage, à ses gesticulations enflammées, qui culpabilisaient les fidèles et les laissaient tremblants, dans l'attente du jugement divin. Ils chantèrent et psalmodièrent au son d'un harmonium asthmatique. Morag, qui, chez elle, en compagnie de Farcett et de Montmorency, se montrait si sereine et enjouée, avait repris l'air timide qu'elle arborait à Glendarvie dès qu'elle était entrée dans l'église. Elle osait à peine lever les yeux pour regarder le prêtre. Cette communauté vivait dans la crainte de Dieu – et même dans la crainte tout court.

Après l'office, les deux hommes serrèrent la main du père Michael en sortant. A leur grande surprise, il les salua chaleureusement.

– Ah, nos amis venus d'Angleterre. J'espérais bien que vous viendriez aujourd'hui. Avez-vous le temps de passer à la maison discuter un moment ? proposa-t-il, comme s'il pouvait craindre que leur emploi du temps ne fût surchargé.

Il se tourna vers la mère de Morag.

– M'autorisez-vous à vous enlever vos invités pour l'après-midi ? lui demanda-t-il sans vraiment lui laisser la possibilité de refuser.

– Bien sûr, répondit-elle docilement. Ça me permettra de faire un peu de rangement.

Elle rougit, s'apercevant qu'elle avait sans le vouloir insinué que les affaires de ses invités encombraient sa petite maison. Montmorency et Farcett réalisèrent alors pour la première fois qu'ils étaient un poids pour leur hôtesse et en furent tout gênés à leur tour.

Le prêtre dit au revoir aux dernières vieilles dames qui quittaient l'église, leur recommandant d'être prudentes, sous cette pluie, puis les trois hommes coururent jusqu'à son cottage, à quelques mètres de là. Le père Michael mit la bouilloire sur le feu, et ils se regroupèrent autour du foyer pour se sécher.

Le sinistre personnage du cimetière avait disparu, laissant place à un homme instruit, charmant et plein d'esprit.

– Le plus gros de la tempête est passé, constata-t-il. Une chance pour moi, ils croiront que c'est le résultat de leurs prières !

Montmorency fut choqué. Il lui semblait rendre visite à un acteur dans sa loge après la pièce et découvrir les ficelles du spectacle. Comme s'il lisait dans ses pensées, le père Michael reprit :

– Ce n'est pas facile, vous savez, d'arriver ici, venant du continent. Je suis obligé de dramatiser, de faire monter la tension si je veux qu'ils me respectent. L'autre jour dans le cimetière, la jeune Morag avait l'air terrorisée, on aurait cru que je lui avais fait la frayeur de sa vie. Je voulais juste vous dire de rentrer vous mettre à l'abri avant la tempête. Le vent aurait pu vous précipiter de la falaise, d'un coup, dans la mer. Certains endroits de l'île peuvent se révéler extrêmement dangereux par gros temps. Plus dangereux que vous ne sauriez l'imaginer, étrangers.

Il s'interrompit et se mit à rire.

– Vous savez, les gens d'ici me considèrent toujours comme un étranger. Après tout, cela fait seulement dix ans que je suis là !

– Dix ans, répéta le docteur Farcett. Vous avez donc assisté au décès de tous ces nouveau-nés ?

Enfin, il allait pouvoir évoquer ce problème qui l'intriguait tant.

– Oui, confirma le père Michael, je les ai tous enterrés, tous. J'ai vu le deuil frapper presque tous les foyers de cette île. Durant les sept dernières années, pas un seul enfant de Tarimond n'a survécu à son troisième mois sur cette terre.

– Mais pourquoi ? voulut savoir Montmorency.

– Évidemment, nous avons mis un certain temps à nous apercevoir qu'il y avait là quelque chose d'anormal, poursuivit le prêtre, mais le drame s'est répété trop souvent pour qu'il s'agisse d'une coïncidence.

– Et quelle en est la cause d'après vous ? demanda le médecin.

Le père Michael resta un moment silencieux et se signa. Puis dans un murmure sourd et grave, il déclara sentencieusement :

– La colère divine !

Montmorency s'étrangla avec son thé, croyant qu'il plaisantait. Mais il ne plaisantait pas et il répliqua, déployant à nouveau l'effroyable violence qui avait terrifié Morag au cimetière et paralysé les fidèles à l'église :

– Jeune homme. Je vois bien que vous n'êtes pas croyant, mais je pensais réellement ce que j'ai dit à l'office aujourd'hui. Je maîtrise mon art. Je sais comment faire vibrer la foi dans le cœur de ces gens, mais mon message est sincère. Et la perte de nos enfants mérite une explication plus sérieuse qu'une simple tempête d'été !

Montmorency ne savait absolument pas quoi répondre. Il se sentait tour à tour très à l'aise, puis très mal à l'aise face à ce personnage. Il fut sauvé par l'intervention du docteur qui avançait ses hypothèses :

– Et s'il existait une explication médicale à tous ces décès ? Et si l'on trouvait un traitement ?

– Alors je dirais que Dieu nous a envoyé ce problème, mais nous a aussi donné sa solution. J'ai moi-même envisagé de contacter des experts à Glasgow pour voir ce qu'ils en pensaient. Dieu nous impose des épreuves, c'est à nous de les surmonter.

– Accepteriez-vous de m'aider à enquêter sur ces décès ? proposa le docteur Farcett.

– Je ferai tout ce qui est en mon pouvoir, affirma le père Michael, ajoutant d'un ton sombre et grave : Docteur, je ne pense pas que votre présence ici soit un hasard. Ne pas saisir l'occasion serait manquer à mon devoir.

Le médecin et le prêtre continuèrent ainsi leur discussion. Il existait à l'église un registre où l'on consignait les dates de naissance et de mort depuis au moins cent ans, que le père promit de mettre à sa disposition. Il suggéra que Farcett et Montmorency viennent habiter chez lui. Il possédait une chambre d'amis à deux lits, et assez de réserves de papier et d'encre pour que le docteur puisse prendre toutes les notes nécessaires. Les deux hommes acceptèrent avec enthousiasme, ravis d'échapper au lit-armoire des parents de Morag. Le prêtre préféra les accompagner afin d'expliquer les raisons qui les poussaient à déménager, de sorte que personne ne se vexe.

Ils boutonnaient leurs manteaux, prêts à braver la pluie, lorsqu'une petite fille d'environ huit ans (et donc l'une des plus jeunes enfants de Tarimond) frappa à la porte pour remettre un message au père Michael.

– Un mot de Maggie Goudie, expliqua-t-il en le déchiffrant rapidement, tout en cherchant son chapeau.

– N'est-ce pas la guérisseuse de l'île ? demanda Montmorency, d'un ton innocent.

Le prêtre le corrigea d'un ton sec :

– Médecin, infirmière, sage-femme et professeur. Elle permet à la communauté de rester soudée malgré tous ses problèmes. Si quelqu'un peut vous aider, c'est bien Maggie.

– Elle était à l'église ?

– Non, elle se trouve au chevet de Jeannie MacLean, une jeune femme qui peine à mettre son enfant au monde. Maggie veut que je vienne au cas où le bébé ne survivrait pas.

– Alors je dois me joindre à vous, décréta le docteur en enfilant ses bottes.

Le père Michael acquiesça et ouvrit la marche.

Le vent était retombé, la pluie s'était calmée, et devant la petite ferme des MacLean quelques poules étaient sorties de leur abri pour chercher des vers. Le prêtre frappa doucement à la porte, qui s'ouvrit lorsqu'il la poussa. Montmorency avait vu beaucoup de choses dans sa vie, mais un accouchement, jamais, et il redoutait un peu ce qui les attendait à l'intérieur. Il se tint en retrait, laissant Farcett passer devant. Un cri perçant retentit dans la pièce du fond.

— J'y vais ! s'écria le docteur, écartant de son passage un John MacLean stupéfait.

Le prêtre s'empressa de lui expliquer que si Farcett se permettait de troubler ainsi l'intimité de sa femme en pareil moment, c'était en sa qualité de médecin, puis il lui présenta Montmorency. Les trois hommes restèrent à discuter dans la cuisine, mal à l'aise, leurs échanges de pure politesse ponctués par les gémissements et les soupirs de Jeannie.

— Ça ne devrait plus être long, assura le père Michael, qui ne disposait pourtant d'aucun moyen de savoir ce qui se passait réellement dans la pièce voisine. Vous allez bientôt avoir le bonheur d'être père.

— Oui, mais pour combien de temps ? répliqua MacLean, malheureusement conscient du sort qui guettait les nourrissons de Tarimond.

— Le docteur Farcett va mettre fin à cette hécatombe, affirma Montmorency qui se voulait rassurant.

Mais MacLean secoua la tête, résigné.

— On verra, murmura-t-il. On verra.

Puis il se déchaîna contre le père Michael :

– Pourquoi Jeannie doit-elle endurer tout ça, si c'est pour perdre son bébé ? S'il ne meurt pas aujourd'hui, ce sera dans quelques semaines !

Il fixait le prêtre d'un air accusateur, les yeux pleins de larmes.

Montmorency fut bouleversé de voir tant de colère et de désespoir à un moment qui aurait dû n'être que joie. Ses yeux commençaient à le piquer. Il mit cela sur le compte de la fumée âcre du feu de tourbe, tandis que le père Michael bafouillait quelques paroles de réconfort.

Un long hurlement les réduisit soudain au silence. Puis il y eut un nouveau cri, puissant, poussé par de petits poumons. Les larmes inondèrent les joues de Montmorency, et le père Michael marmonna une courte prière de remerciement. Le rideau qui séparait les deux pièces s'ouvrit sur une grande femme bien bâtie. Des taches de graisse et de sang maculaient ses vêtements, ses avant-bras, son visage et jusqu'à ses cheveux, qui avaient dû être tirés en chignon, mais pendaient maintenant en mèches folles, collées à son cou par la sueur. La fameuse Maggie Goudie. Elle s'avança vers MacLean et lui tendit un petit ballot de drap gris.

– Voici votre fils, John. Je dois retourner auprès de Jeannie.

Le jeune père berça maladroitement le paquet emmailloté dans ses bras. Un minuscule poing jaillit des chiffons dans un geste saccadé de nouveau-né. Le petit MacLean se cramponnait à la vie et, autour de lui, les hommes en larmes n'espéraient qu'une chose : que celle-ci dure le plus longtemps possible.

Farcett les rejoignit, il voulait de l'eau chaude. Il en apporta une cruche à Maggie Goudie, puis revint se laver les mains dans l'évier de la cuisine. Montmorency l'observait. A l'époque où il était son patient, combien de fois avait-il vu le médecin accomplir ce rituel, frottant vigoureusement ses doigts, récurant ses ongles ? Lorsqu'il eut fini, le docteur Farcett prit en douceur le bébé des bras de son père pour le baigner dans l'évier, aussi délicatement que s'il se fut agi d'une précieuse porcelaine. Contemplant l'enfant, Montmorency nota immédiatement des anomalies. Il était effaré par la taille de sa tête, énorme comparée à son corps. Il était horrifié par sa peau plissée, son ventre proéminent, la teinte bleutée de ses doigts et de ses orteils, et surtout par l'épais cordon huileux qui pendait de son nombril. Enfin il fut abasourdi lorsque Farcett enveloppa le bébé dans une serviette et le rendit à John MacLean en disant :

– Félicitations, monsieur. Vous avez un très beau fils, en pleine santé. Absolument parfait.

19
Maggie Goudie et les enfants perdus de Tarimond

La première fois qu'il avait entendu parler de Maggie Goudie, Robert Farcett s'était imaginé une vieille femme, farouche et desséchée, pétrie de superstitions, qui se débrouillait tant bien que mal avec les remèdes ancestraux du pays. Elle avait sans nul doute gagné la confiance de ses patients grâce à un savant mélange de charabia et de menaces, comme le père Michael. Le médecin avait même envisagé que ses talents de sage-femme et de puéricultrice amateur ne soient à l'origine du décès de ces nourrissons. C'était l'une des raisons pour lesquelles il s'était précipité chez les MacLean. Et qu'il avait fait irruption dans leur cuisine, causant une telle frayeur au pauvre John. Mais il avait été surpris par la femme qu'il avait trouvée au chevet de Jeannie. Maggie Goudie n'était pas vieille. Trente, trente-cinq ans peut-être, mais guère plus. Et plus surprenant encore, elle avait un stéthoscope autour du cou et un instrument en forme de trompette pour écouter les battements de cœur du fœtus. Dans la chambre régnaient un ordre et un calme remarquables, étant donné les circonstances, et le médecin hors d'haleine n'avait pas été accueilli avec le mépris auquel il s'attendait.

– Ah, docteur, vous voilà ! avait fait Maggie d'une voix douce. Je suis contente que vous soyez là. Je vais avoir bien besoin de votre aide.

– Robert Farcett, avait-il bafouillé en tendant la main, abasourdi.

Comme elle avait les mains prises, elle s'était contentée d'un signe de tête, et avait répliqué en riant :

– Je sais qui vous êtes. On parle de vous d'un bout à l'autre de Tarimond. Allez, enlevez votre manteau et donnez-moi votre avis.

Elle avait alors épongé le front de sa patiente en ajoutant d'un ton apaisant :

– Tu vois la chance que tu as, Jeannie. Un grand médecin de Londres rien que pour toi ! Tout va bien se passer.

La future mère terrorisée n'avait rien répondu, fixant tour à tour Maggie et le docteur Farcett d'un regard suppliant.

Ils avaient travaillé de concert pour mettre au monde le bébé, sain et sauf, puis tandis qu'ils luttaient toute la nuit pour tenter de sauver également la mère, la sage-femme avait raconté son histoire au médecin. Maggie était née et avait grandi à Tarimond. Comme Morag, c'était une fille intelligente et, comme Morag, on l'avait envoyée travailler sur le continent. Le prédécesseur du père Michael lui avait trouvé un poste dans un hôpital de

133

Glasgow tenu par des sœurs, où elle avait suivi des études d'infirmière. Elle avait hésité à rester pour gagner de l'argent et l'envoyer à sa famille, mais l'appel de la vie simple de l'île avait été le plus fort, et quand elle avait appris que sa mère était malade, elle était vite rentrée, rapportant avec elle ses nouvelles compétences. A la mort de sa mère, elle avait ouvert une petite école. C'était là que Morag avait appris à lire et à écrire. Hélas, désormais, il n'y avait plus de nouveaux élèves sur les bancs de l'école et les derniers n'allaient sans doute pas tarder à partir pour donner un coup de main dans la ferme familiale.

— Vous êtes au courant, pour les bébés, n'est-ce pas ? avait-elle demandé.

Alors que le docteur Farcett hochait la tête en silence, Maggie lui avait adressé une requête qui l'avait surpris :

— Vous allez m'aider à découvrir pourquoi ils meurent ?

Jusque-là il s'était imaginé mener l'enquête tout seul. Il avait bien pensé lui demander de l'aide mais, brusquement, il se rendait compte qu'elle en savait bien plus que lui à propos de ce mystère. Rien ne lui donnait autorité sur elle.

— Bien sûr, je suis à votre disposition, avait-il répondu en la regardant remettre la chambre en ordre pendant que Jeannie dormait.

Elle faisait preuve d'un soin méticuleux, se nettoyant, puis nettoyant parfaitement sa patiente pour éliminer toute source d'infection. Elle était aussi consciencieuse que les infirmières qu'il avait pu rencontrer dans les meilleurs hôpitaux. Mais, en plus, elle était douce, gentille et attentionnée. Le savon qu'elle utilisait était délicatement parfumé aux herbes aromatiques.

– Je le fabrique moi-même, avait-elle expliqué, avec des huiles végétales et des feuilles. Je n'ai pas oublié les pratiques traditionnelles de ma jeunesse. Certaines des plantes qui poussent ici sont aussi efficaces que les remèdes qu'on vous vend en bouteille dans les pharmacies du continent.

Elle lui montra le gros morceau de savon, incrusté de feuilles et de pétales, avant de le ranger dans la poche de son tablier.

– Je l'économise, car il faut beaucoup de temps pour réunir tous les ingrédients, mais je n'aime pas voir mes jeunes mamans se laver avec le détergent agressif qu'elles utilisent pour le sol de leur cuisine. Je leur donne un savon à chacune, j'ai l'impression que ça les aide à retrouver leur féminité.

En disant cela, elle peignait les cheveux de Jeannie. La jeune femme pâle et fatiguée avait l'air presque belle, bien bordée dans son petit lit. Elle lui massa les tempes avec de l'huile parfumée avant de s'en mettre un peu également.

– Vous en voulez, docteur ? Elle possède des vertus apaisantes, c'est bien pour les mères et les bébés.

Il refusa poliment, mais renifla le flacon, et trouva qu'il sentait bon. Tout était calme. En entrant dans la pièce, personne n'aurait pu imaginer le combat sans merci qu'ils venaient de livrer quelques heures plus tôt. Maggie Goudie était parvenue à recréer une atmosphère digne et douillette dans la chambre de la pauvre Jeannie, qui était épuisée. Le médecin et la sage-femme restèrent à son chevet toute la nuit, luttant pour la maintenir en vie. Ils la perdirent à l'aube et l'on entendit John MacLean hurler à des kilomètres à la ronde. Il serra son fils contre lui, se balançant d'avant en arrière. Le père Michael tenta de le réconforter, mais il le repoussa avec un grondement animal. Montmorency observait la scène, sans savoir comment se rendre utile. Farcett s'occupa du nouveau-né, Maggie prépara Jeannie pour son enterrement. Une longue attente commença alors pour les habitants de Tarimond. Ils attendaient maintenant que le bébé meure.

20
Le séjour se prolonge

Une fois qu'ils furent bien au chaud, de retour dans la maison du père Michael, Farcett convainquit Montmorency de rester encore un peu sur Tarimond. Il écrivit à Gus afin de lui expliquer pourquoi ils prolongeaient leur séjour. Il nota l'adresse de Glendarvie avec soin sur l'enveloppe, qui patienta quelques jours sur la console de l'entrée qu'un pêcheur propose de l'emporter sur l'île voisine. Là, le pêcheur la confia à un ami du capitaine du port, qui promit de veiller à ce qu'elle embarque sur le prochain bac pour Oban. En rentrant chez lui, il la posa sur la table de la cuisine, où elle resta environ une semaine à collecter taches de graisse et de thé. Finalement, il se rappela son existence et la glissa dans la poche de son manteau avant d'aller au pub. Mais il s'avéra que le capitaine du port n'était pas au pub ce soir-là, et la serveuse qui était censée la lui remettre l'oublia complètement. Des semaines plus tard, lorsqu'elle la retrouva coincée entre deux bouteilles, elle fut tellement gênée de l'avoir encore en sa possession qu'elle préféra la jeter au feu.

Pendant que la lettre poursuivait son voyage vers nulle part, Maggie et le docteur Farcett tentaient de récapituler tous les décès de nouveau-nés. Elle avait pris des notes sur chaque cas, très sommaires au début, lorsqu'elle croyait que ces décès successifs n'étaient qu'une triste coïncidence, puis de plus en plus détaillées à mesure qu'ils se répétaient. Ensemble, ils réalisèrent tableaux et diagrammes pour mettre en perspective le déroulement de chaque accouchement, l'état de santé de l'enfant à la naissance, celui de la mère, la situation de la maison, les habitudes alimentaires de la famille, leur mode de vie et leurs antécédents médicaux. Le docteur Farcett en vint à guetter les visites de Maggie et l'odeur de savon parfumé qu'elle laissait dans son sillage. Mais ils avaient rarement l'occasion d'être seuls. Dès que le père Michael entendait Maggie arriver, il abandonnait ce qu'il était en train de faire pour se joindre à eux, leur faire part de ses propres observations et suppositions, corrigeant fréquemment Maggie sur un âge ou une date. Il alla jusqu'à sortir les anciens registres de l'église pour chercher si pareille succession de malheurs s'était déjà produite par le passé. L'île avait toujours souffert d'une forte mortalité infantile. D'ici ou d'ailleurs, les nouveau-nés étaient fragiles et, sur Tarimond, une année de famine ou de froid glacial pouvait emporter bon nombre de petites vies. Mais l'île n'avait jamais connu une telle hécatombe. Ils ne parvinrent pas à trouver la cause de ces récents décès. Il n'y avait aucun facteur commun : ni le sexe, ni la période de l'année, ni l'état de santé du bébé, ni son comportement. Toute tentative d'explication rationnelle ayant échoué, le père Michael revenait à l'attaque avec sa théorie surnaturelle : Tarimond subissait la terrible volonté divine, punissant les habitants de l'île pour des crimes commis par le passé. A la fin de chaque séance de travail, il insistait pour raccompagner Maggie chez elle, laissant Farcett méditer sur les documents peu concluants étalés sur la table de la cuisine.

Montmorency portait un intérêt lointain à l'affaire et, de temps à autre, proposait une théorie de son cru au dîner, mais il occupait la majeure partie de ses journées à pécher et à admirer le paysage de Tarimond. La tempête passée, la mer s'était calmée, et l'eau ondulait doucement, verte ou bleu intense lorsque Montmorency regardait au loin, mais parfaitement limpide près du rivage. Il n'avait jamais rien vu de pareil. Rien de comparable avec les eaux saumâtres de la Tamise qui avaient bien failli le tuer, ni avec la turbulente rivière à saumons de Glendarvie, qui charriait une écume brunâtre et tourbeuse. Et s'il avait croisé des paysages d'une telle beauté, d'une telle sérénité, lors de ses voyages à l'étranger en compagnie de Fox-Selwyn, il n'avait jamais pris le temps de s'y attarder. Mais ici, à Tarimond, Montmorency pouvait passer des heures sur la plage, les pieds dans l'eau, à compter les poils et les taches de rousseur de ses pieds. Il observait les minuscules poissons qui se faufilaient parmi les petits cailloux de couleurs vives, frôlant ses orteils. Et pourtant, derrière, les falaises déchiquetées lui rappelaient la force sauvage que la mer pouvait déployer lors des tempêtes. Là-haut se dressaient des rochers aux formes étranges, creusés et sculptés par les vagues déchaînées. Parfois, il y montait pour contempler les îles parsemant l'horizon. On avait l'impression que, autrefois, elles ne faisaient qu'un et que l'océan les avait délibérément séparées, traçant un chemin qui serpentait entre de petits îlots de roche qu'il pourrait continuer à grignoter pour les faire disparaître petit à petit. Montmorency avait vu de magnifiques monuments à Londres et dans toute l'Europe, mais jamais de spectacle d'une telle splendeur. Et il commençait à apprécier la vie rude et simple qui allait avec le paysage.

Il se rendait utile. Il aida le père de Morag à réparer la grange, avec de grands rondins, et apprit à scier une encoche au bon endroit pour les emboîter les uns dans les autres. Cela lui rappela les travaux de construction qu'il avait effectués en prison il y a bien des années. Lorsqu'ils eurent fini la grange, ils s'attaquèrent à un petit bateau, rabotant de fines planches de bois qu'ils mettaient en forme sur la coque et clouaient bien serrées pour qu'elle soit étanche. Après quelques semaines de travail en plein air, Montmorency avait les épaules plus larges, la peau burinée par le vent et le soleil. Il ressemblait de plus en plus aux hommes de l'île, ses cicatrices passaient pour des marques de virilité et non plus pour des blessures. Le soir, les gars se retrouvaient chez l'un ou chez l'autre pour boire et chanter. Farcett n'osait généralement pas se joindre à eux, alors que, très vite, Montmorency connut tous les airs par cœur, et presque toutes les paroles, même s'il ne les comprenait qu'à moitié. Le médecin suivait ses progrès avec intérêt et même une certaine fierté. Ils n'abordaient jamais le sujet de la drogue, mais Farcett sentait que, bientôt, Montmorency serait en état de reprendre ses activités.

Tout comme le docteur Farcett, Montmorency était sous le charme de Maggie Goudie. Lors de ses promenades à travers l'île, il passait souvent chez elle. De l'extérieur, sa maison ressemblait à toutes celles de Tarimond, un simple rectangle de pierre. Mais à l'intérieur, cela n'avait rien à voir. Maggie avait gardé beaucoup de livres de l'époque où elle vivait à Glasgow. Elle avait même quelques tableaux, et des draperies de couleurs vives, achetées en ville il y a bien longtemps, réchauffaient les murs de pierre grise. Quand elle avait le temps, elle accueillait Montmorency avec une tasse de thé et des *scones* tout frais. Mais le plus souvent, elle était occupée – un patient à veiller ou un remède maison à concocter. Elle acceptait parfois son aide, lui montrant alors comment distinguer les différentes plantes, comment extraire une huile parfumée de leurs feuilles. Après la cueillette, elle les conservait dans de petits sacs étanches, constitués d'estomacs d'oiseaux de mer et d'animaux. Ils pendaient comme des ballons, accrochés à une grande perche fixée au plafond de la cuisine. Petit à petit, Maggie laissa même Montmorency l'aider à mélanger les huiles, les pétales et les feuilles pour fabriquer ses remèdes, savons et lotions. Et pendant qu'ils travaillaient, elle lui racontait son histoire. Ils avaient beau venir d'horizons complètement différents, Montmorency était secrètement fasciné par les points communs qui existaient entre eux. Ils s'étaient tous deux réinventés.

– Ça a été dur pour vous, quand vous êtes arrivée à Glasgow ? lui demanda-t-il en effeuillant les pétales d'une fleur violette dans un panier posé sur la table.

– Oh oui, cela n'avait rien de commun avec cet endroit. Je n'avais jamais pris le train ni vu de l'eau chaude couler d'un robinet. J'observais sans arrêt les gens : leur manière de manger, de s'habiller. J'étais obligée de prendre modèle sur eux pour les moindres choses, même celles qu'on imagine si simples…

« Si vous saviez ! » pensait Montmorency qui avait consacré tant d'énergie à faire de même pendant des années.

– … En plus, au début, personne ne comprenait un mot de ce que je disais. Il a fallu que je perde mon accent. A l'époque, on ne parlait pratiquement pas anglais sur Tarimond.

– Parce que vous trouvez que ça a changé ? la taquina Montmorency.

Il avait toujours du mal à communiquer avec les habitants de l'île, surtout les plus âgés.

– Oh que oui ! répondit-elle en riant. Le père Nicholas, qui s'occupait de la paroisse avant le père Michael, avait commencé à donner des cours, et j'ai pris la relève. En ce temps-là, peu de gens savaient lire. Maintenant presque tout le monde sait, j'ai enseigné à tous les enfants…

Sa voix se brisa. Elle revoyait les bancs de l'école, qui s'étaient vidés petit à petit, elle n'avait pas accueilli de nouvel élève depuis si longtemps. Maggie se ressaisit.

– Morag était l'une des meilleures. Je parie qu'on croirait qu'elle est née à Glendarvie, non ?

– Oui, mentit-il gentiment en se rappelant à quel point Gus avait du mal à la comprendre. C'est à Glasgow que vous avez connu le père Michael ?

– Tout à fait, et je l'ai convaincu de venir remplacer le père Nicholas quand il est mort. Il était aumônier à l'hôpital où je suivais ma formation d'infirmière.

Elle s'interrompit et son ton changea alors qu'elle repensait à ces années.

– Je ne le trouvais pas fait pour une paroisse citadine. Tout le monde n'appréciait pas son style.

Elle sourit à nouveau.

– Mais il était gentil avec les infirmières, il nous apportait toujours des petites friandises pendant nos longues gardes. Il passait des heures à discuter avec nous. Il a un certain sens de l'humour, vous savez, une fois sorti de sa chaire ! Je lui ai parlé de Tarimond et il m'a dit que l'endroit semblait idéal pour un prêtre.

Effectivement, sous de nombreux aspects, c'était vrai. Le père Michael ne faisait certes pas fortune ici, mais il vivait bien. Tout pauvres qu'ils étaient, ses paroissiens reconnaissants (et terrorisés) lui offraient viande, lait, pain, œufs et légumes. Et quand ils apprirent que Montmorency et le docteur Farcett logeaient chez lui, ils firent en sorte qu'il y ait assez pour trois dans leurs offrandes. Montmorency se sentait bien chez le prêtre, même s'il trouvait dérangeante sa façon de mêler sagesse populaire et spiritualité ardente. On le voyait parfois au beau milieu du cimetière, fixant les tombes des nouveau-nés en marmonnant. D'autres fois, il se perchait au bord de la falaise, lançant prières et imprécations à l'étendue des flots. Mais il savait également plaisanter gaiement avec ses hôtes, autour d'un dîner de poisson frais et de whisky, les questionnant sur leur vie à Londres. Il arrivait à Montmorency d'avoir le mal du pays, la nostalgie des courses de chevaux et des réceptions mais, avant toute chose, il se réjouissait d'avoir retrouvé la santé et le moral pour la première fois depuis son retour de Turquie. Pour l'instant, il était content d'être là.

21
Fox-Selwyn en mission

Pendant que Montmorency et Farcett découvraient Tarimond, Lord George Fox-Selwyn faisait tout son possible pour retrouver la trace du poseur de bombe de Londres. Il avait bien entendu l'expérience de ce genre d'enquêtes mais, durant les cinq dernières années, il avait rarement opéré seul. Avec Montmorency, ils formaient une équipe de choc et se complétaient parfaitement, sachant d'instinct tirer avantage de leurs points forts respectifs. Fox-Selwyn, par exemple, charmait les grandes familles de l'aristocratie européenne dont il connaissait par cœur l'histoire intime; il savait habilement pousser les diplomates à l'indiscrétion et flatter les petits fonctionnaires pour les encourager à enfreindre les règles. Montmorency, lui, repérait vite les us et coutumes de la rue, même dans une ville étrangère, et modelait aussitôt son comportement et son langage pour se mêler aux autochtones. Il se fondait si bien dans le décor, que Fox-Selwyn lui-même avait parfois du mal à le reconnaître.

Accoutumé à laisser ce type de tâches à son coéquipier, le lord avait perdu l'habitude de se cacher derrière les portes, d'œuvrer dans les plus sombres recoins des bas-fonds et de se rendre invisible pour observer à son aise le monde autour de lui.

Il se rendit compte de son erreur un peu tard, lorsqu'il se retrouva dans un pub de Covent Garden, où il voulait se faire passer pour un gars du marché afin d'écouter l'air de rien les conversations. Son pantalon était sans doute un peu trop bien coupé. Il l'avait choisi pour son motif à carreaux criards, que même le très réservé Chivers avait qualifié de « légèrement vulgaire » lorsqu'il lui avait demandé son avis. C'était un pantalon qu'il avait acheté deux ans auparavant pour un week-end sportif, mais il avait pris depuis un certain embonpoint, surtout au niveau de l'arrière-train. La toile était tendue à craquer et les ourlets remontaient sur la cheville, découvrant ses chaussettes en cachemire. Ou bien était-ce sa chemise qui clochait ? Elle était sale, ce qui était plutôt un bon point, mais le tissu était bien trop fin pour vêtir un tra-vailleur, et le foulard qu'il avait noué avec soin autour de son cou afin de se donner un air nonchalant était mal-heureusement en soie, ce qui se remarquait. Il s'assit avec sa bière, conscient que tous les autres le toisaient, lui jetant des regards curieux dès qu'il tournait la tête. Il baissa les yeux et pianota sur la table de bois pas très nette avec ses ongles manucurés. De toute façon, il était tellement grand qu'il attirait l'attention quoi qu'il portât. Ses grandes jambes dépassaient largement de la table... terminées par deux petits pieds dans des chaussures de cuir souple, sorties tout droit d'un des magasins les plus chers de Mayfair. Pourvu que personne ne les ait remarquées ! Il resta assis là dans la pièce surchauffée pendant un quart d'heure encore. Malgré les nombreux clients, le silence se faisait de plus en plus pesant. Il ne parviendrait pas à recueillir le moindre renseignement dans ces conditions. Il décida de s'en aller, mais renversa malencontreusement un tabouret en se levant.

– Oh, mon Dieu, je suis désolé ! s'exclama-t-il.

Sa voix haut perchée si caractéristique résonna dans le pub et lorsque la porte se referma derrière lui, il entendit de bruyants éclats de rire. Il n'avait pas traversé la rue que déjà retentissaient de nouveau les cris et les chants. Tous les clients du pub l'avaient percé à jour : c'était un espion, et pas très doué encore. Si seulement Montmorency avait été là !

Le soir même, il envoya un télégramme à Glendarvie. Gus lui répondit par la même voie qu'il n'avait aucune nouvelle de Montmorency et de Farcett depuis leur départ pour Tarimond. Il ignorait même s'ils avaient survécu au voyage.

22
Priorités

Le docteur Farcett s'attachait de plus en plus à Tarimond. Il avait confié au père Michael que sa dernière prestation au bloc opératoire s'était révélée catastrophique : il avait sacrifié un homme pour servir sa carrière.

Le prêtre était consterné.

– C'est un péché. Vous devez prier pour votre pardon.

– Je sais, mon père, mais j'ai bien peur que Dieu ne me pardonne avant que je ne me pardonne à moi-même.

– Vous n'êtes pas le premier à penser cela, mon fils. Croyez-moi, je comprends ce que vous voulez dire.

Le prêtre avait l'air grave, profondément perturbé.

– Je sais ce que c'est d'enfreindre la loi divine. Vous devez suivre mon exemple : tenter de gagner votre pardon en aidant les autres. Regardez le bien que vous faites déjà sur notre île.

Et c'était vrai. Le docteur Farcett était devenu très populaire, la méfiance première des habitants s'était changée en curiosité, puis en confiance. Ils le consultaient maintenant pour toutes sortes de maux. Avec Maggie pour l'assister, il traitait bras cassés, toux persistantes, yeux irrités et dos brisés. Soigner les habitants de l'île lui rappelait pourquoi il avait choisi ce métier. Il caressait secrètement l'idée de rester à Tarimond pour y monter un dispensaire où il pourrait employer les dernières techniques médicales, associées aux remèdes traditionnels de Maggie Goudie. Il se voyait déjà travailler avec elle, jour après jour, dans la joie et la bonne humeur. Parfois, il allait un peu plus loin, imaginant une belle cérémonie dans la petite église. Des enfants peut-être. Mais alors la dure réalité de Tarimond le rattrapait et il se concentrait de nouveau sur ces morts mystérieuses, gardant pour lui ses rêves secrets.

Il surveillait tout particulièrement le petit Jimmy MacLean et passait des heures avec lui pendant que son père s'occupait des récoltes ou des animaux. Autrefois, quand une femme mourait en couches, une autre jeune mère se chargeait de l'orphelin. Mais, désormais, sur l'île, il n'y avait plus de mère en train d'allaiter et plus de lait pour le petit Jimmy. Le docteur Farcett et John MacLean se relayaient donc pour lui donner du lait de chèvre dilué avec une cruche munie d'un petit bec, spécialement conçue par le potier selon les instructions du médecin. Le docteur Farcett avait donné une véritable leçon sur les microbes à John MacLean, lui expliquant pourquoi il fallait toujours bien nettoyer la cruche et la rincer à l'eau bouillante. Il lui avait montré comment s'assurer que le lait était à la bonne température pour le bébé et, ensemble, les deux hommes faisaient tout leur possible pour que cet enfant ait toutes les chances de survivre.

Robert Farcett ne se doutait pas que, tandis qu'il menait sa petite vie sur l'île, et que Montmorency travaillait, au rythme des marées, Harvey, l'oncle de Morag, s'était mis en route pour venir les chercher et les ramener sur le continent. Le marquis avait reçu une série de télégrammes affolés de Lord George Fox-Selwyn, le pressant de contacter Montmorency afin qu'il regagne Londres sur-le-champ.

L'arrivée d'Harvey perturba tout le monde – et lui-même en premier lieu, sembla-t-il. Il était content de retrouver sa famille, mais gêné qu'ils le voient dans son rôle de domestique, déférent et respectueux en présence des Londoniens. Contrairement à Morag, il était à Glendarvie depuis des années et cette expérience l'avait transformé. Il ne se sentait plus vraiment à l'aise à Tarimond où l'on était brut et sans manières. Il avait l'intention de repartir sitôt qu'il aurait trouvé Montmorency et Farcett, et pas seulement parce que Fox-Selwyn avait insisté sur l'urgence de la situation ni parce que la marquise lui avait répété qu'il devait revenir au plus vite.

Farcett, qui avait vu son bateau accoster, était descendu sur la plage pour découvrir qui arrivait. Il devina qu'Harvey apportait des nouvelles de Glendarvie. Effectivement, le valet alla droit au but :

– Je viens chercher Monsieur Montmorency, m'sieur, déclara-t-il. Lord Fox-Selwyn a besoin de lui à Londres.

– Ah… bien…, fit le médecin (En son for intérieur, il se demandait si Montmorency était déjà en état de reprendre la vie qu'il menait autrefois). Mais vous allez commencer par vous sécher et vous réchauffer, Harvey. Venez chez le père Michael. C'est là que nous demeurons, Montmorency et moi.

Harvey le suivit à contrecœur jusque chez le prêtre, sentant bien qu'il n'avait guère le choix. Il marchait quelques pas derrière lui, mais s'immobilisa brusquement sur le seuil lorsque Farcett fit irruption dans la cuisine où le père Michael et Montmorency étaient occupés à réparer une pendule. Montmorency venait de replacer le verre et tournait la clef pour la remonter.

– Vous arrivez au moment de vérité, Robert, annonça-t-il, d'un ton triomphal.

Il la secoua, tentant de la mettre en marche, mais rien ne se produisit. Il l'agita de nouveau et, cette fois, les deux aiguilles pointèrent lamentablement vers le bas pour désigner le six. Le prêtre partit d'un grand éclat de rire.

– Hum, ce petit machin servait donc à quelque chose, constata-t-il en brandissant une vis qu'ils n'avaient pas su où remettre dans le mécanisme. Il faut la rouvrir, Montmorency. On va réessayer.

– Entrez, Harvey, lança Farcett en lui faisant signe. Montmorency va être content de vous revoir. Père Michael, je vous présente l'oncle de Morag, Harvey… mais peut-être vous connaissez-vous déjà ?

L'atmosphère changea du tout au tout. Cessant brusquement de rire, le prêtre se figea. Il détourna la tête et répliqua sèchement :

– Oui, nous nous connaissons. Harvey est parti de Tarimond peu après mon arrivée.

Ignorant la remarque, le valet s'adressa à Montmorency.

– J'ai un message pour vous de la part de Lord George Fox-Selwyn, m'sieur. Il vous demande de rentrer à Londres. Et de toute urgence, à ce que j'ai compris.

– Bien, bien, nous allons voir ça, répondit Montmorency d'un ton guilleret. Voulez-vous du thé ? Vous devez être fatigué après ce long voyage.

Il sentit tout de suite qu'il avait offensé son hôte en proposant l'hospitalité à cet invité inattendu.

Comme il s'y attendait, le prêtre s'interposa :

– Harvey est sans doute pressé de rejoindre sa famille, ils ne se sont pas vus depuis des années.

Celui-ci saisit immédiatement la perche :

– Oui, faut que j'aille chez ma sœur, et j'ai pas beaucoup de temps. On part demain à la première heure.

Farcett intervint, tentant de détendre l'atmosphère :

– Bien sûr, Harvey. Le père Michael a raison, la famille avant tout. Allez-y. Pendant ce temps, nous allons faire nos bagages pour être prêts demain matin.

Sur ce, le valet fila avant que Montmorency ait pu lui demander pourquoi Fox-Selwyn voulait qu'il rentre de façon si précipitée. Le prêtre bombarda aussitôt Farcett de questions :

– Vous partez ? Mais pourquoi ? Qui y a-t-il de si urgent pour que vous nous quittiez comme ça ?

– Montmorency a des responsabilités à Londres… Quelque chose d'extrêmement important a dû se produire pour qu'on le rappelle ainsi.

– Si Lord Fox-Selwyn s'est donné autant de mal pour m'envoyer chercher, ça doit être grave, en effet. Je dois y aller.

Il s'efforça de ne pas laisser paraître la vague de joie qui le submergea à la pensée de retrouver la vie citadine.

– Mais Robert, protesta le père Michael, vous n'êtes pas obligé de le suivre. Nous avons besoin de vous ici. Vous ne voulez pas rester ?

Farcett arpentait la cuisine. Depuis l'arrivée d'Harvey, il ne cessait de tourner et retourner la situation dans son esprit. Il aurait mille fois préféré rester à Tarimond, mais il savait qu'il devait accompagner Montmorency.

– Je n'ai pas envie de m'en aller, mais j'ai réfléchi... Ce sera l'occasion de consulter des experts sur ces décès inexpliqués. Je vais emporter tout le dossier à Londres et le faire analyser scrupuleusement. Je dois partir avec Montmorency. Si j'attends encore, je ne pourrai pas quitter l'île avant le printemps en raison du mauvais temps.

– Non, je vous en prie, Robert, supplia le père Michael. Vous faites partie des nôtres désormais. Restez, nous pourrons résoudre ce mystère ensemble.

Mais Farcett ne revint pas sur sa décision : il partait, il le fallait. Pour tous les parents endeuillés de Tarimond ; pour la mère de Morag, qui était de nouveau enceinte et craignait de perdre une fois de plus son bébé. Mais surtout pour le petit Jimmy MacLean que les habitants de l'île considéraient déjà comme un miraculé. Car Jimmy MacLean avait trois mois, et il était toujours en vie.

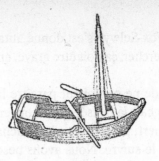

23
De retour en ville

Le lendemain matin, Harvey chargea leurs bagages dans le bateau. Toute la famille de Morag était descendue sur la plage pour lui dire au revoir, et ils serrèrent également Montmorency et Farcett chaleureusement dans leurs bras. Maggie Goudie était venue leur apporter quelques cadeaux. Robert Farcett effleura timidement sa joue de ses lèvres, quand Harvey leur cria de se dépêcher.

— C'est étrange qu'Harvey soit aussi pressé de repartir et que nous ayons envie de rester, constata-t-il avec un sourire.

— Il a ses raisons, affirma Maggie, qui s'écarta vite du docteur en voyant le père Michael les rejoindre.

— Allez, messieurs ! lança Harvey. Il faudrait pas qu'on rate la marée.

Il se mit à ramer dès que les voyageurs furent installés dans le bateau. Ils agitèrent la main, alors le petit groupe grimpa au sommet de la falaise pour continuer à leur

154

faire de grands signes tandis qu'ils s'éloignaient. Farcett fixa Maggie jusqu'à ce qu'elle ne soit plus qu'une petite silhouette noire au loin. Puis le père Michael passa un bras autour de ses épaules pour l'écarter du bord de la falaise. Harvey ramait avec de plus en plus d'énergie et, bientôt, Tarimond disparut à l'horizon.

Durant le long voyage qui les mena à Glendarvie, puis à Londres, Montmorency et Farcett retrouvèrent graduellement leur allure d'hommes des villes. D'abord, ils se débarrassèrent de leur barbe. Au début, Montmorency eut l'impression d'avoir oublié comment se raser, mais une fois arrivé à Londres, il ne supportait déjà plus que son menton ne soit pas parfaitement net. Ils appréciaient tous les deux que leur retour à la civilisation se fasse de façon progressive. Quand ils atteignirent Glendarvie, ils étaient tellement fatigués qu'ils seraient bien restés quelques jours au château. Les enfants de Gus, fascinés par leurs récits sur Tarimond, ne voulaient plus les laisser repartir ; et même la marquise, ravie qu'Harvey soit de retour, ne semblait pas ennuyée de les recevoir sous son toit. Jusqu'aux chiens, Mac et Tessie, qui parurent les reconnaître et fouillèrent dans leurs sacs pour leur voler leurs chaussures et les enterrer dans le jardin, une façon bien à eux de les retenir. Mais Farcett et Montmorency savaient qu'ils devaient reprendre leur route. Cependant, cette brève pause à Glendarvie, où ils récupérèrent le reste de leurs bagages, leur permit de se réaccoutumer aux contraintes des repas interminables et des vêtements coûteux, avant de reprendre le train vers le sud.

A Aberdeen, ils retrouvèrent pour la première fois depuis des mois la foule et la bousculade puis, bringuebalant dans le wagon-lit qui les menait à Londres, ils se préparèrent tous deux mentalement aux tâches qui les attendaient.

Farcett savait qu'il allait devoir régler plusieurs questions professionnelles. Après avoir démissionné si soudainement de l'hôpital, il sentait qu'il devait une explication à ses anciens collègues. Les patients qu'il suivait à son cabinet avaient sans doute trouvé de nouveaux praticiens, mais certains souhaiteraient peut-être revenir quand même le consulter. Devait-il accepter de les recevoir alors qu'il n'était pas sûr de rester à Londres pour toujours ? En façade, les gens seraient probablement assez polis – on lui demanderait s'il avait passé de bonnes vacances –, mais dans son dos, les commérages iraient bon train – les uns se demanderaient s'il avait craqué après avoir manqué son opération, les autres le condamneraient d'être parti ainsi, faisant passer son intérêt en priorité, tandis que ses patients avaient remis leur vie entre ses mains et comptaient sur lui pour les aider à surmonter leurs maux et leurs problèmes. Mais il espérait avoir encore assez de clients pour financer ses recherches sur le mystère de Tarimond et assez de crédibilité auprès des experts pour que ceux-ci acceptent de lui accorder de leur temps.

Il n'avait aucune envie de recommencer à se donner en spectacle. L'idée même d'opérer en public l'effrayait et lui répugnait complètement. En revanche, il voulait à tout prix découvrir pourquoi tant d'enfants avaient trouvé la mort. Il avait emporté toutes les notes prises à Tarimond. Lorsqu'il les relisait, il se trouvait transporté au cœur de cette île à la beauté sauvage. Ici et là, l'écriture de Maggie lui faisait apparaître l'image de la jeune femme qui s'affairait, s'efforçant de soigner ses patients du mieux qu'elle le pouvait. Et, chaque fois qu'il sentait la savonnette ou le flacon d'huile relaxante qu'elle lui avait donnés en souvenir, leur doux parfum lui rappelait son odeur à elle. Il avait posé la bouteille d'huile sur son bureau et savait que jamais il n'utiliserait le savon. Pour le conserver, il l'avait glissé dans son linge propre, de sorte que chacune de ses chemises lui évoquait cette île lointaine, Maggie, Morag et sa famille, le père Michael et le petit Jimmy MacLean.

Montmorency, lui, était tout excité de rentrer. Cette vie simple lui avait plu, mais il avait bataillé dur pour gagner sa place dans ce monde de festivités et de loisirs et, les derniers temps, à Tarimond, il lui arrivait, en regardant les vagues dorées par le soleil couchant, de se demander qui avait remporté la course de 15 h 30 à Ansdown Park. Une ou deux fois, en buvant l'eau claire des sources de l'île, il s'était imaginé sortant une bouteille de champagne d'un seau de glace, chez Bargles, et lorsque Morag lui avait coupé les cheveux parce qu'ils lui tombaient dans les yeux, perché sur un tabouret de bois bancal, il avait regretté le fauteuil de cuir de son barbier londonien, le bruit sec des ciseaux d'argent étincelant, les serviettes chaudes et le plaisir de se détendre en écoutant les derniers ragots, pendant que quelqu'un lui faisait les ongles. Il préférait ne pas trop y penser mais il avait remarqué que la drogue turque ne lui manquait plus. Il devinait à quel point Fox-Selwyn serait heureux qu'il soit redevenu lui-même, et il fut ravi de le voir sur le quai de King's Cross, prêt à les conduire chez lui où sa fameuse cuisinière avait préparé un petit déjeuner de bienvenue.

– Je n'avais pas d'autre choix que de vous faire revenir, Montmorency, lui expliqua-t-il. Je n'ai pas avancé d'un pouce dans mon enquête et il semble maintenant que le gouvernement veuille abandonner les recherches.

– Excusez-moi, mais quelles recherches ? demanda Montmorency.

Fox-Selwyn réalisa alors que Montmorency n'était pas au courant de l'attentat, ni des vagues tentatives du gouvernement pour retrouver le coupable. (C'était pire que cela : il ne se souvenait même pas de l'explosion, mais fit mine de s'en rappeler lorsque George lui remémora leur terrible nuit à bord du wagon-lit.)

Le lord exposa en détail les dessous de l'affaire à ses deux amis.

– Le souci, c'est que le gouvernement a réussi à convaincre tout le monde que l'explosion était due au gaz... même ses propres fonctionnaires. Voilà qu'ils veulent suspendre l'enquête, en croisant les doigts pour qu'il n'y ait pas de nouvel attentat. Mais c'est inacceptable. Un terroriste rôde qui pourrait frapper de nouveau. Il faut que vous m'aidiez à le retrouver.

– Celui qui a posé cette bombe voulait certainement faire parler de lui. Il n'y a pas eu de revendication auprès de la police ou dans la presse ? demanda Montmorency en se resservant des œufs brouillés.

– Pas une miette, soupira Fox-Selwyn.

– Oui, oui, c'est délicieux, je ne vais pas en laisser une miette.

– Non, je voulais dire que personne n'a revendiqué cette explosion, c'est bien le plus étonnant. D'après le ministère des Affaires étrangères, ce serait caractéristique d'un groupe d'anarchistes du continent qui veulent juste semer la panique et faire régner l'insécurité pour déstabiliser nos sociétés bourgeoises. Le ministère de la Défense, qui pourtant surveille les agents en mission pour des gouvernements étrangers, n'a aucune piste. Le ministère de l'Intérieur, lui, pense que ça pourrait être en rapport avec la question irlandaise.

– A moins qu'il s'agisse d'un fou qui pose ses bombes tout seul dans son coin, intervint Farcett, qui beurrait son toast.

– Bien sûr, et si c'est le cas, il est aussi dangereux que les autres, tant qu'il n'est pas sous les verrous. C'est vous le médecin, et je me rangerai à votre opinion, mais on n'a jamais vu un fou s'arrêter après le premier passage à l'acte.

– Tout à fait. S'il est malade, il faut l'attraper, confirma le docteur.

– Alors, qu'avez-vous tenté pour retrouver sa piste ? voulut savoir Montmorency en se servant une bonne cuillerée de champignons sautés pour accompagner ses rognons à la diable.

– Eh bien, pour commencer, j'ai discuté avec les équipes du ministère de l'Intérieur, des Affaires étrangères et de la Défense. Officieusement bien sûr. Chacun garde jalousement ses informations pour soi, si bien que j'ai dû procéder à coups de flatteries et d'invitations à dîner pour essayer de faire le point, voir où chacun en était de son enquête et s'ils se rejoignaient sur un point.

– Et alors ? balbutia Montmorency, la bouche pleine, ce qui n'empêcha pas Fox-Selwyn de le comprendre.

– Rien du tout. La seule chose que ces enquêtes aient en commun, ce sont leurs lacunes.

– C'est-à-dire ? intervint Farcett.

– Personne n'a interrogé les personnes présentes dans la gare cette nuit-là. Tout du moins, pas avant le lendemain, lorsque Scotland Yard est venu recueillir quelques déclarations, sans intérêt. En outre, les trois enquêtes ont fait appel à des informateurs rémunérés pour surveiller la liste de suspects habituels. Personne ne s'est donné la peine de chercher s'il n'y aurait pas une nouvelle piste à suivre...

– On ne peut pas les en blâmer, par où voudriez-vous qu'ils commencent ? s'étonna le docteur.

– Il y a bien une piste...

Fox-Selwyn adopta un ton plus confidentiel :

– ... mais on ne peut pas reprocher aux autorités de ne pas l'avoir suivie. Je suis la seule personne au courant.

Il leur raconta alors la soirée mouvementée du ministre de l'Intérieur et la conversation qu'il avait eue avec une jeune femme rencontrée sur le trottoir, à la sortie de l'opéra.

– J'ai essayé de la retrouver. Malheureusement la définition de monsieur le ministre pourrait convenir à la plupart des femmes qui arpentent les trottoirs devant l'opéra. Je dois reconnaître qu'avant cette enquête, je n'avais jamais remarqué qu'il y en avait autant. Enfin, bref, je me suis introduit dans leur milieu...

Montmorency plaqua une serviette sur ses lèvres pour étouffer un fou rire et éviter de recracher ce qu'il avait dans la bouche. Fox-Selwyn rougit, comprenant alors l'ambiguïté de ses paroles.

– Je suis allé prendre un verre avec elles, c'est tout, pour discuter, bafouilla-t-il. Mais je ne l'ai pas retrouvée.

– Et c'est pour ça que vous m'avez fait revenir.

– Oui, et ceci est l'aspect le plus plaisant de cette enquête, confirma Fox-Selwyn, mais j'ai aussi besoin de vous pour d'autres choses. Vous savez vous mêler à tous ces gens – ceux qui traînent dans les gares, les Irlandais, les anarchistes, les terroristes. J'ai bien essayé, mais franchement je n'arrive pas à me fondre dans le décor.

C'était au tour de Farcett de glousser, en imaginant son ami à la très large et très aristocratique silhouette, tentant de passer inaperçu dans les bas-fonds de la ville.

Fox-Selwyn poursuivit :

– Je sais où chercher et qui surveiller, mais j'ai besoin de vous sur le terrain.

Montmorency tapa du poing sur la table, enthousiaste :

– Eh bien, allons-y, je vais la retrouver, cette fille ! Mais peut-être ne se souviendra-t-elle de rien. Ça fait déjà des mois. Enfin, ça ne coûte rien d'essayer. Qu'est-ce qu'on joue à l'opéra, ce soir ?

– *Don Carlos.*

– Du Verdi ! Fantastique ! s'exclama Montmorency. Hélas, Fox-Selwyn le coupa dans son élan :

– C'est complet, mais habillez-vous tout de même. On se retrouve là-bas à la sortie du spectacle, là où les filles se rassemblent.

– Je peux venir aussi ? demanda le docteur Farcett. J'ai des gens à voir cet après-midi, mais je serai libre dans la soirée. Et votre chasse au trésor commence à m'intriguer.

Fox-Selwyn, si courtois d'ordinaire, s'assombrit et répliqua d'un ton sec :

– Chasse au trésor ! Vous ne valez pas mieux que tous ces fonctionnaires. Tout ça parce qu'il n'y a eu qu'une bombe. Et que ceux qui sont morts n'étaient personne. Tout ça parce que la gare est toujours là, bien debout, comme si rien ne s'était passé, vous vous imaginez que ce n'est qu'un jeu. Eh bien, non. Réfléchissez-y. Montmorency et moi, nous avons croisé ce clochard avant de prendre le train. Nous avons sans doute vu cette femme juste avant qu'elle meure. Qui sait si nous n'avons pas frôlé ses jupes en montant dans le wagon-lit. Elle était peut-être sur notre quai, à agiter son mouchoir. Nous sommes passés à l'endroit fatidique quelques minutes seulement avant l'explosion. Nous aurions pu être tués. N'importe qui aurait pu être tué. Et celui qui a posé cette bombe court toujours. Nous devons l'empêcher de recommencer !

Le docteur Farcett avait l'air déconfit.

– Je suis désolé d'avoir fait preuve d'une telle désinvolture. Je vous présente mes excuses.

Fox-Selwyn retrouva peu à peu son calme.

– Très bien.

Il marqua une pause pour se reprendre.

– Vous pouvez nous accompagner, mais souvenez-vous que, même si nous nous amusons ce soir, cela reste une affaire sérieuse.

Ses yeux se remirent à pétiller alors qu'il leur resservait du café.

– Racontez-moi maintenant ce que vous avez fabriqué sur cette île !

24
L'hôpital des Enfants Malades

Après le petit déjeuner, Robert Farcett rentra chez lui, prit un bain, se changea et s'en fut vaquer à ses affaires personnelles. Il savait à qui il voulait parler. Le docteur Donald Dougall avait fait ses études avec lui. Ils avaient ramé en chœur pour l'équipe d'aviron de l'université et, même s'ils avaient choisi des spécialités différentes, ils appréciaient toujours de passer un moment ensemble quand il leur arrivait de se croiser. Le docteur Dougall travaillait maintenant à l'hôpital des Enfants Malades de Great Ormond Street. Lorsque celui-ci avait ouvert ses portes, trente-trois ans auparavant, certains trouvaient étrange l'idée même de réserver un hôpital aux enfants. La plupart des médecins pensaient que les enfants étaient des adultes miniatures, qui souffraient des mêmes maladies et nécessitaient les mêmes traitements. Les fondateurs de l'hôpital de Great Ormond Street avaient prouvé le contraire. Ils étaient parvenus à rassembler des subventions pour l'établissement qui ne cessait de s'agrandir. On y soignait des enfants pauvres qui n'avaient pas les moyens d'êtres traités ailleurs, tout en poursuivant des recherches médicales. Les médecins qui travaillaient là-bas en savaient davantage sur le fonctionnement du corps d'un enfant que n'importe qui au monde. Si quelqu'un pouvait aider Robert Farcett à résoudre le mystère de Tarimond, c'était bien Donald Dougall.

Le docteur Farcett présenta sa carte à l'entrée de l'hôpital et demanda à voir le docteur Dougall. On le conduisit dans une salle d'attente où des parents soucieux devaient patienter avec leurs enfants malades. Une fillette d'environ quatre ans gisait, sans énergie, dans les bras de sa mère. Elle avait le teint et le blanc des yeux d'un jaune caractéristique. « Affection du foie, en déduisit instinctivement Farcett, ou des reins. Ou bien anomalie du sang. » Il savait que l'hôpital était spécialisé dans ces trois pathologies. Un garçon plus âgé s'amusait gaiement avec un petit train, qu'il avait pris sur un tas de jouets mis à disposition. « Il a l'air en bonne santé, constata Farcett, c'est peut-être son frère. » Mais l'enfant se retourna alors, révélant une vilaine excroissance sur sa joue.

La porte s'ouvrit, et le docteur Dougall entra. C'était un homme rebondi et jovial, avec des cheveux roux flamboyant et des taches de rousseur. Farcett se leva pour lui serrer la main, mais le médecin se dirigea droit vers le petit garçon qui jouait par terre.

– Bonjour, Sid ! lança-t-il en prenant le visage de l'enfant dans ses mains pour examiner la grosseur qui le défigurait. Ça m'a l'air très bien, tout ça. Je suis à toi dans une minute, mais d'abord je dois voir cette petite demoiselle.

Il se tourna vers la mère inquiète.

– Suivez l'infirmière, madame Mills, je vous retrouve dans la salle d'examen.

C'est alors seulement qu'il vint vers le docteur Farcett.

– Robert ! Ça me fait plaisir de vous voir. Pouvez-vous rester dans les parages une heure ou deux ? Beaucoup de boulot. Mais on déjeune ensemble après ?

– Volontiers.

– Parfait, à tout à l'heure.

Et il disparut. Mais Farcett avait eu le temps de remarquer qu'il glissait la main dans une marionnette pour détendre sa jeune patiente apeurée.

En attendant que Donald Dougall ait fini de travailler, Robert s'en fut se promener. L'hôpital n'était pas très loin de King's Cross, les patients devaient avoir entendu l'explosion. Il se demanda s'ils avaient eu peur. Il y avait probablement plus d'enfants dans ce quartier que dans n'importe quel autre quartier de Londres. Il passa devant des maisons et des boutiques pour rejoindre Guilford Street où se dressait fièrement le portail de l'hospice des Enfants Trouvés, l'un des plus vieux orphelinats du pays. Les enfants y arrivaient tout bébés, on les rebaptisait pour les protéger de leur passé et ils étaient élevés avec toute l'attention et les soins nécessaires, mais sans amour. L'hospice était un bâtiment imposant, en plein cœur de Londres, mais les enfants qui y vivaient ignoraient presque tout du monde extérieur. Farcett s'arrêta pour jeter un coup d'œil à travers le portail. Une cloche sonna. En file indienne, les filles sortirent d'une aile, les garçons de l'autre. Ils portaient tous un uniforme marron, les fillettes étaient vêtues d'une robe avec un petit tablier blanc, les garçons d'une veste courte sur un pantalon tombant bien au-dessus de la cheville. Ils ne parlaient pas. L'un d'eux lança un regard à Farcett, puis détourna vite les yeux, comme s'il avait enfreint une règle. Les enfants se mirent à marcher au pas, en lignes parallèles, pour rejoindre le réfectoire. Ici aussi, c'était l'heure du déjeuner. L'atmosphère paraissait un peu sinistre, mais le docteur savait que ces enfants avaient de la chance. Ils étaient nourris, et l'éducation qu'ils recevaient leur permettrait de trouver un emploi lorsqu'ils quitteraient l'établissement, vers treize ou quatorze ans. La plupart des enfants de Londres qui vivaient avec leurs parents n'avaient pas ce bonheur, et certains, malades ou souffrant de malnutrition, finissaient à l'hôpital de Great Ormond Street, au coin de la rue.

— Désolé de vous avoir fait attendre, Robert, dit le docteur Dougall en faisant un signe de la main au dernier petit patient qui quittait la salle d'examen. Entrez.

Il le regarda, curieux, mais plein de compassion.

— J'ai entendu dire que vous aviez quelques soucis.

— Oui, j'ai dû m'absenter un moment, mais je ne suis pas venu pour vous parler de ça. J'ai rencontré un cas des plus intéressants en Écosse, et je me demandais si vous pourriez me donner votre avis.

– Dieu merci, Robert. La rumeur courait que vous alliez tout abandonner. La médecine ne peut se permettre de perdre des gens de votre valeur. Allons en discuter autour d'un bon repas. Je connais un petit restaurant tout près d'ici où nous pourrons être un peu tranquilles.

Ils s'en furent donc et, en chemin, Farcett lui exposa le cas des enfants de Tarimond. Donald Dougall lui posa toutes les questions qu'il avait lui-même posées à Morag et Maggie. Il était intrigué.

– Et vous avez rapporté des notes ?

– Le dossier complet, dans les détails, et des échantillons d'eau à faire analyser. Je ne sais pas s'ils ont bien survécu au voyage, mais enfin...

– C'est toujours mieux que rien, affirma Dougall. Je vais examiner tout ça, bien entendu.

Mais il surprit son ami en ajoutant :

– Est-ce que vous accepteriez de faire quelque chose pour moi en échange ?

– Certainement, répondit Farcett, qui se demandait ce que Dougall allait bien pouvoir lui demander, mais se préparait déjà mentalement à faire un don généreux à l'hôpital.

Dougall le regarda droit dans les yeux.

– Que diriez-vous de venir travailler ici ? proposa-t-il avec une note d'excitation dans la voix.

La suggestion prit Farcett complètement au dépourvu.

– Mais... ce n'est pas mon domaine, bafouilla-t-il d'un ton d'excuse.

– Pas encore, Robert, mais vous m'avez l'air d'un homme qui a besoin de changement et nous, nous avons justement besoin d'un chirurgien doué de votre talent et de votre ouverture d'esprit. Les patients qui viennent ici ne paient pas, Robert – en fait, au début, c'est vous qui devrez payer de votre personne pour avoir le privilège de travailler avec eux et apprendre nos techniques –, mais c'est un travail gratifiant, car nous progressons sans arrêt. Réfléchissez-y. Les enfants, c'est l'avenir, Robert. En préservant la santé des générations futures, nous travaillons pour la prospérité du pays.

Farcett était perplexe, il ne voyait comment tempérer l'enthousiasme de Dougall. Il ne se sentait pas prêt à lui dévoiler son rêve secret de créer un hôpital sur Tarimond. En outre, sa proposition était alléchante : elle lui offrirait visiblement beaucoup de satisfactions et lui permettrait de rester tranquillement à Londres. Il tenta de gagner du temps.

— C'est tentant, murmura-t-il tout haut, mais il faudrait que je puisse conserver ce qui me reste de ma clientèle au cabinet.

— Je comprends. Il nous suffirait de deux jours par semaine pour commencer. Allez, raccompagnez-moi à l'hôpital, je vais vous faire visiter les différents services.

C'est ce qu'ils firent. Farcett fut surpris par ce qu'il découvrit. Il avait l'habitude des hôpitaux où les patients reconnaissants restaient allongés sans mot dire dans leurs lits bien alignés. Ici, les salles étaient assez propres pour satisfaire son obsession de l'hygiène, mais l'atmosphère était tout autre. Il y avait des jouets. Des rires. Comme le docteur Dougall le lui fit remarquer, les enfants recevaient plus de soins et d'attentions qu'ils n'en avaient chez eux. Il y avait aussi des larmes et de la tristesse. Dougall prévint Farcett : rien n'était plus dur que de perdre un jeune patient. Robert repensa alors à Maggie et au désespoir qui l'envahissait à chaque bébé qui mourait. Mais il avait déjà le sentiment que l'hôpital des Enfants Malades pourrait devenir son nouveau port d'attache professionnel. Il ne pouvait s'empêcher d'y penser tandis qu'il passait son costume pour rejoindre Montmorency et Fox-Selwyn à l'opéra.

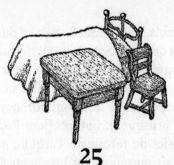

25
La mystérieuse demoiselle

Montmorency avait attrapé le virus de l'opéra dès qu'il avait commencé à côtoyer la haute société londonienne. Puis, au cours de ses voyages, il avait écumé les opéras de l'Europe entière. C'était devenu un sujet de plaisanterie entre Fox-Selwyn et lui : alors qu'ils pourchassaient des bandits en Hongrie ou démantelaient un réseau d'assassins en Autriche, Montmorency laissait tout en plan pour assister à une somptueuse production du *Mariage de Figaro* ou revoir en vitesse *Lucia di Lammermoor*. A Paris, grâce à lui, Fox-Selwyn avait connu le bonheur des interminables files d'attente. Ils avaient fait la queue toute une journée devant l'opéra Garnier afin d'obtenir des places et entendre un célèbre ténor chanter *Il Trovatore*, se relayant tour à tour pour aller acheter des provisions – baguettes de pain et bouteilles de vin. Après coup, Fox-Selwyn avait été obligé de reconnaître que le jeu en valait la chandelle, ne serait-ce que pour l'exaltant chœur du deuxième acte qui lui avait trotté dans la tête pendant des mois. Cependant il avait eu du mal à se rappeler qui était qui dans cette histoire ridicule et, contrairement à Montmorency, il n'avait pas pleuré.

En y repensant, Fox-Selwyn réalisa que le premier signe de la dépendance de Montmorency à la drogue avait été son brusque désintérêt pour l'opéra. Durant le pénible trajet de retour de Turquie, pas une seule fois il ne s'était renseigné sur les spectacles programmés, ni échappé un instant pour lire les affiches sur les murs de tel ou tel opéra étranger. C'était donc un véritable plaisir de le voir à nouveau plein d'enthousiasme, même si ce soir, ils devraient se contenter de regarder le public sortir de la salle avant de partir à la recherche de la mystérieuse demoiselle du ministre de l'Intérieur. Ils dînèrent chez Bargles, où l'on s'extasia sur la mine resplendissante de Montmorency, puis arrivèrent à l'opéra juste avant que le rideau ne tombe. Le docteur Farcett les rejoignit, et ils restèrent tous les trois à piétiner sur le trottoir dans la froideur de ce début d'hiver.

– Vous avez l'air heureux, Robert, remarqua Fox-Selwyn. Vous avez résolu votre mystère ?

– Non, mais j'ai trouvé quelqu'un qui va pouvoir m'y aider. S'il existe une explication médicale, il la découvrira.

– « Si » ? s'étonna Montmorency. Que voulez-vous dire ? Vous n'allez quand même pas vous mettre à croire le père Michael et ses histoires de jugement divin ?

– Non, pas exactement. Mais j'ai relu le dossier de bout en bout aujourd'hui, et je n'entrevois aucune explication scientifique à tout ça. Et avouez que le père Michael possède quelque chose de spécial... une sorte de magnétisme spirituel.

— Eh bien, il semble que vous soyez revenus juste à temps, s'esclaffa Fox-Selwyn, ou vous auriez tous les deux fini dans un monastère. Et j'aurais été contraint de m'occuper seul des filles de Covent Garden !

Ils rirent en chœur, Montmorency plus fort que les autres, mis en joie par les nombreux verres qu'il avait pris pour fêter son retour chez Bargles. Mais Fox-Selwyn le fit taire en soufflant :

— Chut ! En voilà une qui vient.

— Voulez-vous que j'aille lui parler, proposa Montmorency avec empressement.

— Non, pas la peine, déjà fait, répliqua Fox-Selwyn, comme s'il parlait de canalisations à vérifier. En revanche, celle-là, je ne l'ai jamais vue.

Une femme d'une vingtaine d'années remontait la rue d'un pas nonchalant. Sa robe mal coupée ne parvenait pas à cacher sa maigreur mais, sous l'épaisse couche de maquillage, Farcett remarqua qu'elle avait un joli visage. Montmorency la fixa en silence avant de s'exclamer soudain, tout haut et à la grande surprise des autres :

— Mon Dieu, mais c'est Vi !

Montmorency avait baissé la garde. S'il avait été plus sobre, il aurait sans doute montré davantage de retenue et ne se serait jamais exclamé de la sorte, ce qui l'obligeait désormais à laisser Farcett et Fox-Selwyn pénétrer ce passé qu'il avait jusque-là protégé avec soin. Peut-être, au fond de lui, sentait-il qu'il était temps de se décharger de son secret. En tout cas, l'alcool aidant, la joie de revoir la jeune fille l'emporta sur des années de prudence et il s'avança vers elle. Elle resta un instant l'air perplexe, comme si cet homme lui était vaguement familier.

– Bonsoir, Vi, fit-il en la regardant dans les yeux. Vous vous souvenez de moi ?

– Tu as besoin de compagnie, chéri ? proposa-t-elle d'une voix blasée, débitant sa tirade habituelle.

Mais elle s'interrompit soudain, et son visage reprit son expression étonnée.

Les autres, stupéfaits, entendirent alors Montmorency répéter son nom :

– Vi, Vi, Vi ! C'est moi !

Il ôta son haut-de-forme, ébouriffa ses cheveux.

– Vi, c'est moi, Lecassé ! Vous vous rappelez ?

– Oh ! Monsieur Lecassé, si je m'rappelle ! Comment aurais-je pu vous oublier ? Vous avez été si bon envers maman et moi. Oh, monsieur Lecassé, elle est dans un état, vous la reconnaîtriez pas ! Ça fait des mois que je suis coincée à la maison à m'occuper d'elle. C'est la première fois que je sors depuis des lustres.

– Ah, Vi, je suis tellement content de vous revoir ! s'écria Montmorency, avec un plaisir sincère.

– Mais regardez-vous, monsieur Lecassé !

Elle prit le coin de sa cape entre ses doigts pour en tâter l'étoffe.

– La chance vous a souri à ce que je vois. Où étiez-vous passé ?

Elle jeta un coup d'œil à ses compagnons.

– Vous me présentez pas vos amis ?

Farcett et Fox-Selwyn étaient restés en retrait, mal à l'aise, abasourdis par cette rencontre inattendue. Fox-Selwyn avait juste reconnu un nom, « Lecassé » – celui que se donnait Montmorency quand il était au plus bas, perdu dans les vapeurs de la drogue. Il s'était alors demandé si en ces trois syllabes résidait la clef des secrets de Montmorency, cette part obscure qui lui échappait. Et voilà quelqu'un qui paraissait apprécier ce M. Lecassé, quelqu'un qui le connaissait et dont il connaissait la mère. Que se passait-il ? Peut-être allait-il enfin en apprendre davantage ce soir.

Montmorency n'avait qu'une fraction de seconde pour se décider. Allait-il esquiver la question ou profiter de l'occasion pour compléter le tableau de son passé qu'il avait esquissé à ses amis ? Encouragé par le tour inattendu que prenait cette soirée, tout à la joie d'avoir croisé Vi, et sentant qu'elle pourrait leur être utile, il choisit de leur livrer son secret. Il fit signe à Farcett et Fox-Selwyn d'approcher.

– Vi, commença Montmorency avec une révérence un peu exagérée, mademoiselle Vi Evans, je vous présente Lord George Fox-Selwyn. Lord George Fox-Selwyn, j'ai l'honneur de vous présenter mon amie et ancienne logeuse, Mlle Vi Evans. Mademoiselle Evans, voici le docteur Farcett. Docteur Farcett, Mlle Evans.

Ils répondirent tous « Enchanté de faire votre connaissance », comme s'ils se trouvaient à une réception mondaine.

A cet instant s'ouvrirent les portes de l'opéra. Les premiers spectateurs se pressèrent de sortir. Montmorency n'éprouvait que mépris pour ceux qui s'en allaient si vite : des gens qui se faisaient une fierté d'être les premiers dehors, préférant manquer les rappels. Il les trouvait fort impolis de ne pas saluer le travail des chanteurs et musiciens qui s'étaient donné tant de mal pour les distraire toute la soirée. Il les plaignait aussi de se priver des tout derniers instants d'émotion du spectacle : le chef d'orchestre s'inclinait sous les applaudissements, la troupe s'avançait au bord de la scène pour saluer et on lançait des fleurs aux vedettes qui les serraient sur leur cœur pour prouver leur amour au public. Ils rataient tout cela, juste pour le plaisir fugace d'arriver les premiers au vestiaire ou de trouver un taxi avant les autres. Montmorency n'avait aucune envie de se mêler à ces gens-là.

– Vi, vous êtes peut-être en mesure de nous aider. Pouvons-nous venir chez vous ?

– Oh non, ce n'est pas utile, mon ami ! protesta Fox-Selwyn qui craignait le pire. Nous n'avons qu'à nous installer dans un bar des environs.

– Ce n'est pas loin, insista Montmorency. Et je connais le chemin.

Il passa son bras sous celui de Vi et se dirigea vers la maison où il avait pris une chambre le jour de sa sortie de prison, il y avait de cela des années. Il se rappelait la première fois qu'il avait vu Vi, assise sur le pas de la porte, elle était à peine sortie de l'enfance. Elle l'avait impressionné en imitant parfaitement la voix forte et sifflante de sa mère, Mme Evans, puis l'avait conduit à sa chambre vétuste en haut des escaliers – chambre qui était devenue le quartier général des activités criminelles de Lecassé.

pendant que, de son côté, Montmorency menait la grande vie à l'hôtel Marimion. Il savait qu'il allait devoir expliquer ça à ses deux amis, et en éprouvait un immense soulagement. L'existence de Lecassé était le seul grand secret qui demeurait entre eux, après les révélations qui avaient suivi ses retrouvailles avec Farcett. Désormais, il n'aurait plus à le leur cacher.

Mais d'abord, il eut un choc. Car, sur le pas de la porte de son ancien logis, se trouvait la silhouette avachie et ronflante de la mère de Vi. Montmorency la reconnut à sa robe jaune en loques. Il l'avait souvent vue la porter, à l'époque. Mme Evans était toujours aussi grosse, peut-être même encore plus qu'auparavant, mais ses rondeurs, qui autrefois débordaient de son décolleté généreux, s'étaient massées dans le bas du corps, en un tas informe. Ses cheveux teints d'une couleur criarde étaient devenus blancs, et si fins qu'elle paraissait presque chauve. Elle n'avait plus de dents. Elle sentait l'alcool, et pire encore. Lorsqu'ils approchèrent, elle se réveilla en sursaut et, fixant le groupe qui venait vers elle, se mit à crier, encore et encore :

— Où est ma Vi ? Une bonne fille, ma Vi. C'est ma vie. Pas une fille de mauvaise vie, hein, ma Vi !

La pauvre vieille sénile ne cessait de ressasser ce jeu de mots éculé. Au-dessus de sa tête, on lisait toujours le mot « LYBRE », écrit à la craie. Vi avait suivi le regard de Montmorency.

— On n'a plus beaucoup de clients, maintenant, expliqua-t-elle tristement. Juste des gens de passage qu'ont trouvé nulle part où se loger.

177

Montmorency constata avec horreur que la famille Evans était tombée encore plus bas depuis qu'il était parti. Il s'approcha de la vieille dame. Et Fox-Selwyn le vit, avec horreur également, s'asseoir sur la marche à côté d'elle.

– Comment allez-vous, madame Evans ? s'enquit-il galamment.

Elle eut un mouvement de recul et demanda, l'air soupçonneux :

– Où est ma Vi ? C'est une bonne fille, ma Vi…

– Elle vous reconnaît pas, expliqua justement celle-ci. Et elle sait plus rien dire d'autre. Elle a perdu la boule. Elle parle tout le temps de moi, mais elle sait même pas qui je suis.

Elle se pencha pour aider sa mère à se relever.

– Lâchez-moi ! hurla-t-elle en se dégageant de son étreinte. Je veux ma Vi. Allez me chercher ma Vi !

– C'est moi, maman, la rassura-t-elle, mais la vieille dame continuait à se débattre.

Fox-Selwyn n'avait jamais assisté à un spectacle aussi poignant que la violence de cette mère autrefois aimante qui se déchaînait contre sa pauvre fille. Farcett avait déjà rencontré des cas de sénilité, mais n'y avait jamais été confronté de manière aussi brutale : habituellement, c'était au sein d'une institution aseptisée, ou dans le cadre feutré d'une grande maison où les domestiques se chargeaient des tâches les plus ingrates. Ils cherchaient tous deux comment s'éclipser, quand Montmorency proposa :

– Je vais vous donner un coup de main.

Avec douceur et précautions, il aida la jeune femme à conduire sa mère à l'intérieur pour l'installer dans son vieux fauteuil près de la fenêtre, malgré ses protestations.

– Où pourrait-on discuter tranquillement ? demanda-t-il.

– Choisissez la chambre que vous voulez, elles sont toutes libres, répondit Vi avec un mélange de résignation et de honte.

Montmorency fit entrer Farcett et Fox-Selwyn qui étaient prudemment restés dans la rue. Ils se rendirent dans une chambre du fond, aussi nue et sale que celle où Lecassé avait vécu. Fox-Selwyn épousseta l'unique chaise avant de s'asseoir. Vi se jucha sur la table tandis que Farcett et Montmorency s'installaient côte à côte sur le lit grinçant.

– Voilà, Vi…, commença Montmorency. Nous recherchons quelqu'un, que vous avez peut-être vu ou dont les autres filles vous auraient parlé.

Fox-Selwyn intervint :

– C'est une connaissance qui nous a mis sur cette piste, après avoir rencontré une jeune femme à la sortie de l'opéra. Il s'agit d'un homme distingué, de taille moyenne. Très bien vêtu, aux manières raffinées…

– Excusez-moi, monsieur, s'esclaffa Vi, mais ça m'aide pas beaucoup. Ils sont tous comme ça ! (Elle toisa Montmorency d'un œil perplexe.) Même M. Lecassé, on dirait !

– Eh bien…, reprit Fox-Selwyn, embarrassé. Le gentleman en question a des relations au sein du gouvernement.

– Ça réduit pas tellement les possibilités. On a de tout : des juges, des amiraux...

Elle se remit à pouffer.

– ... J'en ai même eu un qu'était soi-disant ministre de l'Intérieur.

Fox-Selwyn réagit aussitôt :

– Cela remonte à quand ?

– Oh, à des mois, répondit-elle, très naturelle. Il était dans un état ! Tout chamboulé par l'explosion de King's Cross. Vous savez, celle qui a tué Molly Mead. Je lui ai dit : « Estime-toi heureux de ne pas être le directeur de la compagnie des gaz ! La famille Mead a juré d'avoir sa peau. Je garderais sagement ma place de ministre si j'étais toi, chéri ! » Voilà ce que je lui ai dit !

– Vous connaissiez la femme qui est morte ? demanda Fox-Selwyn, tout excité de tenir une nouvelle piste.

– Molly ? Évidemment ! Elle travaillait au marché aux fleurs.

Fox-Selwyn était exaspéré : ce simple détail n'était pas mentionné dans le rapport de police. Il découvrit bientôt que Vi était une source d'informations inépuisable.

Elle poursuivit :

– Tout le monde la connaissait par ici. Elle était propriétaire d'un tas de stands. Hérités de son mari. C'est elle qui dirigeait tout. Elle gagnait une vraie petite fortune. Elle avait dépensé un paquet pour la lune de miel de sa fille. C'est pour ça qu'elle était à la gare, elle accompagnait les jeunes mariés au train. Vous savez qu'il y a des lits dedans ? On peut se coucher et dormir jusqu'en Écosse !

Fox-Selwyn réalisa alors avec tristesse qu'il avait vu juste. La femme qui agitait gaiement son mouchoir avait été l'une des victimes de la bombe.

– Si vous aviez vu toutes les fleurs qu'y avait à son enterrement ! ajouta Vi. Les plus belles, envoyées par ses fournisseurs de tous les coins du pays le matin même.

– Et cet homme ? l'interrompit Montmorency. Celui qui disait être le ministre de l'Intérieur ?

Le souvenir de ce client bavard inspira à Vi un nouveau flot de paroles :

– Je me souviens de lui parce qu'il était complètement saoul et qu'il arrêtait pas de me parler de cette explosion. Il a paru très intéressé quand je lui ai dit que je l'avais entendue. Je ne sais pas pourquoi. Normal, on n'est pas très loin de King's Cross ici, à vol d'oiseau, hein ? Sauf que vous seriez bien chanceux de trouver un piaf par ici, pas vrai ? A part ces sales gros pigeons. Des rats volants qu'elle les appelle, ma mère. Enfin, bref, je lui ai dit que je me souvenais de l'explosion à cause de l'homme qui a passé la nuit ici ce soir-là. Enfin, il aurait dû dormir ici, il avait pris une chambre, mais il est sorti juste avant qu'on entende la détonation et on l'a jamais revu. Alors je me suis demandé s'il avait été tué, blessé ou quoi, parce qu'il est pas revenu prendre ses affaires. Quand je lui ai raconté ça, votre bonhomme m'a posé plein plein de questions : « Comment y s'appelait ? A quoi y ressemblait ? » Et moi, je me disais : « Pourquoi il veut savoir tout ça ? Il va me payer pour avoir discuté avec lui d'une conduite de gaz qu'a explosé ? » Il m'avait l'air d'avoir bien besoin d'un bisou et d'un câlin, mais il a continué à papoter et puis, pouf, il s'est endormi.

Elle rit en repensant au lendemain matin.

– Il a filé sacrément vite quand il s'est réveillé. Enfin, comme beaucoup, hein. Ça leur fait un choc quand ils dessaoulent, qu'ils réalisent qu'ils sont pas ministres et qu'ils ont une femme et des gosses à s'occuper !

Les trois hommes restèrent un moment silencieux, digérant la somme d'informations qui venait de leur être fournie. On entrevoyait tant de pistes dans le récit touffu de Vi qu'ils ne savaient par où commencer. Fox-Selwyn prit la parole le premier :

– Et il n'est jamais revenu ?

– Oh, non. Ils reviennent jamais, vous savez. Ils ont trop honte.

– Non, pas le ministre de l'Intérieur... (Fox-Selwyn s'interrompit et se reprit pour préserver l'honneur de son ami.) Enfin, pas l'homme qui se disait ministre. Non, je parlais de l'autre. Celui qui a pris une chambre chez vous le soir de l'explosion. Il est repassé ?

– Non, jamais. Mais un ami est venu chercher son sac. Une chance que je l'avais pas jeté. Y avait que du bric-à-brac là-dedans, de la corde, des bougies et un tas de saletés.

Montmorency et Fox-Selwyn échangèrent un regard complice – ce matériel pouvait servir à la fabrication d'une bombe.

Vi continuait à jacasser :

– Enfin bref, je l'avais fourré sous l'escalier au cas où il reviendrait, puis j'y avais plus pensé. Et voilà que son ami débarque hier...

– Hier ! s'exclamèrent les trois hommes en chœur.

– Oui, hier, vers sept heures du soir. Il avait l'air soulagé de retrouver son bazar. J'imagine qu'ils ont dû avoir des ennuis parce qu'ils avaient emprunté ce sac au boulot.

Fox-Selwyn avait l'air perplexe.

– Comment ça, « au boulot » ?

– Oui, dessus, c'était écrit « Propriété des jardins botaniques royaux de Kew ». J'croyais que le premier gars l'avait volé, mais son copain m'a dit que non, ils travaillaient là-bas.

– Et ça, c'était hier ?

– Oui, mais pourquoi ça vous intéresse autant, c'était juste un sac.

Montmorency voulut lui fournir une explication sans entrer dans les détails, et opta finalement pour la vérité. Il lui prit la main.

– Écoutez, Vi, l'explosion de King's Cross n'a pas été causée par une fuite de gaz. C'était une bombe et votre récit nous laisse penser que l'homme qui est venu chez vous pourrait l'avoir posée. Vous nous avez mis sur une piste, mais il faudrait que nous en discutions davantage. Et aussi que je vous raconte comment je suis arrivé ici, et dans cette tenue.

Il s'interrompit, découragé par l'ampleur de la tâche.

– Mais il est déjà tard.

Il consulta ses amis du regard.

– Nous ferions mieux de rentrer dormir un peu et de revenir demain matin, frais et dispos.

– Vous pouvez rester ici, si vous voulez, proposa Vi d'un ton enjoué.

Elle poursuivit malgré l'air horrifié de Fox-Selwyn, se tournant vers Montmorency :

– Je vous aurais bien redonné votre ancienne chambre, mais le plancher s'est écroulé. Ah... il faut aussi que je vous raconte...

Il déclina poliment, craignant qu'elle ne se lance dans un autre récit torrentiel :

– Non, ça ira. Vous nous en avez déjà appris assez pour ce soir. Reposez-vous et nous reviendrons demain matin. Mais quoi que vous fassiez, ne parlez de tout ça à personne.

– Puis-je vous aider à mettre votre mère au lit ? proposa le docteur Farcett, ému par les conditions déplorables dans lesquelles vivaient les deux femmes.

– Nan, elle dort dans son fauteuil, j'arrive pas à la soulever, vous comprenez.

– Eh bien, pour une fois, installons-la confortablement, insista le médecin.

Et, avec Montmorency, ils portèrent la vieille dame endormie dans sa chambre.

Lorsqu'ils la déposèrent sur le matelas, un grondement sourd fit trembler la pièce entière.

– Voilà, c'était exactement comme ça ! s'exclama Vi. L'explosion, je veux dire.

– Une autre bombe ? s'étonna le docteur Farcett, devant l'expression stupéfaite de Fox-Selwyn.

– Oui, probablement, confirma ce dernier.

– Et pas loin d'ici, ajouta Montmorency.

– Restez ici avec Vi, Robert ! cria le lord en se ruant vers la porte.

Montmorency prit le docteur à part pour lui chuchoter :

– Si c'est l'homme dont nous a parlé Vi qui a posé cette bombe, il se pourrait qu'elle soit en danger. Il va peut-être vouloir la faire taire. Ne lui dites rien, pas la peine de l'alarmer. Mais ne la laissez jamais seule et n'ouvrez à personne. Nous allons voir ce qui s'est passé.

Montmorency et Fox-Selwyn remontèrent Bow Street juste à temps pour croiser une escouade de policiers qui filaient à toute allure. Ils se dirigeaient vers la gare de Waterloo.

26
La gare de Waterloo

Cette fois, la bombe n'avait pas fait de victimes ; en revanche, elle avait plus sérieusement endommagé le bâtiment. Lorsque Fox-Selwyn et Montmorency arrivèrent, la gare disparaissait sous des tourbillons de poussière. Il ne restait plus du comptoir des réservations que des nuées de billets, horaires et papiers officiels voletant d'un bout à l'autre du hall. La canalisation qui alimentait les toilettes pour hommes avait été éventrée, de sorte qu'un torrent tumultueux se déversait sur les sacs de courrier adossés au mur. Il était tard. La gare était fermée au moment de l'explosion, qui s'était produite à 1 h 37 du matin si on en croyait les aiguilles de l'immense horloge qui s'étaient figées sous le choc. Les terroristes avaient apparemment voulu éviter de blesser des voyageurs tout en causant un maximum de désordre.

Comme il y avait très peu de personnel sur les lieux, il fallut un moment pour que quelqu'un prenne la direction des opérations. Montmorency et Fox-Selwyn, ainsi qu'une flopée de clochards, de fêtards et autres oiseaux de nuit, purent circuler à leur guise parmi les décombres. C'était électrisant de se retrouver là, mais peu productif pour leur enquête, finalement. Il n'y avait rien à voir, mis à part des gravats. Rien en tout cas qui les mène tout droit au coupable. Quand la police réussit enfin à installer un périmètre de sécurité autour du site, donnant l'ordre à tous les civils d'évacuer les lieux, Fox-Selwyn n'opposa pas une grande résistance. Les deux amis reprirent le chemin de Covent Garden, couverts de poussière mais guère plus avancés. Ils n'avaient pas détecté la moindre odeur de gaz. Cette fois, les autorités seraient obligées de reconnaître qu'il s'agissait d'une bombe.

Lorsqu'ils arrivèrent chez les Evans, le docteur Farcett et Vi étaient toujours debout, attendant les nouvelles. Farcett avait convaincu Vi de l'aider à nettoyer sa mère, qui dormait, bien bordée dans son lit, laissant de temps à autre échapper un gémissement ou marmonnant quelques mots à propos de sa fille dans son sommeil. Le médecin avait promis de revenir pour l'examiner convenablement le lendemain. Vi proposa une tournée de gin, mais il n'y avait pas d'amateurs.

– Je pense que nous devrions aller nous coucher, comme nous l'avions prévu, fit Fox-Selwyn. Tout ça est bien beau mais, à mon avis, nous allons avoir de quoi nous occuper demain. Nous verrons ce qu'en a conclu la police et nous repartirons de là.

– George, je pense qu'il vaudrait mieux ne pas laisser Vi toute seule, intervint Montmorency. Je pourrais rester avec elle. C'est la moindre des choses, il faut lui expliquer ce qui se passe réellement et pourquoi nous estimons qu'elle peut courir un danger.

– Moi, en danger ! s'exclama-t-elle. Ne soyez pas ridicules, je sais me défendre.

Farcett voyait parfaitement où Montmorency voulait en venir. Il s'assit près de Vi pour lui parler calmement :

– Il est possible que la bombe de Waterloo ait été posée par l'homme qui vous a rendu visite hier. Si c'est le cas, il va vouloir vous empêcher de tout raconter à la police.

– Mais vous n'êtes pas de la police ! s'exclama-t-elle en regardant Montmorency avec un sourire qui se décomposa progressivement. Pas vrai ?

– Non, nous ne sommes pas de la police, confirma-t-il.

– Mais nous sommes du même côté, précisa Fox-Selwyn. Et nous pouvons peut-être aider les autorités à reconstituer ce qui s'est passé et à arrêter les terroristes. Montmorency... – ou devrais-je dire Lecassé... – va tout vous expliquer. Je reviendrai demain matin et nous déciderons de la suite des opérations.

Il regarda son ami comme un professeur réprimandant un élève turbulent :

– Et alors, peut-être monsieur consentira-t-il à m'expliquer également une ou deux petites choses...

Montmorency hocha la tête. Il savait que le temps était venu de leur révéler comment, grâce aux cambriolages, Lecassé avait réussi à quitter cette maison sordide pour s'élever dans les plus hautes sphères de la société londonienne.

– Oui, George. Demain, promis.

– J'ai hâte, affirma Fox-Selwyn en reprenant son chapeau, qu'il époussseta du revers de la main. Enfin !

Il se tourna vers le docteur.

– Venez, Robert. Allons-y.

A l'exception de Mme Evans, tous dormirent fort mal cette nuit-là. Tôt le lendemain matin, Fox-Selwyn envoya Chivers chercher le journal. Il eut également la présence d'esprit de lui demander de passer chez Bargles prendre une tenue de rechange pour Montmorency. De son côté, il se rendit chez le ministre de l'Intérieur pour une rapide visite en toute discrétion, avant le petit déjeuner. Comme il s'y attendait, il le trouva en plein désarroi. Les premiers rapports sur l'explosion faisaient uniquement ressortir la plus grande confusion et une totale absence de piste. Le ministre insista pour que Fox-Selwyn et Montmorency continuent à mener l'enquête sans en référer à la police. Ils lui feraient leur rapport directement. Ils pouvaient employer les méthodes qu'ils souhaitaient du moment qu'ils ne lui réclament pas le moindre soutien si jamais cela tournait mal. Il nierait tout lien avec eux si ça s'avérait nécessaire, mais assura à Fox-Selwyn que les « plus hautes autorités » seraient informées du rôle qu'ils auraient joué dans l'affaire en cas de dénouement positif. « Du rôle que *vous* aurez joué dans l'affaire, c'est sûr », pensa Fox-Selwyn en prenant congé.

Lorsqu'il arriva chez Vi, Farcett était déjà là, avec sa sacoche de médecin, en train d'écouter le cœur défaillant de Mme Evans, avant de tester ses réflexes.

– Elle ne devrait vraiment pas vivre dans de telles conditions, murmura-t-il. Il fait trop humide et trop froid, ici.

Montmorency conduisit Fox-Selwyn à l'étage, jusqu'à son ancienne chambre. Ils firent les cent pas autour du plancher éventré, mal à l'aise. Ils étaient amis depuis plus de cinq ans, très proches et, d'une certaine façon, se connaissaient mieux que quiconque. Mais jamais encore ils n'avaient réussi à se parler à cœur ouvert. Ils ne parvenaient pas à se regarder dans les yeux. Finalement, Fox-Selwyn s'assit, triturant l'un des nombreux trous du matelas crasseux, pendant que Montmorency se changeait et entreprenait de lui raconter, d'un ton faussement enjoué, sa vie d'escroc dans le détail. Il commença par leur première rencontre, devant son autre résidence, le luxueux hôtel Marimion. Fox-Selwyn avait depuis longtemps deviné que l'argent qui lui permettait de mener ainsi grand train venait de sources obscures. Et à Glendarvie, Montmorency l'avait avoué. Mais Fox-Selwyn ne se doutait pas qu'il avait poursuivi ses activités criminelles après leur rencontre. Il ignorait que, chaque soir, à la sortie d'une fête ou d'une partie de cartes, Montmorency le quittait pour filer se changer au Marimion. Puis, vêtu de la grossière tenue de domestique de Lecassé, il se rendait à Covent Garden, dans cette chambre même. C'était de là qu'il partait pour cambrioler tous les quartiers de Londres.

– Je venais ici me mettre en tenue d'égout, expliqua-t-il.

– En quoi ? fit Fox-Selwyn, perplexe.

– Je descendais dans les égouts presque toutes les

190

nuits. Saviez-vous que ce réseau de tunnels traverse Londres de bout en bout ? Je pouvais aller où je voulais, personne ne me voyait.

Le lord imaginait sans peine dans quel but il se déplaçait ainsi.

— Et que faisiez-vous en sortant des égouts ?

— Je volais. Des tas de choses. De belles choses. De plus en plus belles au fil du temps. Puis je les cachais sous le plancher, dans ce trou.

Fox-Selwyn fixa le sol, incrédule.

— Et cette activité vous permettait de payer votre séjour au Marimion ?

— Oui, et mon adhésion chez Bargles, ajouta Montmorency avec un rire nerveux.

— Et vous est-il arrivé de me voler ?

Il fut scandalisé que son cher ami puisse seulement l'envisager.

— Bien sûr que non, George. Jamais je ne ferais une chose pareille, croyez-moi, j'en serais incapable.

Il s'interrompit puis tenta de détendre l'atmosphère en lui faisant une confession qu'il saurait sans nul doute apprécier.

— En revanche, j'ai déjà volé Sir Gordon Pewley.

Le lord sourit : ainsi, Montmorency les avait vengés des supplices que leur infligeait l'insupportable personnage chez Bargles.

— Et la police ne vous a jamais arrêté ?

Montmorency, plus décontracté, se laissa emporter par son récit.

— Non, j'étais trop malin pour eux ! jubila-t-il.

Fox-Selwyn le croyait aisément, lui qui avait assisté à ses exploits à l'étranger.

– Mais j'ai aussi eu de la chance, poursuivit gaiement son ami. Ils ont interrompu les recherches après avoir arrêté quelqu'un d'autre.

Le lord en fut profondément choqué. Le ton changea de nouveau lorsqu'il demanda, avec lenteur :

– Vous n'avez pas laissé un homme aller en prison à votre place ?

Montmorency se décomposa, saisi à la gorge par la culpabilité. Sa voix se fit plus basse :

– C'est encore pire…

Il s'interrompit, rassemblant le courage d'avouer toute la vérité.

– George, je l'ai laissé se faire pendre à ma place. Il est mort. En plus, je le connaissais. Il m'a tout appris. Nous étions dans la même cellule en prison. Il m'a montré comment modifier mon apparence, imiter l'allure et la façon de parler des autres, comment me construire une nouvelle identité. Sans lui, je n'aurais rien pu faire. Sans lui, je ne serais pas là maintenant.

– Comment s'appelait-il ?

– Là-bas, on l'avait surnommé Frankenstein.

– Ce nom m'est familier.

– Oui, on en a parlé dans tous les journaux.

– Non, je l'ai entendu de votre propre bouche, Montmorency. Quand vous déliriez dans votre sommeil, en Turquie, puis à Glendarvie. C'est pour cette raison que vous preniez cette drogue, n'est-ce pas ? Pour oublier votre culpabilité ?

– Oui, pour chasser les cauchemars. Mais ça n'a pas fonctionné, George. Il ne se passe pas un jour sans que je pense à lui.

– Et c'est bien normal !

Fox-Selwyn avait presque craché ces mots.

– Mais George..., protesta Montmorency.

Il quémandait compassion et indulgence comme si souvent ces derniers temps. Mais cette fois, il n'en était pas question. Le lord était écœuré. Pour l'essentiel, il s'attendait à ce que lui avait révélé Montmorency. Il était prêt à fermer les yeux sur certains de ses crimes. Il pouvait même comprendre sa vie souterraine. Il avait toujours soupçonné son ami de posséder un talent caché inavouable, depuis que, lors de sa première mission pour le gouvernement, il avait infiltré une ambassade étrangère et pris le fameux Pewley en flagrant délit de trahison envers son propre pays. Il savait désormais par quel moyen il s'était introduit là-bas. Il pouvait sans doute même lui pardonner de l'avoir trompé au début de leur amitié, quand il se faisait passer pour un gentleman alors qu'il commettait encore des vols. Mais laisser un autre homme se faire pendre à sa place ! C'était trop.

Fox-Selwyn tourna le dos à Montmorency. Il avait été à ses côtés lorsqu'il avait traversé l'enfer de la dépendance. Il l'avait accueilli au sein de sa famille. Alors que cet homme était méprisable. Qu'il ne valait pas mieux qu'un rat d'égout. Le silence était pesant. Montmorency s'assit, la tête entre les mains. Il attendait que son meilleur ami se tourne vers lui pour l'insulter, le rejeter. Mais, pire que cela, le silence s'éternisait. Fox-Selwyn restait là, dos à lui, le menton dans la main, perdu dans ses réflexions.

Il était désabusé, il se sentait trahi. Et pourtant… Et pourtant… Montmorency ne s'était-il pas montré loyal et courageux lors de leurs voyages ? N'avait-il pas agi en homme d'honneur ? Ne s'étaient-ils pas amusés ? Il ne pouvait effacer de sa mémoire les bons souvenirs qu'ils avaient ensemble. Ils formaient une équipe formidable. Montmorency méritait-il peut-être qu'on lui laisse une chance de regagner sa place dans cette équipe ?

Ce dernier était au désespoir. Dès l'instant où, devant l'opéra, il avait décidé de tout révéler à Fox-Selwyn, il avait oublié pourquoi il avait gardé ce secret si longtemps. Dans sa hâte de se décharger de ce fardeau en avouant sa double vie (Lecassé, les égouts…), il n'avait pensé qu'au soulagement qu'il éprouverait ensuite. Il n'avait pas pensé à Frankenstein. Il était si content d'être de retour à Londres, de retrouver son ami jovial ; il n'avait pas imaginé la réaction que celui-ci pourrait avoir en apprenant qu'il avait laissé un autre payer pour ses crimes. Bien sûr, George avait raison. Il ne méritait que le mépris. Il n'était même pas digne des égouts qu'il avait si longtemps hantés. Il méritait d'être rejeté. Peut-être même devrait-il se livrer à la police et retourner en prison. Il attendit, à l'agonie, que Fox-Selwyn prenne la parole.

Mais, après ce qui lui sembla de longues minutes, il brisa lui-même le silence, sans oser regarder son ami en face.

– Vous voulez que je m'en aille ? Je pourrais disparaître, tout simplement. Je sais comment faire. Je ne vous blâmerais pas de ne plus vouloir me revoir.

Il fut surpris par sa réponse :

– Non, ne partez pas. Ce que vous avez fait à ce « Frankenstein » est une honte, mais fuir ne le ramènera pas. Je mentirais en disant que je ne suis pas choqué et déçu, Montmorency. Malgré tout ce que vous m'avez fait endurer depuis la Turquie, jamais je n'ai été à ce point choqué et déçu. Mais je vais vous donner une dernière chance. La dernière, vraiment. C'est irrévocable. Vous ne me laissez pas le choix. Je veux que vous vous rachetiez en faisant une bonne action. Déployez les talents que Frankenstein vous a transmis pour aider à arrêter le poseur de bombes.

– Que voulez-vous dire ? demanda Montmorency, les yeux pleins de larmes.

Fox-Selwyn se retourna.

– Je veux dire que vous allez encore changer d'identité, Montmorency. Mais cette fois, vous ne serez pas le seul !

27
Changement d'identité

Lord George Fox-Selwyn avait parfois l'esprit un peu lent, surtout après un bon dîner arrosé de quelques bouteilles de vin. Mais parfois, comme ses bulletins scolaires en avaient témoigné, il pouvait faire preuve d'une grande clairvoyance, voire de génie. C'était une honte, répétaient ses professeurs, qu'il rechigne à faire bon usage de ses capacités. Ce matin-là, dans la chambre de Lecassé, au cœur de Covent Garden, ses professeurs auraient été fiers de lui. Les aveux de Montmorency lui avaient inspiré un plan parfait pour assurer la sécurité de Vi et arrêter les poseurs de bombe.

Cette fois, ce serait les Evans mère et fille, dotées d'une nouvelle identité et d'une nouvelle vie, qui seraient au centre du stratagème. Là-haut, dans la petite pièce sous les toits, Fox-Selwyn exposa les grandes lignes de son projet à Montmorency et, à quelques ajustements près, ils suivirent exactement ce plan.

Montmorency allait retourner au Marimion prévenir le directeur que sa vieille tante et sa cousine devaient arriver d'Italie pour séjourner à Londres. Sa tante, la Contessa Evanista, venait de perdre son mari – elle était malade et avait besoin de repos. Elle serait soignée par sa fille, Violetta, et son médecin personnel, le docteur Farcett. La « Contessa » et Violetta (Mme Evans et Vi) n'avaient à leur service qu'une femme de chambre, Susanna (toujours Vi, qui tiendrait le rôle de l'homologue féminin de Lecassé). Les trois femmes ne parlaient pas un mot d'anglais. Montmorency aurait, comme autrefois, Lecassé à ses côtés. Et ils s'installeraient tous à l'hôtel. Mais ils disposaient désormais d'un avantage supplémentaire : ils pourraient utiliser le domicile de Lord Fox-Selwyn comme base arrière, pour se changer et se transmettre des informations, mais conserveraient la maison de Covent Garden comme solution de repli en cas d'urgence.

Fox-Selwyn insista sur les points forts de son plan : si tout se passait bien, Mme Evans pourrait recevoir les soins appropriés, Vi serait à l'abri des terroristes, et Lecassé pourrait aller et venir dans les bas-fonds pour retrouver leur trace. Comme Vi était la seule à les avoir rencontrés, il faudrait de temps à autre qu'elle accompagne Montmorency ou Lecassé en mission, sous les traits de Violetta ou de Susanna, ce serait selon. Ils allaient mettre ce plan à exécution au plus vite... et même dès aujourd'hui.

– Qu'est-ce que vous fabriquiez donc, tous les deux ? demanda Vi en voyant Montmorency et Fox-Selwyn redescendre. Vous êtes restés là-haut pendant des heures !

– Vi! Robert! Approchez! ordonna le lord. Nous avons un plan.

– Mets la bouilloire à chauffer, Vi. George va tout vous expliquer, annonça Montmorency.

– Mets la bouilloire à chauffer! répéta la jeune femme d'une voix haut perchée. Où vous vous croyez? Au Grand Hôtel?

Fox-Selwyn se mit à rire

– Non, Vi, en revanche vous allez bientôt connaître le luxe du Marimion. Vous vous y installerez avec votre mère à la fin de la semaine. Et je suis heureux de constater que vous savez prendre différents accents, car vous allez aussi devoir jouer la comédie.

– Eh, j'habite pas à Covent Garden[1] pour rien, répliqua Vi en prenant une pose théâtrale, j'ai un vrai talent d'actrice. Et, vous savez, maman est montée sur les planches avant ma naissance. Même si on a du mal à le croire maintenant.

Ils se tournèrent vers la silhouette avachie dans son fauteuil, près de la fenêtre.

– C'est une bonne fille, ma Vi, criait-elle. Pas une fille de mauvaise vie, ma Vi!

« Il faut absolument faire quelque chose, pensa Fox-Selwyn. Robert pourrait peut-être lui administrer un calmant. »

Lorsqu'il exposa son plan ingénieux, « la bonne fille » repéra aussitôt la faille.

– Mais où nous allons trouver de quoi nous habiller en

1. Covent Garden était le quartier de l'opéra et des théâtres.

« Contessa » et je sais pas quoi, maman et moi ? demanda-t-elle.

Fox-Selwyn n'avait pas l'habitude de se soucier de ce genre de détails pratiques, il n'avait absolument pas réfléchi à ça.

— Eh bien… Qui est votre couturière ? Je suis certain qu'on pourrait lui demander de vous préparer une tenue spéciale. Je me charge des frais, bien entendu…

— Soyez pas bête ! Je me suis jamais rien fait faire sur mesure de ma vie ! s'esclaffa Vi en écartant les bras pour montrer sa robe en haillons. Toutes nos frusques viennent du marché aux puces. Et ça m'étonnerait qu'ils aient un truc assez chic pour une comtesse, pas vrai ?

— Vous avez peut-être des amies qui travaillent dans la couture alors, Vi ? J'avoue ne jamais avoir eu besoin d'une couturière moi-même !

— Aucune qui pourrait garder un secret. Et qui nous ferait ça assez vite, en plus, répliqua-t-elle.

Montmorency les interrompit :

— Je connais quelqu'un qui pourrait nous aider.

Il pensait à son tailleur, M. Lyons.

— Il est sympathique, discret, possède des relations dans le métier. Si vous me donnez les mensurations de ces dames, je devrais pouvoir me débrouiller.

Fox-Selwyn tira son carnet et son crayon, puis se tourna vers le docteur Farcett.

— Robert, auriez-vous un mètre dans votre sacoche ?

— Je ne sais pas…, fit le médecin qui n'était qu'à moitié convaincu par le plan et rechignait à prendre les mesures des deux femmes.

– Si, il en a un ! s'exclama Vi. Je l'ai vu, là, dans le fond, pendant qu'il examinait maman.

Et sur ces mots, elle ouvrit le sac et en tira un mètre pliant. Montmorency le reconnut aussitôt : c'était celui que le docteur Farcett avait utilisé pour prendre ses mesures en prison, des années auparavant.

– Ah oui, bien sûr, marmonna le médecin, embarrassé.

– Eh bien, allez-y, alors ! décréta Fox-Selwyn. Prenez les mesures. C'est vous le professionnel, non ?

– Je... je ne suis pas sûr que ce soit une bonne idée, bégaya Farcett.

Fox-Selwyn se félicita intérieurement de ne pas lui avoir demandé de droguer Mme Evans.

– Allez, mon vieux ! Nous savons tous les deux que vous avez déjà fait de pires entorses à vos principes. Montmorency et moi, nous allons vous laisser, si vous voulez.

Ils passèrent dans la cuisine, où le lord rédigea une lettre en italien dans une écriture que tailleur ou couturière serait bien en peine de déchiffrer. Ils entendaient Vi hurler de rire dans la pièce voisine, tandis que le docteur Farcett les mesurait. La lettre, signée par la « Contessa », avertissait Montmorency de sa venue et lui demandait de s'assurer qu'une garde-robe à la mode londonienne les attende, sa fille et elle, à leur arrivée.

– Vous montrerez ça au tailleur en lui racontant vos déboires, expliqua-t-il à Montmorency. Vous lui direz que la lettre est arrivée avec du retard, que ces dames sont déjà en route et qu'il leur faut des robes de toute urgence.

La porte s'ouvrit alors sur un docteur Farcett rougissant qui leur tendit une liste de chiffres.

– Et mon uniforme de femme de chambre ? demanda Vi, qui visiblement s'amusait beaucoup. Où je vais le trouver ?

Les hommes se tournèrent vers Fox-Selwyn.

– Vous qui avez une flopée de femmes de chambre, vous n'aurez qu'à emprunter une de leurs tenues, suggéra Montmorency. En priant pour que votre gouvernante ne vous surprenne pas...

– D'accord, soupira le lord. Mais gare à moi si elle s'en aperçoit !

Cela faisait un an que Montmorency n'avait pas rendu visite à son tailleur. La dernière fois, il était venu se fournir en vêtements légers pour son voyage en Orient. M. Lyons était ravi de voir revenir l'un de ses clients préférés, dont il pouvait espérer une grosse commande. Il battit des mains avec jubilation lorsque la porte de la boutique s'ouvrit.

– Quel plaisir de vous retrouver, monsieur. Et avec une mine éclatante, si je puis me permettre. Que puis-je faire pour vous, aujourd'hui ?

– Eh bien, il va me falloir un nouveau costume d'hiver...

Le tailleur joignit ses mains constellées de taches de rousseur.

– ... mais pas aujourd'hui, j'en ai bien peur. Aujourd'hui, j'ai besoin de vos conseils.

Lyons avait l'habitude de recueillir les confidences de ses clients. En tant que dépositaire d'innombrables secrets – liaisons inavouables, dettes de jeu et querelles de famille, il était intrigué. Montmorency sortit la « lettre d'Italie » de sa poche tout en exposant le problème :

– Ma tante doit arriver d'un jour à l'autre. Elle sera furieuse que rien ne soit prêt, mais je ne sais par où commencer. Je n'y connais absolument rien en mode féminine.

– Ah, heureusement, je suis là, monsieur ! Ma sœur, Mme Lyonnaise, tient une boutique non loin d'ici.

Il se pencha vers Montmorency pour murmurer :

– En réalité, elle n'est pas française, vous savez. Elle a pris ce nom pour faire chic. Ces dames y sont sensibles.

– Ça alors ! s'exclama Montmorency avec une surprise feinte.

M. Lyons prit son manteau et son chapeau, ferma le magasin et conduisit Montmorency jusqu'à celui de sa sœur. Elle surgit de l'arrière-boutique en entendant la clochette de la porte annoncer leur arrivée. Comme son frère, elle était couverte de taches de rousseur, qu'elle se donnait beaucoup de mal à camoufler sous une épaisse couche de maquillage d'un blanc crayeux.

– Albert ! Qu'est-ce que tu fais là ? commença-t-elle d'un air irrité, avec un fort accent londonien, avant de remarquer la silhouette distinguée qui entrait dans la boutique sur les pas de son frère.

Elle se reprit alors, toute en délicatesse :

– Bonjour, monsieur. Puis-je vous renseigner ?

Ce fut son frère qui répondit :

– Dolly, je te présente M. Montmorency, l'un de mes meilleurs clients. Il a un problème et je lui ai dit que tu serais à même de l'aider.

M. Lyons lui répéta alors l'histoire de la « Contessa » et de sa fille, puis lui remit leurs mensurations en insistant sur l'urgence de la commande. Sa sœur parcourut le morceau de papier d'un œil expert.

– Aucun problème pour la jeune dame, monsieur. J'ai en réserve une robe de démonstration de la plus haute qualité qui serait disponible de suite. La comtesse me demandera un peu plus de travail. Quoique... (elle fredonna pensivement) elle me semble à peu près de la même taille que Lady Harvington, à quelques pouces près. Nous sommes justement en train de lui faire une robe, mais je sais qu'elle n'en aura pas besoin avant une ou deux semaines. Peut-être pourrais-je l'adapter aux mensurations de votre tante, puis en coudre une autre pour Lady Harvington ? Il suffirait d'enlever quelques rubans, d'ajouter des boutons ici et là et pourquoi pas un volant dans le bas... Sauf que ça prendrait du temps et que, justement, nous n'en avons pas beaucoup... Non, nous nous contenterons de remonter un peu l'encolure.

Montmorency était fasciné. Lui qui vouait une véritable passion à la mode masculine, il considérait comme un privilège de pouvoir pénétrer dans le monde de la mode féminine.

Dolly Lyons poursuivait, tentant de se convaincre que le projet était réalisable :

– Oui, si on procède ainsi, Lady Harvington pourra tout à fait croiser la comtesse sans se douter qu'elle porte le même modèle ! Ces dames sont très pointilleuses là-dessus, vous savez, monsieur.

– Oh, je comprends tout à fait, affirma Montmorency en toute sincérité. Je ne voudrais surtout pas provoquer de scandale. Pourrais-je voir le croquis ?

– Si vous voulez bien me suivre dans l'atelier, monsieur, vous pourrez même voir les robes.

Montmorency était ravi. Il eut du mal à cacher son émotion lorsque Dolly écarta un rideau et les mena, lui et M. Lyons, le long d'un couloir jusqu'à une vaste pièce où six filles cousaient à la lueur d'immenses verrières. Des rouleaux de tissus aux couleurs vives s'entassaient contre les murs. Des mannequins de tailles et de formes variées portaient des robes à différentes étapes de leur fabrication. Dolly passa le bras autour des épaules d'une silhouette vêtue de rose et de turquoise, dans le fond de l'atelier.

– La duchesse de Frogmore ! s'exclama-t-elle avec fierté.

Puis elle porta la main à sa bouche et murmura d'un ton de conspirateur :

– Il faut juste relâcher quelques plis sur les hanches.

Au milieu de la pièce, sur une longue table, un coupon de satin écarlate était marqué à la craie, et jonché de morceaux de papier épinglés. Une gigantesque paire de ciseaux attendait à côté, prête à procéder à la coupe. M. Lyons survola la scène d'un regard tout professionnel et tâta le tissu brillant.

– Vous êtes arrivés juste à temps, commenta Dolly. J'allais commencer à couper. Et je n'aime pas être interrompue dans mon travail.

– C'est parfois inévitable, s'empressa d'ajouter M. Lyons, craignant que sa sœur n'embarrasse Montmorency.

Mais ce dernier était aux anges, bien loin des petits tracas de la famille Lyons.

Dolly s'était approchée de l'un des mannequins les plus plantureux.

– Et voici Lady Harvington ! annonça-t-elle, en hôtesse accomplie.

Montmorency joua le jeu, tendant la main pour serrer la manche vide. Les jeunes couturières pouffèrent, mais Dolly les remit vite à leur place par un « Chut ! » bien senti. Elle récapitula ses propositions de modification, que Montmorency approuva d'un hochement de tête en suggérant d'adjoindre un châle à la tenue. Dolly accueillit sa proposition avec enthousiasme ; et pas uniquement parce qu'elle gonflerait la note sans travail supplémentaire – elle avait tout un stock de châles en réserve.

– Maintenant, passons à la jeune dame. Que pensez-vous de cela ?

Elle leur montrait une robe à manches longues en coton rayé mauve et noir.

– Original, je trouve, sans être vulgaire.

– Parfait, confirma Montmorency, imaginant déjà l'allure élégante qu'aurait Vi dans ses nouveaux vêtements. Ma cousine sera enchantée, j'en suis sûr.

Dolly le prit à part, baissant la voix pour que ni son frère ni les filles ne puissent l'entendre :

– Ces dames auront-elles besoin d'autre chose ? Pour la nuit ou pour... (elle s'interrompit et reprit encore plus doucement) pour en dessous ?

Montmorency se sentit rougir.

– Ah oui, tout à fait, marmonna-t-il. Puis-je vous laisser vous en charger ?

– Bien sûr, je m'en occupe, assura-t-elle en lui posant la main sur le bras. Nous avons tout ce qu'il faut en stock. Et elles pourront toujours changer si ça ne convient pas.

Montmorency sourit intérieurement. Il voyait mal Mme Evans et Vi se plaindre des pièces choisies pour remplacer leurs maigres (et peut-être même inexistants) sous-vêtements. Il demanda que la commande soit livrée dès que possible à l'adresse de George Fox-Selwyn. M. Lyons, ouvrant la marche, écarta le rideau pour regagner la boutique.

– Je vous suis extrêmement reconnaissant, madame Lyonnaise, dit Montmorency. Vous vous êtes montrée fort arrangeante et, surtout, vous m'avez épargné les foudres de ma tante ! Je suis sûr que la Contessa ou sa fille ne manqueront pas de venir vous voir si elles ont besoin d'autre chose durant leur séjour à Londres.

Dolly rayonnait. Montmorency sortit du magasin le premier, tandis que M. Lyons se retournait pour embrasser sa sœur sur la joue.

– C'est un bon filon, crois-moi. De grosses commandes, pas de tracasseries et paiement en temps et en heure… et en espèces. Fais-leur ces robes aussi vite que possible, sœurette.

– Ne t'inquiète pas, il les aura dès ce soir, affirma-t-elle.

Et elle rentra dans la boutique pour mettre ses filles au travail.

28
La reine des emplettes

Quand les paquets du magasin de Mme Lyonnaise arrivèrent chez Fox-Selwyn, Vi prenait un bain. Chivers et la gouvernante, à qui l'on avait juste dit ce qu'ils devaient savoir, s'employaient, à contrecœur mais avec efficacité, à accueillir du mieux possible les invités de leur maître. Mme Evans était déjà lavée, couchée et bordée dans la chambre d'amis. Montmorency, Fox-Selwyn et le docteur Farcett discutaient de leur plan de campagne. Ils étaient tous d'accord : il fallait en priorité aller faire un tour aux jardins botaniques de Kew. Vi s'y rendrait vêtue de sa nouvelle tenue, pour ne pas être reconnue. Ils ouvrirent donc les paquets sur-le-champ et Montmorency exhiba avec fierté le fruit de sa matinée d'emplettes. Il prit la robe de Vi entre deux doigts pour la tenir devant lui, puis se dandina dans toute la pièce en faisant tournoyer le jupon. C'est alors que la porte s'ouvrit.

– Très élégant ! Mais je crois que ça sera plus joli sur moi, commenta Vi en riant, et elle ramassa la robe que Montmorency avait brusquement lâchée.

Elle était drapée dans l'un des peignoirs en soie de Fox-Selwyn, une serviette en turban sur la tête.

– Je pense que vous risquez aussi d'avoir besoin de ça, intervint timidement Montmorency en lui passant la boîte contenant les sous-vêtements.

Elle jeta un œil à l'intérieur et en tira un immense corset qu'elle enroula autour de sa poitrine sous le regard gêné des trois hommes.

– Hum, ça doit être pour maman ! gloussa-t-elle avant de quitter la pièce, les bras chargés.

Cinq minutes plus tard, elle était de retour, presque méconnaissable, pour leur demander de l'aider à boutonner sa robe dans le dos. Elle arpenta la pièce de long en large, paradant à la manière d'une grande dame et répondant à toutes les questions dans un incompréhensible charabia aux accents étrangers. Fox-Selwyn était des plus impressionnés.

– Excellent ! Ma chère, vous êtes prête à faire votre entrée au Marimion.

– Pas encore ! objecta Vi.

Après une pause théâtrale, elle souleva lentement le bas de sa robe, découvrant ses pieds nus et noueux.

– Mince ! s'exclama Montmorency. J'ai oublié les chaussures. Où va-t-on pouvoir en trouver ?

– Vous n'avez qu'à m'emmener faire des courses, proposa-t-elle, surexcitée. Mais ça va bientôt fermer, on ferait bien de se dépêcher.

Et elle enfila ses vieux escarpins à bout de souffle, prête pour sa première sortie « de dame ».

– Au fait, et maman ? Elle a les pieds qui gonflent, il lui faut des chaussures spéciales.

Le docteur Farcett vint à la rescousse.

– J'ai un fauteuil roulant à mon cabinet. Demain matin, je l'apporterai et nous la conduirons ainsi au Marimion. Elle n'aura pas besoin de chaussures.

La course aux emplettes ne concernait donc que Vi et Montmorency, et ce fut la première d'une longue série – entre deux tâches plus sérieuses, évidemment –, si bien que Vi se retrouva bientôt largement équipée pour ses deux rôles.

Comme il pleuvait, ils prirent la voiture de Fox-Selwyn. Cette fois, inutile de se rendre dans le quartier chic du West End où était installé le tailleur de Montmorency. Là-bas, on réalisait les souliers sur mesure et cela pouvait prendre des semaines. Non, ils allèrent dans un de ces magasins plus récents et moins coûteux où l'on vendait des chaussures fabriquées dans les usines des Midlands. Ils en trouvèrent un non loin de Leicester Square. La vitrine était garnie de petits supports en bois présentant toutes sortes de modèles, des chaussons aux gros bottillons de marche. Montmorency entra d'abord sans Vi. A l'intérieur, il découvrit de confortables banquettes et fauteuils au milieu d'étalages couverts d'autres paires de chaussures encore. La journée avait été très calme. Le mauvais temps avait dissuadé les clients de sortir, et la patronne était déjà en train de ranger, se préparant à fermer. Mais elle reçut tout de même assez poliment cet homme bien vêtu.

– Nous ne vendons pas de chaussures pour hommes, monsieur, je regrette. Nous avons cependant un autre magasin sur Charing Cross Road où vous trouverez ce qu'il vous faut.

– En fait, je voudrais des chaussures pour dame, répliqua-t-il.

L'espace d'un instant, la patronne se demanda si elle avait affaire à l'un de ces personnages pour le moins excentriques qui peuplaient le voisinage, mais il s'empressa d'ajouter :

– Avec ce mauvais temps, ma cousine a été victime d'un malencontreux accident, il lui faut d'urgence une paire de rechange.

Sur le trajet, Vi et Montmorency s'étaient dit qu'elle ne pouvait pas entrer dans le magasin avec une si belle robe et de si vilaines chaussures. Ils avaient donc inventé toute cette histoire pour justifier que Vi soit obligée de rester à bord de la voiture, les pieds seulement gainés de bas.

– Elle a glissé dans une flaque sur le trottoir, son talon s'est brisé net. Quel dommage pour sa première journée à Londres. Elle vient d'Italie et j'ai bien peur que ses délicates chaussures n'aient pas supporté notre climat.

La patronne était rusée et elle avait vite fait le calcul : il s'agissait d'une urgence et c'était l'heure de la fermeture, elle était donc sûre de faire sa vente.

– Peut-être devrais-je lui apporter quelques modèles à essayer, proposa-t-elle. Mais nous ne savons pas sa pointure...

Elle prit une jolie paire à petits talons.

– Voyons celle-là.

Montmorency, soulagé qu'elle ait compris le problème, la protégea de son parapluie tandis qu'elle sortait du magasin. Il avait bien recommandé à Vi de ne pas ouvrir la bouche et fit en sorte qu'on ne lui pose pas de questions.

– Ma cousine est très ennuyée, vous imaginez bien, et en plus elle ne parle pas un mot d'anglais, précisa-t-il.

– Ne vous inquiétez pas, monsieur. Je vais faire de mon mieux.

Elle grimpa à bord de la voiture et s'assit à côté de la mystérieuse jeune femme qui se cachait derrière un éventail. Impressionnée par la qualité de ses vêtements et la finesse de ses bas, elle se montra très douce.

Mais il n'y avait pas moyen de faire entrer ce pied dans ces chaussures. Vi rejoua la scène de *Cendrillon*, où les filles de tout le royaume se pressent pour essayer la pantoufle de vair. Elle poussa tant et plus, mais en vain.

– Je vais chercher la pointure au-dessus, décréta la patronne.

Mais Montmorency, las de rester planté sous la pluie, eut une autre idée. Il tendit son parapluie à la commerçante, prit Vi dans ses bras et la porta, comme une jeune mariée, à l'intérieur du magasin. Elle n'avait jamais vu un endroit pareil de sa vie et laissa échapper un petit cri de joie.

– Bon sang..., souffla-t-elle avant de se reprendre pour marmonner quelque chose qui ressemblait à « *buone sangioni* » tout en s'éventant.

Ses yeux étincelaient à la vue de toutes ces chaussures. Montmorency la laissa tomber sur la banquette un peu plus brutalement qu'il ne l'aurait dû, pour lui rappeler qu'elle devait garder le silence. Il était déterminé à conserver le commandement des opérations.

La patronne disparut dans sa réserve et revint avec de solides chaussures dans différentes pointures. Pendant qu'elle s'était absentée, Vi chuchota en vitesse :

– Il m'en faudrait deux paires.

Montmorency la fit taire en lui lançant un regard noir, mais envoya tout de même la dame chercher d'autres modèles.

– Ce sera tout, monsieur ? demanda-t-elle lorsqu'ils eurent arrêté leur choix sur trois paires à la bonne taille.

– Oui, merci, répondit Montmorency en sortant son portefeuille.

La dame avait l'air soulagée de pouvoir enfin rentrer chez elle, mais Vi poussa alors un étrange gémissement :

– *Nooo, norre, nono, nori, nori, nooo*, bredouilla-t-elle en désignant une étagère. *Chaussododo, chaussosso, chaussoni...*

Montmorency se retourna pour lui intimer le silence, mais la commerçante avait visiblement compris ce qu'elle désirait.

– Oui, nous avons de très jolis modèles de chaussons. Voulez-vous que j'aille en chercher un petit assortiment ?

Montmorency acquiesça dans le seul but de la faire sortir de la pièce et pouvoir ainsi réprimander Vi.

– Je vous avais dit de vous taire ! chuchota-t-il, furieux. Vous voulez tout gâcher ?

– Mais..., se défendit Vi, s'interrompant en voyant la dame revenir. *May, mayoni, marioni...*, fit-elle en agitant son éventail pour signaler à son acolyte qu'ils n'étaient plus seuls.

La patronne, qui l'avait entendue, crut qu'elle désignait un modèle sur l'étalage.

— Oui, nous avons du marron ! confirma-t-elle d'un ton enjoué.

Montmorency, qui voulait sortir de là au plus vite, fusilla Vi du regard en répliquant :

— Je ne suis pas sûr que c'est ce qu'elle voulait dire.

Mais comme elle hochait la tête en souriant à la dame, il abandonna.

— Très bien, essayons les chaussons et allons-nous-en.

Dieu sait comment, ils repartirent avec deux paires de chaussons, une marron, l'autre bleue. Il se dit qu'on pouvait considérer cela comme un cadeau pour récompenser Vi de ne pas avoir ouvert la bouche durant l'essayage. Mais alors que la patronne les emballait, elle ne put résister à demander une dernière chose :

— *Bootto, botti, bottini*, bafouilla-t-elle en faisant mine d'enfiler des bottines et de les lacer.

L'autre comprit aussitôt.

A la fin, elle dut les aider à porter tous leurs paquets dans leur voiture. Montmorency resta la douceur incarnée jusqu'à ce que la porte se referme et que le cocher secoue les rênes pour faire partir le cheval. Alors il se déchaîna après Vi :

— Vous pouvez me dire ce qui vous a pris ? Je vous avais demandé de ne pas ouvrir la bouche, non ?

— Mais je n'ai rien fait de mal. Comme ça, on n'aura pas besoin de revenir acheter des chaussures.

– Pas avant des années, vu le nombre de paires ! grommela-t-il, alors que lui, le roi des emplettes, en avait encore davantage dans sa chambre. Il ne faut prendre aucun risque. Les gens doivent croire que vous ne parlez pas un mot d'anglais.

– Mais je n'ai pas parlé anglais, répliqua-t-elle en se serrant contre sa portière pour bouder. Lord George Fox-Selwyn m'a expliqué l'italien. Tout finit par i, a ou o. C'était de l'italien.

– C'est ça ! s'exclama-t-il, rageur.

– J'ai parlé italien à ma sauce, et ça a marché, non ?

Montmorency regarda la montagne de paquets. Il regarda les ravissantes chaussures qui avaient changé les pieds rustauds de Vi en pieds de femme du monde, et se radoucit.

– D'accord, Vi. C'est bon pour cette fois. Mais au Marimion ça ne sera pas aussi facile. J'y ai déjà croisé de vrais Italiens. Alors, à partir de maintenant, laissez-moi parler pour vous.

Vi s'agita sur la banquette, puis tira l'une des vieilles chaussures qu'elle avait cachées dessous en arrivant devant la boutique. Alors qu'ils traversaient le parc, elle baissa la vitre et la jeta par la fenêtre. Après un instant de panique, Montmorency, amusé, plongea sous la banquette pour prendre l'autre.

– Celle-ci ne vous servira plus non plus ! cria-t-il en l'envoyant dans l'herbe mouillée.

Lorsqu'ils arrivèrent chez Lord Fox-Selwyn, ils riaient bêtement, comme deux enfants.

29
Retour au Marimion

Après avoir déposé Vi chez Fox-Selwyn pour la soirée, Montmorency se rendit au Marimion. Cinq ans plus tôt, il avait logé dans cet hôtel, mais il n'y était pas revenu depuis, pas même pour prendre un verre au bar, de peur de croiser la fille du directeur, Cissie. Elle s'était entichée de lui et lui avait rendu la vie impossible durant tout son séjour. Il se demanda si son père, M. Longman, gérait toujours l'hôtel et se surprit à espérer que oui : Longman serait plus enclin à croire son histoire de tante venue d'Italie que n'importe quel inconnu. Il savait à quel point Montmorency tenait à ce qu'on respecte sa vie privée, et connaissait également Lecassé, son domestique taciturne, même s'il ne l'appréciait guère. Montmorency gravit les larges marches de marbre qui menaient à la grande porte du Marimion... et constata avec effroi qu'elle avait été remplacée par une sorte de tourniquet. « On n'arrivera jamais à faire passer Mme Evans là-dedans », pensa-t-il en s'engouffrant à l'intérieur, et s'en extirpa d'un bond, manquant de repartir pour un deuxième tour.

Le hall était désert, mais on entendait des coups sourds et des cris en provenance de la salle à manger. Il alla voir ce qui se passait et découvrit qu'on était en train d'enrichir le décor déjà chargé de la pièce de nœuds, rubans et bouquets de fleurs, et qu'on y installait des tables pour un grand banquet. Au milieu de tout cela se dressait la silhouette longiligne de M. Longman – il était donc toujours directeur – qui aboyait ses ordres, accablant de reproches ses employés éreintés. Visiblement, un grand événement se préparait et il était pris de panique, craignant que tout ne soit pas prêt à temps. En se retournant, il aperçut son ancien client dans l'encadrement de la porte. Un bref instant, son visage refléta ce qu'il pensait vraiment : « Allons bon, quoi encore ? » Mais il se ressaisit, se redressa pour prendre la posture militaire qui le caractérisait lorsqu'il était « en scène », et se dirigea vers Montmorency, saluant humblement l'homme dont les paiements réguliers avaient assuré la survie de l'hôtel lorsque ses finances étaient au plus bas.

– Monsieur Montmorency, quel plaisir ! Que puis-je faire pour vous ? Vous êtes venu prendre un verre ?

– Non, monsieur Longman, je suis passé voir si vous auriez une chambre libre à partir de demain soir.

Il sortit la lettre d'Italie et répéta son histoire, à laquelle il commençait lui-même à croire.

– Demain… hum, c'est ennuyeux, l'hôtel est rempli d'Américains. J'en ai jusque-là !

Il indiqua d'un simple geste qu'il trouvait ses clients venus d'outre-Atlantique un brin trop exigeants.

– Mais la plupart repartent après le mariage, je pourrai donc vous installer, vous et votre famille, dans la grande suite du dernier étage. On l'appelle la suite du Parc, car elle offre une superbe vue sur Hyde Park. Cela vous conviendrait-il ?

– Parfait, répondit Montmorency, conscient de l'avantage qu'il y aurait à être logé tout en haut, un peu à l'écart des autres clients. Ainsi un mariage se prépare pour demain, la réception va être fastueuse !

– J'exige le meilleur pour ma fille chérie.

Montmorency mit un instant à réaliser ce qu'il venait de lui dire.

– Cissie se marie ? bafouilla-t-il.

Il espérait que sa voix ne trahissait pas trop sa surprise mais, franchement, il ne voyait pas qui aurait bien pu vouloir l'épouser.

M. Longman eut un sourire satisfait.

– Monsieur Montmorency, demain, Cissie deviendra Mme Cornelius Delahaye Newhaven Junior. Son fiancé est l'héritier de l'une des plus grandes entreprises de transformation de viande de porc des États-Unis !

Cissie avait donc atteint son but ! Cette petite arriviste, vulgaire et intéressée, objet de mépris pour tout le personnel, avait réussi à ferrer l'un des clients. Et quelle belle prise ! Elle allait pouvoir engloutir bacon, pieds de cochon et travers de porc à volonté. Il la revoyait encore finir avec avidité les restes des clients dont les assiettes arrivaient à la cuisine, le repas terminé. Il se rappelait ses grosses joues, ses petits yeux, la verrue au coin de son nez et ses boucles jaunes relevées en couettes de chaque côté

217

de sa tête, découvrant ses grandes oreilles. Et puis cette voix suraiguë et puérile qu'elle prenait pour s'adresser aux clients masculins : un couinement enjôleur et douce-reux qu'elle susurrait en approchant son visage trop près du vôtre. Et son haleine, il la sentait encore, alors que lui revenait le souvenir du ton chantant qu'elle prenait pour l'appeler « Meusssieur Montmorenssssy ».

– Meusssieur Montmorensssy !

Il l'entendait encore, au creux de son oreille.

– Meusssieur Montmorensssy !

Il fit volte-face. Elle était là, collée à lui.

– Fous êtes refenu ! Oh, papa ! Qu'essse que ze vais faire ? Ze ne peux plus époussser Cornelius !

Elle se cramponna à Montmorency et tomba à genoux en poussant des hurlements. Là, au beau milieu du grand salon du Marimion.

Pauvre Cissie. Elle n'avait jamais su choisir son moment, et cette fois-ci ne fit pas exception. A l'instant même où elle menaçait, emportée par sa fougue théâ-trale, d'annuler son juteux mariage, une plantureuse matrone américaine descendit l'escalier. Montmorency devina d'instinct qui était cette femme. Mme Cornelius Delahaye Newhaven Senior, sans nul doute. Elle se joi-gnit au chœur en poussant des cris encore plus stridents et demanda de quoi il retournait, en gratifiant Montmorency de quelques coups d'ombrelle bien sen-tis. Longman dirigea d'une main experte le trio infernal que formaient Montmorency, Cissie et sa future belle-mère vers l'arrière-salle, où il tenta de désamorcer la crise. Cissie, ravie d'être au centre d'un tel drame, ne cessait de répéter qu'elle ne pouvait plus se marier. Montmorency, sentant que Mme CDN Senior menaçait de quitter les lieux avec sa progéniture outragée, laissant tout loisir à Cissie de le poursuivre de ses assiduités, décida de mentir. Il se mit à raconter qu'il était venu pour libérer Cissie des obligations qu'elle pensait avoir envers lui, afin qu'elle puisse épouser cet homme merveilleux qui, il en était sûr, l'aimait d'un amour noble avec lequel il ne pouvait rivaliser. Mme CDN Senior se rengorgea en entendant chanter les louanges du jeune Cornelius, sans réaliser que Montmorency n'avait jamais rencontré son fils, ni même entendu parler de lui. En réalité, d'après ce qu'il avait sous les yeux, il était en mesure d'assurer que CDN Junior était un crétin qui allait se mordre les doigts toute sa vie. Cissie fut touchée par le côté follement romantique de la situation, flattée d'être un objet de rivalité entre deux prétendants – et surtout que Montmorency accepte de se sacrifier pour la laisser vivre un amour plus grand (et plus doré). Elle fondit en larmes, soulagée tout de même de pouvoir réaliser sans remord son rêve américain. Pour faire bonne mesure, elle congédia Montmorency d'un grandiloquent « Je ne veux plus jamais vous revoir ! », espérant ainsi regagner le cœur de sa future belle-mère et lui assurer qu'elle était un bon parti pour son fils. Montmorency, quant à lui, espérait entendre prononcer ces mots depuis le jour où il l'avait rencontrée.

Il jubilait intérieurement, mais s'efforça, pour Cissie, d'avoir l'air d'un homme dont les rêves venaient de s'écrouler et s'en fut chercher ailleurs un hôtel pour la

« Contessa ». Mais, M. Longman lui emboîta le pas et sauta derrière lui dans l'un des compartiments de la porte à tambour, grattant la cloison de verre en le suppliant de revenir. M. Longman était un père attentionné, mais avant tout un homme d'affaires avisé.

– Attendez ! Attendez, monsieur ! cria-t-il alors que Montmorency descendait les marches du perron. Nous confirmons votre réservation pour après-demain, monsieur. Je vous fais préparer la suite du Parc.

Il ajouta après une courte pause :

– Les jeunes mariés seront partis d'ici là, monsieur.

Tout était donc arrangé. Montmorency avait hâte de retrouver le luxe du Marimion, d'autant plus que, cette fois-ci, il n'aurait pas à refréner les ardeurs de Mme Cornelius Delahaye Newhaven Junior (née Longman).

30
Côté ville, côté jardin

Le jour du mariage de Cissie, Fox-Selwyn prêta son attelage à Montmorency et à Vi, pour qu'ils puissent se rendre à Kew, sur la piste des poseurs de bombe. En chemin, ils laissèrent le lord chez le docteur Farcett car il souhaitait prendre connaissance de l'affaire des enfants de Tarimond.

Malgré le désordre régnant dans son cabinet, le médecin avait dégagé une large surface pour étaler les différents éléments sur le plancher : tout d'abord, un calendrier indiquant la date précise de chacun des décès – mais, tout comme le docteur Farcett, Fox-Selwyn ne parvint à y découvrir aucune logique ; puis les arbres généalogiques, retraçant les liens entre les différentes familles endeuillées – mais ils ne menaient nulle part eux non plus. Il existait également pour chaque enfant un dossier personnel récapitulant les moindres détails de sa courte vie. Enfin, les symptômes avaient été listés dans des tableaux à double entrée afin de suivre le déclin de chaque nouveau-né. Fox-Selwyn fut impressionné, mais il n'avait pas d'explication, pas plus que Farcett, Maggie Goudie ou le père Michael.

– C'est peut-être une coïncidence malheureuse, suggéra-t-il. Peut-être que Tarimond traverse une mauvaise passe.

– C'est impossible, affirma Farcett.

Il tira un gros recueil d'une étagère, l'ouvrage compilait les statistiques médicales de l'Europe entière, y compris les taux de mortalité infantile.

– Regardez, dit-il à Fox-Selwyn en le feuilletant. Les chiffres de Tarimond sont plus élevés que n'importe où ailleurs. Si l'endroit n'était pas aussi reculé, ce phénomène scandaliserait l'opinion publique.

– Qui sait... S'ils n'étaient pas aussi isolés, le problème quel qu'il soit risquerait peut-être de s'étendre à l'ensemble de la population britannique.

– Tout à fait, George. C'est pour ça que nous devons en trouver la cause. Je vais faire appel à l'un des meilleurs spécialistes du pays pour résoudre l'énigme.

– En espérant qu'il a l'esprit plus vif que moi, répliqua Fox-Selwyn.

– Et que moi, renchérit Farcett, j'ai lu et relu ces documents des centaines de fois, et je n'y comprends toujours rien.

Dans l'attelage qui les conduisait à Kew, Vi répéta à Montmorency tout ce qu'elle savait à propos des deux hommes qu'ils recherchaient. Elle n'avait qu'un très vague souvenir de celui qui avait pris une chambre chez elle juste avant l'explosion de King's Cross, mais elle put faire une description assez précise de l'individu venu chercher le sac, la veille de l'attentat de Waterloo. C'était lui qu'ils avaient le plus de chances de pouvoir repérer aujourd'hui, car il lui avait affirmé que l'autre homme avait disparu, et elle le croyait.

Celui qu'ils surnommèrent « l'homme au sac » était de taille moyenne, il avait la peau tannée par le soleil et une large carrure, ce qui suggérait qu'il devait effectivement travailler en plein air. Il était brun, et elle avait été frappée par les poils noirs qui recouvraient ses mains. Elle avait eu du mal à le comprendre en raison de son fort accent – irlandais ou plus exotique, elle n'aurait su le dire. Il s'était montré peu loquace et pressé de s'en aller lorsqu'elle avait tenté d'aborder le sujet de son ami qui s'était volatilisé. En tout cas, elle était certaine de le reconnaître si elle le croisait à nouveau. Et sûre également qu'il ne la reconnaîtrait pas dans sa tenue de dame, au bras du beau Montmorency.

Ils avaient prévu de se promener dans les allées comme les autres visiteurs, dans l'espoir d'apercevoir leur homme parmi les jardiniers. Ni l'un ni l'autre n'avait visité Kew auparavant. En fait, Vi n'avait même jamais entendu ce nom avant de le lire sur le sac. Fox-Selwyn lui avait expliqué qu'il s'agissait d'un grand jardin au bord de la Tamise, où poussaient des plantes exotiques venues des quatre coins du monde. Il avait été créé pour l'agrément personnel de la famille royale voilà plus d'un siècle, mais il était désormais ouvert au public. Il paraît qu'il faisait si chaud sous les immenses serres de verre qu'on s'y croyait sous les tropiques! Il y avait aussi une pagode chinoise, un lac et une galerie où étaient exposés des tableaux légués par une exploratrice. Vi avait hâte de voir tout ça. Après avoir traversé la Tamise, le cocher prit la route qui suivait la courbe du fleuve, passant par les petits villages de Putney, Barnes et Mortlake. A Richmond, ils bifurquèrent sur Kew Road.

– Voulez-vous emprunter l'entrée principale, monsieur, ou vous contenterez-vous d'une entrée secondaire, sur le côté?

– Eh bien, disons… l'entrée principale, répondit Montmorency qui ne voyait pas très bien ce que cela changeait.

– Oh oui! s'écria Vi, l'entrée principale. Faisons ça en grand!

Ils poursuivirent donc leur chemin, le long d'un terrain de cricket, puis d'un interminable mur de brique.

– Tout ça, ce sont les jardins de Kew? s'étonna Montmorency.

– Parfaitement, monsieur, confirma le cocher. C'est grand, n'est-ce pas?

« Trop grand », pensa-t-il en se demandant comment ils pourraient retrouver un homme dans un pareil endroit.

L'attelage prit à gauche vers Kew Green, passa devant Sainte-Anne, belle église en brique rouge, autrefois simple petite chapelle, qui désormais n'était qu'arches, courbes et volutes grâce aux ajouts commandés par ses mécènes royaux. Enfin, la route s'élargissait devant un grand portail de fer forgé: ils étaient arrivés au jardin botanique.

– Revenez nous prendre à quatre heures, ordonna Montmorency qui espérait que, d'ici là, ils auraient repéré leur suspect.

– Alors, c'est par là qu'on entre dans la campagne, constata innocemment Vi, alors que Montmorency payait le droit d'entrée au portillon tournant.

Il réalisa qu'elle n'avait jamais quitté le centre de Londres, tout comme lui quelques années plus tôt.

Une fois de plus, le temps était couvert. Il avait beaucoup plu durant les dernières semaines, de sorte que le terrain était boueux et la terre meuble collait aux semelles. Vi était bien contente d'avoir convaincu Montmorency de lui acheter ses bottines, elle ne cessait d'ailleurs de le répéter, au grand désarroi de celui-ci. Le jardin était encore plus grand qu'elle ne se l'était imaginé. Ils déambulaient d'allée en allée, à la recherche des employés. Mais il n'y avait pratiquement aucun jardinier en vue. Quand ils en repéraient un, ici ou là, ils s'approchaient de sorte que Vi puisse l'examiner. Parfois, ils étaient si près que Montmorency devait feindre de s'intéresser aux plantes pour justifier leur présence. A bavarder ainsi avec les jardiniers, ils apprirent beaucoup sur la forme des feuilles ou sur les différentes qualités de sol, mais ils ne trouvèrent pas leur homme. A trois heures et demi, une cloche sonna, et le personnel lança un appel général : « On ferme ! » Les derniers visiteurs regagnèrent tranquillement le portail à la tombée du jour.

En sortant, Montmorency s'acheta un petit guide, car ils seraient vraisemblablement obligés de revenir, et peut-être plus d'une fois. Mais si les terroristes étaient jardiniers, ils avaient terminé leur journée et étaient maintenant susceptibles de filer à Covent Garden pour tenter de retrouver Vi. Ce soir, Montmorency devrait prendre le risque de s'y rendre avec elle, dans l'espoir qu'elle repère l'homme au sac avant qu'il ne la repère.

De retour chez Lord Fox-Selwyn, ils changèrent de tenue et d'identité. Cela faisait longtemps que Montmorency n'avait pas repris l'apparence de Lecassé, même si son vieil *alter ego* lui avait assez souvent rendu visite à l'improviste. Au début, lorsqu'il venait de quitter sa vie de détenu pour celle de dandy, il aimait à se retrouver dans la peau de Lecassé, où il se sentait plus à l'aise. A l'époque, c'était ses gestes, ses attitudes, ses mots qui lui venaient le plus naturellement. Aujourd'hui, en adoptant la démarche tanguante, l'expression fuyante et l'accent qui allaient avec les frusques de Lecassé, Montmorency avait plutôt le sentiment de jouer un rôle. Lorsqu'il se fut habillé dans la chambre d'amis de Fox-Selwyn, sa veste et ses bottes neuves lui parurent bien trop propres et en bon état. Il craqua quelques coutures puis se roula par terre pour essayer de rendre son déguisement un peu plus crédible. En mangeant un morceau avant de partir, il fit exprès de garnir sa chemise d'une traînée de sauce. Sur le pas de la porte, il se moucha dans sa manche. Vi lui enfonça sa casquette sur les oreilles pour dissimuler ses cheveux trop propres. Elle avait remis son ancienne robe, prête à se risquer de nouveau à Covent Garden pour retrouver l'homme au sac et aller voir la famille Mead, dont la matriarche, Molly, avait été tuée dans l'explosion de King's Cross.

Fox-Selwyn vint leur dire au revoir sur le perron.

– J'attendrai que vous soyez rentrés pour me coucher, leur annonça-t-il en apportant quelques ajustements de dernière minute à leurs costumes. Soyez prudents.

– Ne vous inquiétez pas, je connais le coin comme ma poche, je sais ce que je fais, assura Vi.

Mais Fox-Selwyn n'était pas convaincu. Il ne voulait pas effrayer Vi, mais il se faisait vraiment du souci pour elle.

– Surtout, n'oubliez pas : vous êtes juste là pour montrer l'homme au sac à Montmorency… euh, je veux dire Lecassé, corrigea-t-il en regardant du coin de l'œil le personnage débraillé qui se tenait aux côtés de la jeune femme. Si vous le repérez, ne vous manifestez surtout pas. Ne lui adressez en aucun cas la parole. C'est notre rôle. Une fois que vous l'aurez identifié, vous vous retirerez de l'enquête. Il est à vos trousses, mais il ne nous connaît pas, Montmorency et moi. Dès que nous saurons à quoi il ressemble, nous nous lancerons à sa poursuite.

Vi éclata de rire.

– Ne vous mettez pas dans un état pareil, milord. Ça va aller. Je suis sûre qu'il se fiche bien de moi !

Alors qu'elle quittait la maison, les deux hommes échangèrent un regard préoccupé. Ils auraient aimé partager son optimisme.

Vi et Lecassé firent le tour des pubs. Dans chaque établissement, la jeune femme croisa des gens qu'elle connaissait, mais Montmorency dut prendre plusieurs pintes et elle un bon nombre de gins avant de tomber sur Joe Mead, le frère de Molly, qui faisait une partie de cartes dans l'un des anciens repaires de Lecassé. Joe adressa un signe de tête à Vi lorsqu'elle approcha. Elle attendit que son tour soit passé avant d'engager la conversation, en lançant l'une des répliques qu'ils avaient répétées en chemin :

— B'soir, Joe. Comment ça va, la famille ?

— Couci, couça. J'ai bien peur qu'Edna ne s'en remette jamais. C'est affreux pour elle de penser qu'elle était en train de batifoler en lune de miel alors que sa mère était raide morte à la morgue.

Vi se tourna vers Lecassé et, pour jouer le jeu, expliqua :

— La tante de Joe a été tuée dans l'explosion de la conduite de gaz, à King's Cross, cet été. Joe, je te présente Bert.

Bert ? Elle aurait pu trouver mieux quand même. Lecassé s'efforça de ne pas montrer sa déception et se mêla à la conversation :

— Une sale affaire. Vous y étiez aussi ?

— Oui, la famille au grand complet. On était venus dire au revoir à Edna et Archie pour leur voyage de noces. Molly avait économisé pendant je ne sais combien de temps pour leur payer ces billets de train.

Joe s'échauffait en racontant cette histoire qu'il avait visiblement l'habitude de répéter. Le fait qu'il ait côtoyé le danger et frôlé la mort lui avait conféré une certaine célébrité dans le quartier, on se bousculait pour lui parler.

— Pauv' Molly, je n'aurais jamais dû lui donner cette

cigarette, poursuivit-il. C'est sûrement ça qu'a déclenché l'explosion. Bien sûr, si elle avait pas bu autant, elle aurait pas trébuché sur le gars avec la valise. Elle a dû faire tomber son mégot près de la conduite de gaz qui fuyait... Si vous aviez vu ça ! Un grand éclair, et puis de la fumée, tellement de fumée qu'on voyait même plus ses propres pieds. Et ça sentait le gaz ! C'est un miracle que la gare n'ait pas explosé tout entière. Puis quand ça s'est éclairci, j'osais pas regarder. Molly avait disparu. Y restait plus rien d'elle, que du sang et des boyaux partout. Mon cousin a perdu un bras et sa femme une jambe. Nous autres, on a eu plus de chance. Que des bleus et des égratignures. Et le cœur brisé, bien sûr. Une fuite de gaz, franchement ! Ça devrait pas être permis.

— Et la police vous a interrogé ?

— Oh oui, ils ont débarqué à la gare, puis ils ont pris nos dépositions pendant qu'on se faisait raccommoder à l'hosto, mais ils ont rien fait, hein ? Ils ont pas envoyé la compagnie de gaz devant le juge pour avoir tué ma sœur pas vrai ? Tout ça parce qu'ils ont de l'argent et des relations, voilà.

Il commençait vraiment à s'échauffer.

— Ça me rend malade, grogna-t-il en plongeant le nez dans son verre.

Lecassé constata que la famille était convaincue que l'explosion était due au gaz, et la police les avait sûrement confortés dans cette opinion. Mais un détail du récit de Joe Mead l'intriguait. Et si, contrairement à ce qu'ils avaient supposé, la bombe n'avait pas été cachée

229

dans la gare, prête à être déclenchée à distance, grâce à un détonateur ? Et si elle avait explosé sans prévenir alors que le terroriste était en train de l'apporter sur les lieux. Préoccupé par ce qui était arrivé aux siens, Joe ne s'était plus soucié de l'homme à la valise, celui que Molly avait bousculé juste avant l'explosion. Visiblement, personne n'avait mentionné sa présence à la police ou à la presse. Se pouvait-il qu'il soit le coupable ? S'était-il enfui ou avait-il été tué ? Déchiqueté en si petits morceaux que le personnel de la compagnie de chemin de fer, chargé de nettoyer les lieux au plus vite pour rouvrir la gare, n'avait même pas pris conscience de son existence, incapable de distinguer ses restes de ceux du vieux clochard ?

Se pouvait-il que l'homme à la valise soit celui qui avait pris une chambre chez Vi ?

C'était un véritable mystère : pourquoi ce dernier avait-il laissé un sac aussi compromettant chez les Evans ? Il avait sans doute l'intention de revenir le chercher et d'utiliser son contenu pour construire une autre bombe. Son ami de Kew (qu'ils avaient surnommé « l'homme au sac ») l'attendait-il quelque part et, ne le voyant pas réapparaître, avait-il deviné qu'il lui était arrivé malheur ? L'homme au sac avait-il au contraire passé des mois à se demander si son complice avait été arrêté, craignant qu'il n'avoue aux autorités les détails de leur plan ? Ou bien avait-il maudit son ami, le suspectant de s'être enfui au dernier moment, le laissant seul pour continuer leur œuvre ? L'homme au sac avait dû ouvrir le journal, jour après jour, mois après mois, espérant et redoutant à la fois d'y lire des nouvelles de l'affaire et, au bout du compte, n'y avait pas même trouvé un seul article évoquant la possibilité que l'explosion fût d'origine criminelle. Lecassé imaginait à quel point ce devait être humiliant pour lui d'avoir pris des risques pour poser cette bombe et de réaliser que personne n'avait pris conscience qu'il s'agissait d'un attentat. Il avait dû lutter contre l'envie qui le rongeait – partir à la recherche de son complice pour découvrir ce qui s'était réellement passé cette nuit-là –, mais il fallait attendre, ne pas se précipiter… Quand finalement il avait retrouvé Vi et qu'elle lui avait raconté son histoire, il devait avoir paniqué et décidé sur un coup de tête d'emporter le sac, ce qui lui avait permis de construire la bombe de Waterloo, mais ce qui avait également mis Vi et Montmorency sur sa piste. Pour l'instant, ils ne l'avaient pas vu à Kew, mais il pouvait tout aussi bien œuvrer ici, à Covent Garden, à la recherche de Vi qui risquait de le dénoncer – ou, si le récit de Joe était arrivé jusqu'à ses oreilles –, à la recherche des Mead, qui savaient peut-être ce qu'était devenu son ami. De toutes ces hypothèses, Lecassé conclut donc que la priorité était de traquer l'homme au sac. De jour, Montmorency arpenterait les allées du jardin botanique de Kew et, le soir, Lecassé sillonnerait les ruelles de Covent Garden.

Pendant qu'il réfléchissait à tout ça, Vi discutait avec Joe, le laissant raconter encore et encore son aventure. Elle ne prêtait pas grande attention à ce qui se passait autour d'elle. Mais soudain, elle se leva d'un bond.

– C'est lui, glissa-t-elle à Lecassé en se ruant vers la porte.

Un homme aux mains poilues se frayait un chemin à travers la foule, fondant droit sur elle. Il ne remarqua pas que Lecassé lui emboîtait le pas.

31
Vi en fuite

Vi avait mal aux pieds d'avoir tant marché dans les jardins de Kew. Elle avait peiné à se traîner de pub en pub avec Lecassé. Mais elle découvrit que l'instinct de survie lui donnait des ailes et fila comme le vent pour échapper à l'homme au sac. Elle avait un grand avantage sur lui : elle était ici chez elle. Elle connaissait les moindres ruelles et impasses, et l'entraîna dans le labyrinthe de tonneaux, brouettes et chariots du marché endormi. Lecassé les suivait à distance, sans jamais la perdre de vue. Les passants observaient la course-poursuite avec amusement, persuadés qu'il était après un pickpocket ou, mieux, après l'amant de sa femme. L'homme au sac ne jetait jamais un regard en arrière, les yeux rivés sur Vi, guettant ses moindres mouvements et gagnant petit à petit du terrain. D'après le chemin qu'elle prenait, Lecassé devina où elle se rendait. Il était tard, le public allait bientôt sortir de l'opéra. Elle voulait se mêler aux spectateurs, se fondre dans la foule où l'homme au sac n'oserait rien lui faire.

Mais il était trop tôt. La rue était encore noire et déserte. Une file de fiacres s'était rangée devant l'opéra, guettant l'ouverture des portes. Vi se glissa entre les voitures, à bout de souffle, échappant au regard de l'homme au sac. Furieux, il pressa le pas, puis revint en arrière, scrutant la nuit autour de lui, de tous côtés, entre chaque attelage, puis en dessous. Lecassé slalomait derrière lui, plié en deux, tentant de ne pas perdre la trace de Vi, sans toutefois se faire voir. Les chevaux renâclaient et grattaient le pavé, dérangés par ce remue-ménage. Vi s'arrêta un moment, cachée derrière la roue d'un fiacre, hors d'haleine, espérant qu'elle avait semé son poursuivant. Mais quand elle releva la tête, elle vit son regard mauvais fixé sur elle. Il n'était qu'à quelques mètres ! Il leva le bras pour lui agripper le poignet, les yeux étincelant de rage, pleins d'une violence sauvage. Elle poussa un hurlement. Le cheval surpris fit un écart, si bien que l'attelage se retrouva au milieu de la chaussée. L'homme au sac se retourna et, dans son élan, décocha un coup de poing au cocher. Lecassé profita de cette seconde d'inattention pour bondir. Il prit Vi par la main et l'entraîna, entre les voitures, dans la pénombre d'une ruelle bordant l'opéra. Tapis contre le mur, ils avancèrent sans bruit jusqu'à l'arrière du bâtiment, pour se cacher dans la réserve des décors. Là, ils entendirent les dernières notes victorieuses du spectacle qui se jouait sur la scène. Pendant ce temps, l'homme au sac allait de fiacre en fiacre, à la recherche de Vi, pestant et jurant. Ils l'aperçurent par une minuscule fenêtre, qui tournait en rond, de plus en plus furieux, et hurlait, menaçant :

234

– Je te retrouverai, sale p… ! Ne crois pas que tu vas pouvoir m'échapper !

Puis il fit volte-face et s'en fut en courant au moment même où un tonnerre d'applaudissements se déchaînait dans la salle.

Vi était étendue à terre, dans la réserve, tentant en vain de reprendre son souffle.

– Rattrapez-le, haleta-t-elle.

– Non, inutile, je sais à quoi il ressemble, désormais. Je m'en occuperai une autre fois.

Lecassé allait et venait, fourrageant dans les accessoires et les outils.

– Je dois avant tout vous protéger. L'homme au sac en a après vous, comme vous avez pu le constater. Et il ne va pas s'arrêter là maintenant qu'il vous a retrouvée. Il faut que nous filions avant qu'il ne revienne.

Il avait déniché une barre de métal parmi un tas d'armures, d'épées et de fusils de théâtre. Il la brandit pour juger de son poids et de son diamètre.

– Ça fera l'affaire, conclut-il d'une voix triomphante. Allons-y !

Il aida Vi à se relever, mais elle était trop fatiguée, elle voulait rester là, cachée.

– Vous ne serez en sécurité qu'une fois loin d'ici, fit-il d'un ton sec en la tirant par le bras. Alors suivez-moi et faites ce que je vous dis.

Il l'entraîna dans une petite rue où, dans le noir, il retrouva à tâtons la forme familière d'une bouche d'égout. Il se servit de la barre de fer comme levier pour soulever la lourde plaque de fonte, qu'il posa sur le côté.

– Descendez, ordonna-t-il en la poussant vers le trou qui s'ouvrait dans la chaussée. Vous allez trouver une échelle sous vos pieds, je vous suis.

Vi était pétrifiée, figée sur place par la puanteur qui les avait enveloppés lorsqu'il avait ôté la plaque. Lecassé dut la faire descendre de force dans l'obscurité. Un bruit de pas approchait. Ils ne pouvaient prendre le risque qu'on les repère. Il sauta à son tour dans le trou et referma bien vite. CLANG ! Un vacarme assourdissant résonna autour d'eux pendant ce qui leur sembla une éternité, avant que Lecassé puisse rassurer la jeune femme terrifiée qui se cramponnait à l'échelle en dessous de lui.

– Ça va ? chuchota-t-il.

Pour toute réponse, il entendit Vi vomir dans le flot répugnant qui coulait à leurs pieds.

– Tenez bon. J'arrive. Vous allez vous y habituer, je vous le promets.

Il descendit l'échelle avec précaution, jusqu'à se retrouver à la hauteur de Vi. Elle s'agrippait de toutes ses forces aux montants de métal, tremblant de peur et de dégoût.

Cherchant une boîte d'allumettes dans sa poche, Lecassé trouva un mouchoir qu'il lui tendit.

– Tenez, plaquez-le sur votre bouche, ça devrait aller mieux. Bon, je vais craquer une allumette. Elle ne brûlera pas longtemps, mais ça vous permettra de vous situer. Baissez les yeux et, à la lueur de la flamme, vous devriez voir une sorte de rebord, au pied de l'échelle. C'est là que nous devons marcher, mais si vous glissez dans l'eau, ne paniquez pas, elle n'est pas profonde. Avancez prudemment et tout ira bien.

Il frotta l'allumette. La large voûte du tunnel s'éclaira alors. Ses moindres briques se reflétaient en bas, dans les méandres des eaux usées. Il eut juste le temps d'apercevoir le visage blafard de Vi, son air stupéfait, avant que la flamme ne s'éteigne. Il secoua la boîte d'allumettes. Il n'en restait pas beaucoup, mieux valait les garder. Pour le moment, il devait s'occuper de Vi. Il détacha un à un ses doigts des barreaux, et la fit descendre petit à petit, en lui parlant d'une voix douce, rassurante.

– Nous sommes dans les égouts, Vi. Ne vous inquiétez pas, je connais l'endroit comme ma poche. Nous allons traverser Londres sans que personne ne nous voie. Vous êtes en sécurité ici, Vi, et c'est le plus important. L'homme au sac ne peut pas vous atteindre.

– Ça pue ! souffla-t-elle d'une voix étouffée par le mouchoir.

– Je sais, mais l'homme au sac ne pensera pas à venir vous chercher ici. Je vais vous aider, restez sur le rebord, je marcherai dans le ruisseau. J'ai l'habitude.

Il passa le bras autour de sa taille pour la soutenir tandis qu'elle faisait ses premiers pas, terrifiée.

Même après des années d'inactivité, Lecassé avait encore le plan des égouts clair à l'esprit. Il avançait à tâtons, guidant Vi dans l'obscurité. Elle ne voyait pas les rats, mais elle sentait toutes sortes de choses humides frôler ses jambes tandis qu'ils pataugeaient dans le réseau de tunnels serpentant dans les entrailles de Londres. Leurs mouvements faisaient des remous dans l'eau, qui venait lécher les parois. Parfois, Lecassé avait lui-même du mal à garder l'équilibre. Le conduit était en pente, de sorte que les eaux usées s'écoulent vers l'est et s'évacuent dans la Tamise. De plus, le sol était glissant et Lecassé ne portait pas ses bottes spéciales. Leurs vêtements étaient trempés par le répugnant liquide qui les éclaboussait alors qu'ils progressaient à contre-courant, vers l'ouest, où ils seraient hors de danger.

– Vous êtes déjà descendu là-dedans ? demanda Vi, une fois calmée, acceptant de laisser Lecassé être son guide dans ce cauchemar.

– Oui, quand j'habitais chez vous, j'y venais presque tous les soirs. Je connais le moindre recoin de ces tunnels. Nous avons de la chance qu'il ne pleuve pas, sinon ce serait plus profond. Et c'est heureux qu'il soit si tard, personne ne fait la cuisine ou ne prend un bain. Il arrive que les conduits soient pleins de mousse par là-bas.

Il craqua une autre allumette et elle vit l'ombre de son bras lui montrer l'endroit où le plus important effluent de Londres rejoignait le conduit principal.

– Nous ne sommes plus très loin, maintenant, la rassura-t-il. Vous vous êtes très bien débrouillée. Je suis fier de vous. La première fois que je suis descendu, moi, je ne suis même pas arrivé en bas de l'échelle.

Encouragée par ce témoignage de confiance, elle voulut savoir pourquoi il avait passé tant de temps sous terre. Il lui raconta tout : les vols, la nuit d'orage où il avait été emporté par les eaux, et sa première et audacieuse mission à l'ambassade de Mauramanie. Ils continuèrent ainsi pendant des kilomètres, jusqu'à ce que

Lecassé s'arrête, cherchant à l'aveuglette une échelle contre la paroi.

– Où sommes-nous ? demanda-t-elle.

– Pas très loin de chez Fox-Selwyn, dit-il en frottant une nouvelle allumette pour lui montrer le chemin vers la surface. Suivez-moi. Je vous ferai signe lorsque nous pourrons sortir.

Il remonta, poussa la plaque de fonte qui se trouvait au-dessus de lui, laissant entrer un peu d'air frais. On avait beau être en pleine nuit, à ses yeux accoutumés à l'obscurité, la rue semblait inondée de lumière. Il attendit un instant que sa vision se réadapte puis se hissa hors du trou et se pencha pour aider Vi à sortir. Après la moite chaleur de l'égout, elle frissonna en retrouvant l'air hivernal. Elle se plaqua contre le mur pour faire le guet pendant que Lecassé remettait la plaque en place. Puis ils coururent jusque chez Lord Fox-Selwyn dans leurs vêtements détrempés.

Lorsqu'ils arrivèrent à sa porte, ruisselants et puants, George les attendait. Heureusement, Chivers et le reste du personnel dormaient dans leurs chambres sous les toits, sans soupçonner qu'à l'étage du dessous, s'organisait un bain de minuit impromptu. Une fois qu'ils furent propres, Vi lava et relava leurs vêtements avec frénésie.

– Vous ne croyez pas qu'on devrait prévenir la police ? demanda-t-elle en essorant sa robe au-dessus de l'évier de la cuisine.

– Non, répondit Fox-Selwyn. Pendant que vous preniez votre bain, j'ai réfléchi à tout ça. Pour le moment, nous n'avons aucune preuve concrète contre cet homme.

Nous ne savons même pas qui il est. Mais nous sommes sûrs d'une chose : il pense que le danger vient de vous. Il s'imagine qu'il n'a qu'à vous faire taire pour être tranquille. D'après ce que vous m'avez dit, il n'a pas remarqué Lecassé. Tant qu'il est à vos trousses, nous savons où le trouver et nous pouvons le surveiller. S'il apprend qu'il est recherché par la police, il risque de disparaître pour aller poser d'autres bombes ailleurs.

Il regarda la jeune femme s'affairer devant l'évier, de la mousse jusqu'aux coudes. Malgré l'épuisement, elle ne perdait pas courage.

– Ne vous inquiétez pas, Vi. Nous ne laisserons pas l'homme au sac vous attraper, mais nous ferons en sorte qu'il continue à vous chercher. Il le faut.

Vi étendit les vêtements trempés au-dessus du fourneau. En voyant les haillons tout tachés, Fox-Selwyn se mit à rire.

– Eh bien, voilà, Montmorency ! Vous n'avez plus à vous tracasser : Lecassé n'aura plus l'air trop propre !

– Tant mieux, demain, je retourne à Covent Garden. Mais vous, Vi, vous resterez tranquille au Marimion.

32
L'installation

La cuisinière de Fox-Selwyn fut effarée en découvrant l'état de sa cuisine le lendemain matin. Après des années au service de son maître, habituée à ses étranges allées et venues, elle ne se risqua pas à demander une explication, mais exprima clairement son mécontentement en faisant un boucan du tonnerre, récurant la pièce du sol au plafond d'abord à la soude caustique, puis avec le savon phéniqué que lui fournit le docteur Farcett lorsqu'on lui apprit, à son arrivée, les événements de la nuit. Il répéta qu'il ne fallait préparer aucune nourriture en ces lieux tant que tous les microbes n'avaient pas été éliminés, puis fit la leçon à Montmorency, et le défia de s'aventurer à nouveau dans les égouts. On envoya Chivers chercher du pain et des fruits pour le petit déjeuner de ces dames, tandis que Fox-Selwyn, Farcett et Montmorency rendaient une visite matinale à l'Affamé Mineur, la petite salle à manger de chez Bargles. Montmorency avait prévu d'ailleurs de passer au club pour prendre ses affaires et les faire porter au Marimion. Sam l'aida à faire ses bagages, mais parut blessé qu'il les quitte ainsi.

– Ne vous inquiétez pas, Sam. C'est temporaire.

Il lui raconta alors l'histoire de sa tante, la « Contessa », qui arrivait inopinément avec sa fille et à qui il avait dû trouver d'urgence un hôtel.

– Et nous ne pouvions pas les faire loger ici, n'est-ce pas, Sam ? conclut-il.

Sam fut scandalisé à cette simple idée.

– Des femmes chez Bargles ? Oh non, monsieur, impossible ! Tout à fait hors de question ! Je comprends, je comprends.

Pendant ce temps, chez Fox-Selwyn, Vi s'affairait, préparant sa mère pour le grand déménagement. Ce fut un réel tour de force de lui mettre le corset. La vieille dame était incapable de rester debout assez longtemps pour que Vi puisse le lui attacher dans le dos. Mais quand elle était assise, ses gros bourrelets de graisse empêchaient de le fermer. En fin de compte, Vi étala le corset sur le lit et fit rouler sa mère par-dessus. Mme Evans termina à plat ventre, protestant à grands cris dans son oreiller, tandis que sa fille tirait les lacets. Ce n'est qu'une fois le corset bien serré qu'elle avait une chance de pouvoir la faire entrer dans sa robe. Mais cette robe, il fallait la lui enfiler par la tête, et pour ce faire, il fallait que Mme Evans soit assise. Vi essaya d'abord de la faire rouler sur le dos, mais elle poussa trop fort et sa mère tomba par terre avec un bruit sourd. Vi n'avait aucun espoir d'arriver à la relever seule, mais elle parvint à la redresser juste assez pour lui passer le vêtement de taffetas noir jusqu'à la taille. Puis elle dut à nouveau pousser, tasser, s'escrimer pour descendre le jupon sur ses jambes. Cette dernière manœuvre laissa la vieille dame allongée sur le tapis, fixant le plafond, les bras en croix, grands écartés, comme un cadavre d'opérette. Sauf que ce cadavre-là pestait et jurait à pleine voix.

Tout juste rentré de chez Bargles, le docteur Farcett déplia le fauteuil roulant qu'ils firent descendre en cahotant dans les escaliers, avec Mme Evans dedans. Arrivée au rez-de-chaussée, elle criait si fort, et des mots si grossiers, que le médecin passa outre ses scrupules éthiques et décida de lui administrer un calmant pour qu'elle se taise. Il lui fit une petite injection qui déclencha un dernier chapelet de jurons, puis la mère de Vi s'affaissa d'une manière pitoyable, et devint la docile Contessa Evanista. Entre-temps, Vi s'était habillée. Elle avait l'habitude, maintenant, et n'avait besoin d'aide que pour les deux boutons du haut. En les lui attachant gentiment, Montmorency lui rappela qu'elle était censée garder le silence et que, si jamais elle se voyait obligée d'ouvrir la bouche, elle devait donner l'impression de parler italien. Il prit le sac contenant les affaires de Lecassé et la tenue de femme de chambre, puis l'escorta jusqu'au fiacre qui les conduisit au Marimion. La voiture de Lord Fox-Selwyn suivait, croulant sous le poids de Mme Evans dans son fauteuil, accompagnée du docteur et d'une montagne de bagages. Ils formaient un bien étrange et imposant cortège, longeant les grilles de Hyde Park. Et il était aisé de croire qu'ils arrivaient tout droit d'Italie.

M. Longman vint les accueillir, infiniment soulagé que Montmorency ne soit pas revenu sur sa décision après la scène que lui avait faite Cissie l'avant-veille. Il s'avéra qu'on pouvait très simplement replier la machiavélique porte à tambour de façon à laisser un espace assez large pour le fauteuil roulant de la « Contessa ». Et, mieux, les travaux de modernisation du Marimion incluaient l'installation d'un ascenseur, de sorte que la monter jusqu'au dernier étage ne fut pas le cauchemar que Montmorency avait redouté – même si, lorsque la cabine s'éleva dans les airs, les effets de la gravité sur son estomac arrachèrent à la vieille dame un rot spectaculaire et bien peu gracieux pour une « lady ».

Vi, enthousiasmée par leur immense suite, s'amusa à ouvrir et fermer les placards, se pencha dangereusement du haut du balcon et picora les grains de raisin mis à disposition dans une coupe sur la table. Montmorency fut stupéfait de la vitesse à laquelle elle s'adaptait à cette vie luxueuse. Il lui proposa de descendre avec lui, dans leurs nouvelles tenues de domestiques, pour se présenter au personnel de l'hôtel. M. Longman repéra Lecassé de loin et le salua avec le même mépris mal déguisé qu'autrefois. Il fut plutôt séduit par Susanna, bien qu'irrité qu'elle ne parlât pas anglais. Aucun membre du personnel n'était là depuis assez longtemps pour avoir connu Lecassé lors du dernier séjour de Montmorency. Les humeurs de Longman et les manies répugnantes de Cissie faisaient fuir rapidement tous les employés. « Et tant mieux », pensa Lecassé. Il n'y aurait donc personne pour évoquer de vieux souvenirs ou lui demander des nouvelles. Il pourrait ainsi à aller et venir à sa guise, évitant de se lier avec le nouveau personnel. Et il allait commencer sans tarder. Après avoir renvoyé Susanna là-haut, il se faufila dehors par la sortie des poubelles et fila à Covent Garden. Il était de nouveau sur la piste de l'homme au sac.

33
Du courrier

Après cette matinée mouvementée, le docteur Farcett quitta le Marimion et rentra chez lui prendre son courrier. Il avait reçu, outre une facture de son tailleur et un appel de règlement pour son adhésion à la Société Scientifique, deux lettres véritablement intéressantes. L'une de Donald Dougall qui invitait officiellement Farcett à rejoindre l'équipe de l'hôpital des Enfants Malades, et acceptait d'étudier son dossier sur le cas Tarimond dès qu'il en aurait le temps. L'autre venait de l'île, et l'enveloppe portait l'écriture fluide et assurée de Maggie Goudie. Farcett hésitait à l'ouvrir, craignant qu'il ne s'agisse de mauvaises nouvelles au sujet de Jimmy MacLean. Mais la lettre avait en réalité mis un moment pour arriver à Londres et elle avait été écrite peu de temps après son départ de Tarimond. Jimmy grandissait bien et semblait en pleine forme, prêt à affronter son premier hiver. Deux autres femmes de Tarimond étaient enceintes, en plus de la mère de Morag. Maggie les avait convaincues de bien vouloir la laisser consigner les moindres détails du déroulement de leur grossesse, tout ce qu'elles mangeaient et tout ce qu'elles faisaient avant la naissance de leur bébé. Elles espéraient, tout comme elle, que le docteur Farcett pourrait les aider en découvrant pourquoi les enfants de l'île mouraient ainsi. Maggie promettait de lui donner régulièrement des nouvelles du petit Jimmy et des futures mamans. Elle ne disait pas grand-chose d'autre. Le père Michael s'était souvenu de Farcett et de Montmorency dans ses prières, le dimanche qui avait suivi leur départ, leur souhaitant un voyage sans encombre. Elle le suppliait de lui écrire pour lui confirmer qu'ils étaient bien arrivés. Robert s'assit donc aussitôt à son bureau pour lui raconter sa rencontre avec le docteur Dougall, devinant qu'elle serait ravie d'apprendre que le spécialiste qui allait se pencher sur le cas des enfants de Tarimond était écossais. Puis il entreprit de trier les nouvelles informations que lui avait fournies Maggie, afin de déposer un dossier complet à l'hôpital.

34
Stratégies

Lecassé décida de se rendre à pied du Marimion à Covent Garden. Il aimait, en chemin, admirer les vitrines, lire les affiches des musées et des théâtres. La ville fourmillait de chevaux, d'attelages et de piétons qui affluaient dans toutes les directions. A Oxford Circus, il guettait un ralentissement dans le flot de la circulation pour pouvoir traverser la rue, lorsqu'un fiacre s'arrêta devant lui. Il s'agissait de Lord Fox-Selwyn en route pour déjeuner chez Bargles.

– Lecassé ! s'exclama-t-il, faisant sursauter l'intéressé (sans parler des passants, qui se demandaient bien qui avait cassé quoi). Montez, je vous dépose.

Le cocher fut surpris que le gentleman qui se trouvait dans son fiacre arrête un homme débraillé sur le trottoir pour l'inviter à se joindre à lui. Il fut encore plus surpris quand on lui demanda de faire un crochet par Covent Garden. Cela lui vaudrait sûrement un gros pourboire.

– Alors comme ça, vous êtes sur les traces de l'homme au sac ? s'étonna Fox-Selwyn.

– Oui, confirma Lecassé, après ce qui s'est passé hier soir, il sera sûrement là-bas, à la recherche de Vi.

Le lord adopta un ton plus sérieux, il voulait discuter stratégie.

– Soyez prudent, lui conseilla-t-il. C'est notre seule piste. Si vous lui faites peur et qu'il s'enfuit, nous revenons au point de départ. N'oubliez pas que notre priorité est de découvrir son identité. Nous ignorons jusqu'à sa nationalité. Quand nous aurons réussi à établir d'où il vient, pourquoi il pose ces bombes et où il vit actuellement, nous n'aurons plus qu'à laisser la police finir le travail.

– Compris, George, acquiesça Lecassé. Je resterai en retrait. Pas de confrontation.

– Surtout pas, reprit Fox-Selwyn avec gravité. C'est déjà bien suffisant qu'il en ait après Vi. Il ne faut pas qu'il se doute d'être suivi. Il est visiblement prêt à tuer pour sa cause, quelle qu'elle soit. Et n'oubliez pas : si Lecassé meurt, ce bon vieux Montmorency disparaît aussi.

Le lord fixa le visage de son ami avec attention. Il avait beau porter les frusques de Lecassé, ses yeux avaient la profondeur et la noblesse de ceux de Montmorency, lorsqu'il était plongé dans ses pensées. Il y eut un court silence, puis celui-ci répondit :

– Parfois, j'aimerais que Lecassé soit mort, George. Mais ce soir, je dois me glisser dans sa peau et c'est sans doute mieux ainsi. Lecassé est bien plus courageux que Montmorency, vous savez.

– Et bien plus dangereux aussi, compléta Fox-Selwyn. Il vous a attiré des ennuis plus d'une fois.

– Je ne peux m'empêcher de l'écouter, à certains moments.

– Je suppose que c'est naturel, il était là le premier, après tout.

Lecassé baissa les yeux sur sa tenue.

– Mais je ne l'aime pas vraiment, en réalité, soupira-t-il.

– Je vais vous avouer une chose. Je ne l'ai pas souvent rencontré, mais je ne l'aime pas non plus, lui confia Fox-Selwyn. Cependant, nous savons tous les deux que nous avons besoin de lui pour attraper cet homme.

Alors qu'il prononçait ces mots, le fiacre s'arrêta brusquement. Ils étaient arrivés à un petit carrefour où sept rues se croisaient. La circulation était bloquée. Les cochers s'insultaient. Personne ne voulait céder le passage.

– J'vais y aller à pied d'ici, annonça Lecassé.

Fox-Selwyn remarqua que son ami avait pris un accent populaire et un peu traînant.

– Vous n'avez qu'à passer chez moi en rentrant, vous me raconterez ce que vous avez découvert, dit-il. Même si ça se résume à rien. Je veux savoir. Et soyez prudent.

– D'acc', fit Lecassé.

Tout en mettant sa casquette, il rentra la tête dans les épaules, puis il sauta du fiacre en criant :

– A la revoyure, m'sieur !

Il s'éloigna sans un regard, d'un pas chaloupé, les mains dans les poches, le dos rond, les épaules voûtées.

— Bonne chance ! lui lança Fox-Selwyn, en se demandant quelles informations son ami allait bien pouvoir lui rapporter.

Puis il cogna sur le toit du fiacre en annonçant au cocher :

— Vous pouvez faire demi-tour, je vais chez Bargles, maintenant.

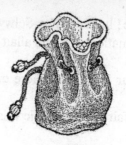

35
La filature

Lecassé supposa que l'homme au sac devait surveiller la maison des Evans. Et il avait raison. En sortant du marché, il l'aperçut, assis sur une carriole. Il faisait mine d'attendre quelqu'un, mais ses yeux déviaient à intervalles réguliers vers la porte de Vi. Lecassé, tapi dans l'ombre, l'observa un moment de face. Il portait une épaisse veste de laine noire et un pantalon vert foncé, qui constituaient peut-être son uniforme de travail – à supposer qu'il soit réellement employé au jardin botanique de Kew. Ses bottes n'étaient pas neuves, mais solides et bien entretenues. Il n'était visiblement pas pauvre. Lecassé nota la forme rectangulaire de son visage et sa chevelure noire bouclée, bien fournie, sauf sur le devant où il était un peu dégarni, ce qui faisait paraître son front encore plus large et lui donnait un air intelligent, et même distingué. Ses traits marqués par les années et les épreuves n'avaient rien de juvénile, mais Lecassé se souvenait de l'agilité avec laquelle il avait couru la veille au soir et devina que, en dépit de son apparence, il ne devait pas avoir plus de vingt-cinq ans. Impossible de deviner sa nationalité. Il pouvait venir de Grande-Bretagne, d'Irlande, ou de tout autre pays où l'on trouvait de beaux hommes bruns.

Après avoir gravé son image dans son esprit, Lecassé repassa derrière lui afin de pouvoir l'espionner sans être vu. Comme l'homme au sac, il avait prévu un journal pour passer le temps et se donner une contenance. Et il s'en félicitait. Car l'attente fut longue. Lecassé savait bien sûr qu'il n'y avait personne dans la maison, mais l'homme au sac espérait toujours que quelqu'un en sorte ou y entre. Dans l'idéal, il aurait aimé tomber sur Vi, mais l'un de ses clients aurait au moins pu lui dire où elle se trouvait. Il était surpris de ne pas voir la vieille bonne femme qui bavait à la fenêtre. Finalement, en fin d'après-midi, il perdit patience et s'en fut frapper à la porte. N'obtenant pas de réponse, il repartit, furieux, suivi de près par Lecassé.

L'homme au sac prit la direction de la Tamise, d'un pas décidé ; il savait vraisemblablement où il allait. Les rues devenaient de plus en plus étroites, de plus en plus sales. Il arriva enfin devant un groupe de bicoques dont les étages étaient plus larges que le rez-de-chaussée, si bien que les façades de part et d'autre de la minuscule ruelle se touchaient presque, formant un tunnel sombre en contrebas. Lecassé ne pouvait prendre le risque de s'approcher trop près. Les pas de l'homme au sac résonnaient sur les pavés, il remarquerait donc aussitôt si quelqu'un le suivait. Lecassé se plaqua contre le mur et

attendit, à l'affût. Dans l'obscurité, il ne vit pas exactement où l'homme au sac se rendait, mais bientôt les pas
s'arrêtèrent. Il devait être entré dans l'une des maisons.
Alors que Lecassé allait se lancer à sa poursuite, il entendit un bruit dans son dos. Un homme apparut. Il scrutait
les alentours d'un air inquiet tout en avançant, mais ne
remarqua pas Lecassé, tapi dans l'ombre d'un porche.
Comme ses yeux s'habituaient peu à peu à l'obscurité, il
put voir l'homme toquer nerveusement à la porte d'une
petite maison, au milieu de la ruelle, et se faufiler à l'intérieur. A nouveau, Lecassé voulut sortir de sa cachette,
mais un bruit de pas le figea encore dans son élan, et il vit
une autre silhouette entrer dans la bicoque. Cette fois, il
la suivit, à quelques mètres de distance et, arrivé à la
porte, il tendit l'oreille.

Il perçut des murmures étouffés, mais ce qui retint surtout son attention, ce fut l'odeur douceâtre qui lui cha-
touilla les narines. A la fois tentante et inquiétante. Il la
reconnut immédiatement : c'était le fumet dévastateur
de la drogue turque. Une autre ombre surgit dans la rue
et se dirigea vers lui. Lecassé se glissa, au coin de la
bicoque, dans l'étroite ruelle qui menait au bord de l'eau.
Il écouta. Le nouveau venu frappa à la porte d'un rythme
cadencé... Toc, to-loc-toc, toc-toc ! Il s'agissait sûrement
d'un code, car la porte s'ouvrit immédiatement et l'odeur
de drogue devint plus forte. Lecassé pensait s'être libéré
de son emprise. Il n'y avait pas touché depuis si longtemps que, désormais, les jours passaient sans même
qu'il se félicite de ne plus y penser. Pourtant, ce soir, il
avait une nouvelle occasion d'y goûter, rien qu'une fois.

S'il entrait... Il se cacha vite en entendant deux autres hommes arriver. On tambourina à la porte, et une nouvelle bouffée douceâtre s'échappa de la maison.

Lecassé était tiraillé entre sa conscience et son goût du risque. *Il devait jeter un œil dans cette maison. Il connaissait le code, on le laisserait entrer et, une fois à l'intérieur, il pourrait retrouver l'homme au sac. Il n'aurait qu'à faire semblant de venir pour la drogue... Il pouvait bien en reprendre un peu pour coincer leur homme, non ? C'était pour la bonne cause...*

Non, il ne fallait pas. Le docteur Farcett l'avait prévenu que le moindre petit écart pouvait le faire rechuter dans des abîmes cauchemardesques. Il revit les souffrances et les indignités qu'il avait endurées lors de son retour d'Orient, puis les hideuses humiliations qui l'avaient accompagné jusqu'en Écosse. Non, il ne devait pas entrer.

Il se laissa tomber au pied du mur, tentant de se convaincre qu'il n'avait d'autre choix que de repartir.

Puis soudain, il entendit un bruit de rames plongeant dans l'eau. Tournant la tête, il reconnut la silhouette de l'homme au sac qui filait dans une barque. Il n'était donc pas dans l'antre de la drogue ! Il lui échappait ! Tout à ses tergiversations, Lecassé avait perdu sa piste. Il courut sur la rive, mais il n'y avait pas de bateau, et la petite barque de l'homme au sac était déjà à bonne distance. Même le bruit des rames s'éloignait. Il n'avait aucune idée de sa destination ni de son identité. Il avait à peine réussi à en recueillir une vague description. Et, pendant ce temps, l'homme au sac pouvait manigancer n'importe quoi. Il pouvait même poser une nouvelle bombe ce soir, et si c'était le cas, si des innocents étaient tués, ce serait la faute de Lecassé : tout ça à cause de sa faiblesse face à cette drogue.

Abattu, Lecassé quitta les galets de la rive, regagna la ruelle pavée, prêt à affronter Fox-Selwyn et à lui avouer son échec. Mais il s'arrêta, alléché par le maléfique fumet.

« Et alors ? Au point où j'en suis, je ferais aussi bien d'entrer en prendre une dose », se dit-il, en s'apitoyant sur lui-même.

Toc, to-loc-toc, toc-toc ! Oui, c'était ça. *Toc, to-loc-toc, toc-toc !*

Non, il ne fallait pas. Il ne pouvait pas décevoir tous les gens qui avaient cru en lui : Fox-Selwyn, Farcett et même Morag et Chivers, qui s'étaient occupés de lui quand il était au plus mal. Et que penserait Vi s'il ne rentrait pas au Marimion, elle qui passait sa première nuit là-bas ?

Non, il devait repartir.

Mais le rythme infernal résonnait dans sa tête. *Toc, to-loc-toc, toc-toc !* Il s'accroupit à nouveau. *C'était le code. Il en était sûr. Il n'avait qu'à entrer, juste pour jeter un coup d'œil. Et s'il y avait un lien entre l'homme au sac et ce trafic de drogue ? Après tout, sa barque était amarrée juste à côté. C'était sans doute un indice, non ? Toc, to-loc-toc, toc-toc !*

Il se releva. Puis s'adossa au mur, les yeux fermés. Le clapotis de l'eau, l'eau saumâtre de la Tamise, lui rappelait l'eau pure et fraîche de Tarimond, et le bien-être total, inhabituel, qu'il avait éprouvé là-bas. Il s'écarta du mur, dépassa la maison et se força à s'éloigner. Le rythme lancinant du code battit dans sa tête durant tout le trajet, jusqu'à son arrivée chez Fox-Selwyn.

Lecassé entra et appela son ami, il avait envie de lui raconter comment il avait résisté à la tentation. Mais Fox-Selwyn, las d'attendre son retour, était parti en lui laissant un mot : « Retrouvez-moi chez Bargles. »

Lecassé monta se changer et passer la tenue de soirée de Montmorency. Mais alors qu'il se baissait avec peine pour lacer ses chaussures bien cirées, il décida finalement de ne pas se rendre au club. Il redescendit et gribouilla « Pas question » sous le message de Fox-Selwyn. Son ami n'aurait qu'à attendre le lendemain pour avoir le récit de ses aventures. Car pour le moment, il était fatigué. Il rangea les vêtements de Lecassé dans sa valise et s'en fut au Marimion.

Tout était calme dans la suite du Parc. La « Contessa » et Violetta dormaient à poings fermés. Montmorency se laissa tomber dans un fauteuil. Il remarqua alors la sacoche du docteur Farcett sur le buffet. Il ouvrit un livre, mais le gros sac en cuir ne cessait d'attirer son regard. *Toc, to-loc-toc, toc-toc !* Le code résonnait toujours dans son esprit. *Toc, to-loc-toc, toc-toc !* Il se surprit en train d'ouvrir la sacoche du médecin. Chercha le séda-tif que Farcett avait administré à Mme Evans.

Lorsque le docteur arriva le lendemain de bonne heure pour examiner la vieille dame, il trouva Montmorency étendu sur le sol, sans connaissance.

36
En disgrâce

– Comment a-t-il pu ? s'écria Fox-Selwyn, furieux.

– Chut, souffla le docteur Farcett, il pourrait vous entendre.

– J'espère bien qu'il m'entend, gronda le lord. Je veux qu'il sache qu'il m'a profondément déçu.

– Oh, il le sait très bien, répliqua calmement le médecin. Je ne l'ai jamais vu si pétri de remords. Même en Écosse. Ne soyez pas trop dur avec lui, George. C'est ma faute, je n'aurais pas dû laisser ma sacoche ici.

– Effectivement, ce n'était pas très malin, on peut le dire, répliqua Fox-Selwyn.

– Non, admit Farcett, je suis en partie responsable de ce qui s'est passé.

Son humilité parvint à calmer un peu Fox-Selwyn.

– Et moi aussi, j'imagine, reconnut-il en se laissant tomber dans un fauteuil. J'aurais dû l'attendre au lieu d'aller chez Bargles.

– Alors donnez-lui une deuxième chance, supplia le docteur.

Mais il ne voulait rien entendre :

– Quoi ? Un autre voyage en Écosse ! Gus apprécierait certainement. J'entends déjà les commentaires de la marquise.

Farcett s'efforça de le rassurer :

– Non, cela ne sera pas nécessaire. Ce qu'il a pris hier soir n'était en rien comparable au poison qu'il avait rapporté de Turquie. Je lui ai donné de quoi en éliminer toute trace de son organisme. Il est juste épuisé, et vraiment, vraiment confus.

– Je peux le voir ?

– Si vous promettez de ne pas hurler.

Fox-Selwyn ouvrit doucement la porte de la chambre. Son ami était allongé sur le côté, fixant le mur.

– Je suis désolé, fit-il sans se retourner.

Fox-Selwyn se retint de lui servir le petit discours qu'il avait en tête.

– Je sais, dit-il en s'asseyant sur lit. Vous aviez l'air en parfaite forme quand je vous ai déposé à Covent Garden. Voulez-vous me raconter ce qui s'est passé ensuite ?

Montmorency se retourna lentement, se redressa et accepta une cigarette. Il lui rapporta les événements de la nuit passée. Son récit était centré sur le trafic de drogue et la façon dont l'homme au sac lui avait échappé par la voie des eaux.

– Alors, vous voyez, j'ai perdu mon temps, conclut-il tristement. Y a-t-il eu un nouvel attentat ?

– Non, non, pas d'attentat, le rassura Fox-Selwyn. Et je ne crois pas que vous ayez perdu votre temps. N'oubliez pas les heures que vous avez passées devant chez Vi. Vous dites que vous avez bien observé notre homme ?

– Oui, je le reconnaîtrais si je le croisais.

– Et finalement vous n'êtes pas entré dans ce repaire de drogués.

– Non, mais j'ai bien failli, George, avoua Montmorency d'une voix que la honte étouffait. Croyez-moi, j'ai bien failli. J'en avais tellement envie.

– Lecassé a bien failli, corrigea Fox-Selwyn. Montmorency, lui, est rentré à la maison.

Mais celui-ci rejeta le compliment :

– Pour vider la sacoche de Robert !

– Ce qui est impardonnable, vous devez vous racheter.

– Comment ?

– En continuant à pourchasser l'homme au sac. Dès que Robert voudra bien vous laisser sortir, nous filerons à Kew, tous les deux.

Le docteur Farcett, qui se tenait sur le seuil de la chambre, avait tout entendu.

– Si vous promettez de le surveiller et de ne pas le laisser trop se fatiguer, il pourra y aller demain après-midi, promit-il.

Montmorency saisit l'occasion pour s'accuser de les retarder :

– Et si une bombe explose entre-temps, ce sera ma faute !

Mais Fox-Selwyn voyait bien qu'il s'apitoyait sur son

propre sort pour tenter de se décharger de toute culpabilité. Cependant, le lord ne mordit pas à l'hameçon, il n'allait pas le laisser s'en tirer comme ça :

— Oui, Montmorency, tout est votre faute. J'ai ordre de ne pas vous accabler (il jeta un regard oblique à Farcett), mais je mentirais en disant que je ne suis pas en colère. Je suis furieux. Furieux, blessé et déçu !

Sa voix enfla, tout son corps se mit à trembler, et le docteur Farcett se précipita pour tenter de l'apaiser tandis qu'il quittait la pièce en claquant la porte, hurlant toujours.

— Occupez-vous de Violetta et de la Contessa, aboya-t-il. Je vais au club.

Montmorency se retourna vers le mur, secoué de sanglots.

En fait, ce fut plutôt Vi qui s'occupa de Montmorency. Elle resta à son chevet et, suivant les instructions que lui avait laissées le docteur Farcett en partant, l'encouragea à boire le plus d'eau possible. Elle eut une rude journée. Sa mère était au plus mal. Et comme Montmorency avait vidé les réserves de tranquillisants du docteur, il ne restait plus rien pour la calmer. La vieille dame pestait dans son fauteuil roulant, bavant, délirant, incapable de contrôler ses fonctions naturelles. A une ou deux reprises, Vi envisagea de rentrer chez elle, à Covent Garden, mais la perspective d'avoir un tueur à ses trousses lui fit préférer l'enfer luxueux du Marimion. Enfin, à peine. Elle se percha sur le balcon pour regarder les gens qui entraient et sortaient.

Parfois, elle croyait voir une ombre tapie dans le parc lever son visage vers elle et la fixer. Deux jours auparavant, quand ses amis lui avaient dit qu'elle était en danger, elle les avait trouvés ridicules. Maintenant, elle voyait l'homme au sac partout.

37
Mary O'Connell

Le docteur Farcett n'avait pas eu d'autre choix que de laisser Vi avec les deux malades, car il devait se rendre à l'hôpital de Great Ormond Street pour y apporter ses graphiques et tableaux sur le cas Tarimond. Il resta un moment pour observer Donald Dougall à l'œuvre. Un flot de parents inquiets arrivait, traînant de force les jeunes patients pour une consultation avec un médecin spécialiste. C'était surtout les mères qui venaient. En fait, il n'y avait qu'un seul homme : un grand brun qui entra avec une fillette de trois ans dans les bras. La petite ne se sentait pas bien depuis des mois, elle avait été plusieurs fois malade, avait rechuté, et son état empirait, expliqua-t-il. Le docteur Dougall l'examina et décida qu'elle devait être immédiatement hospitalisée.

– Docteur Farcett, vous voulez bien rester avec la petite Mary et M. O'Connell pendant que je m'occupe de lui trouver un lit ?

– Peut-être pourrais-je en apprendre davantage sur ses antécédents médicaux, proposa Farcett, qui craignait de rester sans rien à faire, obligé de soutenir la conversation avec un adulte rongé d'inquiétude.

– Oui, ce serait bien utile, confirma le docteur Dougall, reconnaissant, et ravi que Farcett commence à s'impliquer dans la vie de l'hôpital.

Il lui tendit un bloc-notes et un stylo avant de quitter la pièce.

Farcett avait une petite idée sur le mal dont souffrait cette fillette, et il avait un certain nombre de questions médicales à poser. Mais il se révéla presque impossible de recueillir des informations cohérentes sur cette famille. Même en admettant qu'il soit préoccupé par la santé de son enfant, ce grand gaillard irlandais avait un comportement étrange. Au cours de sa carrière, Farcett avait souvent rencontré des patients intimidés par les hôpitaux ou effarés par la maladie, mais ce M. O'Connell semblait étonnamment nerveux et perturbé. Il n'était même pas sûr de son adresse, qui passait brusquement d'un quartier de Londres à l'autre, comme si c'était une chose parfaitement normale. Il ne connaissait pas précisément la date de naissance de Mary, ni même le nom de baptême de sa mère, qui était morte en lui donnant la vie. Il ne savait que très peu de choses sur les antécédents médicaux de l'enfant, répétant simplement que c'était une « gentille petite ». Pourtant il s'inquiétait pour elle, ça ne faisait aucun doute, aussi Farcett s'efforça-t-il de se montrer sympathique. Il décida de le questionner sur les symptômes que présentait actuellement Mary, et demanda innocemment :

– Maintenant, racontez-moi tout.

M. O'Connell serra la fillette contre lui et se mit à la bercer. Il voulut dire quelque chose, mais trébucha sur les mots. Lorsqu'il essaya à nouveau, ses yeux s'emplirent de larmes. Il enfouit alors son visage dans le cou de la petite.

– Docteur Farcett, implora-t-il, croyez-vous en la justice divine ? Un enfant peut-il être puni pour les crimes de son père ?

Farcett repensa au père Michael, qui estimait les nouveau-nés de Tarimond victimes du jugement de Dieu

– Certaines personnes y croient, monsieur O'Connell. Je connais en particulier un prêtre qui en est convaincu. Mais, quoi que vous ayez fait, monsieur, Mary ne mérite pas d'en souffrir.

– Je n'ai rien fait, moi, dit-il.

Puis il marqua une pause pour rassembler le courage d'avouer la vérité.

– Docteur Farcett, Mary n'est pas ma fille.

Farcett ne fut pas autrement surpris par cette révélation, cela expliquait le manque de cohérence de ses propos.

– C'est la fille de mon frère. Il s'est occupé d'elle tout seul à la mort de sa femme. Mais il y a quelques mois, mon frère...

O'Connell s'interrompit, semblant chercher ses mots.

– Mon frère... nous a quittés. Mary a toujours eu une santé fragile, mais depuis, son état n'a cessé d'empirer.

J'ai essayé de faire de mon mieux pour remplacer mon frère. Pour assumer ses obligations familiales et professionnelles. Mais maintenant Mary paye pour mes péchés, en plus des siens, et elle va de plus en plus mal...

Farcett fut étrangement ému par les aveux sortis tout droit du cœur de M. O'Connell, même s'il pensait qu'il se trompait complètement – il n'avait pas à s'accuser, ni à accuser son frère de l'état de santé de l'enfant.

– M. O'Connell, fit-il d'une voix apaisante, cessez de vous tourmenter. En prenant soin de votre nièce, vous avez fait preuve d'une grande humanité. Je suis persuadé que vous avez fait tout ce qui était en votre pouvoir pour elle. Mais les maladies nous frappent pour toutes sortes de raisons, dont la plupart nous sont encore inconnues. Nous essayons de comprendre pourquoi chaque enfant tombe malade et d'y remédier. Même ce prêtre dont je vous ai parlé, celui qui croit en la justice divine, m'a dit que Dieu pouvait aider les médecins à trouver un traitement. Le Dieu qui nous juge est également celui qui nous pardonne. M. O'Connell, faites-moi confiance. Avec l'aide de Dieu, nous allons guérir la petite Mary.

Lorsque le docteur Dougall revint, il trouva O'Connell en train de sangloter dans les bras du docteur Farcett. Il prit la relève et passa Mary à un aide-soignant pour qu'il la monte dans le service. Puis il raccompagna M. O'Connell jusqu'à la porte, lui assurant que la fillette était entre de bonnes mains, avant de lui tendre un papier mentionnant les heures de visites et le règlement de l'hôpital. Alors qu'O'Connell quittait les lieux,

Donald Dougall gratifia le docteur Farcett d'une grande tape dans le dos.

– Ce n'est pas bon de trop s'impliquer avec les patients, fit-il. Mais tout bien considéré, Robert, je pense que vous avez un don pour ce métier.

38
Retour à Kew

Le lendemain, le docteur Farcett ayant autorisé Montmorency à reprendre l'enquête, Fox-Selwyn proposa qu'ils se rendent en bateau à Kew. Il y avait un mince espoir que son ami aperçoive l'embarcation de l'homme au sac et, par ailleurs, après les tensions de la veille, le calme de la balade en barque ne pouvait leur faire que du bien. Confortablement installé dans la suite du Parc, il feuilleta le guide qu'avait acheté Montmorency et, avec l'aide de Vi, mit au point un parcours à travers le jardin qui leur permettrait de voir un maximum d'endroits en un minimum de temps.

– Je peux pas venir avec vous ? supplia Vi, brûlant d'envie de sortir un peu du Marimion. C'est tellement joli. On pourrait emmener maman dans son fauteuil roulant.

Fox-Selwyn, qui paniquait déjà à l'idée de devoir pousser Mme Evans dans les allées du jardin botanique toute la journée, essayait de trouver une excuse polie pour refuser, quand Montmorency vint à la rescousse en avançant une raison tout à fait valable :

— Non, Vi, dit-il gentiment, c'est trop dangereux. Si nous croisons l'homme au sac, il pourrait vous reconnaître. Nous ne pouvons prendre ce risque, ce ne serait pas prudent.

– Et vous n'avez pas envie de devoir rentrer par les égouts, n'est-ce pas ? renchérit Fox-Selwyn.

Vi frissonna. Le souvenir des tunnels nauséabonds suffit à la décourager. Pour la première fois, les hommes purent constater que la peur l'habitait désormais.

– C'est bon, fit-elle d'une voix tremblante. Je vais rester ici.

Réalisant que son ami avait été un peu dur avec elle, Montmorency tenta de la consoler :

– Vous pouvez tout de même nous aider. Pourquoi ne dessinez-vous pas un portrait de lui, pour que George puisse savoir qui chercher ? J'en ferai un aussi, puis on comparera.

Ils s'assirent aux deux extrémités de la longue table du salon et se mirent au travail. Mais aucun des deux n'était très doué en dessin, ils forcèrent un peu le trait sur le large front et l'épaisse chevelure brune.

En découvrant le résultat, Fox-Selwyn éclata de rire.

– Vous êtes sûrs qu'on ne ferait pas mieux d'aller le chercher au zoo ?

Vi précisa que si les deux oreilles de l'homme au sac n'étaient pas au même niveau, ce n'était pas volontaire. Montmorency, lui, n'était pas satisfait de la forme qu'il avait donnée au menton. Mais au final, les deux portraits se ressemblaient assez pour donner à Fox-Selwyn une idée générale du genre d'individu qu'ils recherchaient. Il glissa les croquis dans le guide, puis partit avec Montmorency prendre le bateau à l'embarcadère de Westminster.

Le trajet en barque se révéla plus vivifiant que le lord ne l'avait prévu. L'hiver commençait à s'installer et la bise glacée soufflait encore plus fort sur l'eau. Lorsqu'il descendit en titubant sur le ponton de Kew, il annonça le premier d'une longue série de changements de plan : ils iraient d'abord à la palmeraie pour se réchauffer. En entrant dans le jardin botanique, ils l'aperçurent aussitôt : une immense structure de verre et de métal, évoquant une coque de bateau retournée, au beau milieu de la pelouse. Non loin de là, une cheminée ouvragée, habilement camouflée en clocher, crachait la fumée des chaudières qui maintenaient à l'intérieur de la palmeraie la température nécessaire aux plantes tropicales. Tout en s'y rendant d'un pas vif, Montmorency et Fox-Selwyn guettaient la moindre trace de l'homme au sac. Ils virent bien un sac en toile verte où étaient imprimés les mots « Propriété des jardins botaniques royaux », mais pas l'homme qui allait avec. Enfin, tout du moins, pas celui qu'ils cherchaient. Le lord aperçut juste un vieux jardinier osseux, coiffé d'une casquette à visière – il surveillait du coin de l'œil ces deux gentlemen qui regardaient ses outils d'un peu trop près.

À l'intérieur de la palmeraie, les centaines de panneaux de verre constituant le toit et les murs dégoulinaient de vapeur d'eau. Au bout de cinq minutes devant les grilles de fer par où s'échappait la chaleur des chaudières, Fox-Selwyn ôta son chapeau pour essuyer son crâne dégarni avec son mouchoir.

— C'est encore mieux que les Bains Turcs, gloussa-t-il. Gus devrait installer ce genre de serre à Glendarvie. Il arriverait même à me convaincre d'y aller à Noël, s'il existait un endroit pareil pour se réchauffer.

— Il faisait sacrément froid, là-bas, approuva Montmorency. Surtout la nuit. J'ai cru que ça venait de moi, parce que je n'étais pas bien, enfin…

— C'est une horreur, mon pauvre ami ! s'esclaffa le lord. Même en plein été. Et la marquise tient à ce que ça reste ainsi. Elle dit que ça forge le caractère des enfants.

— Elle a sans doute raison. Vous avez été élevé là-bas, non ?

— Oh, seulement en partie, et je crois bien que cette partie de moi aime rester blottie sous les couvertures ou devant une belle flambée à manger des crêpes !

— Aimeriez-vous vivre dans les contrées où poussent ces arbres ? demanda Montmorency en lui montrant des spécimens hérissés de piquants venus d'Amérique du Sud.

— Nous y serons peut-être contraints si tout ça tourne mal ! s'exclama Fox-Selwyn, qui ne plaisantait qu'à moitié.

Il jeta au passage un coup d'œil à un homme chauve muni d'un tuyau d'arrosage, l'éliminant instinctivement de la liste des suspects.

— Bon, à part cette serre, y a-t-il un endroit dans ce jardin où nous serions au chaud ?

– Nous pourrions visiter la galerie d'art. Avec Vi, nous n'avons pas eu le temps d'y aller, la dernière fois. Elle doit se trouver quelque part par là, près de la route.

Ils sortirent de la palmeraie et tentèrent de se repérer. Fox-Selwyn ne voulut même pas ôter ses gants pour tourner les pages du guide.

– Je crois qu'en continuant par là, dos à la rivière, on devrait tomber dessus, décréta-t-il. Ah ! Serait-ce cette monstrueuse construction moderne ou pensez-vous qu'il s'agisse des toilettes ?

Il montrait du doigt un propret bâtiment de brique rouge, dans le genre pavillon de banlieue, dont les marches menaient à une double porte. Montmorency prit le guide pour lire le commentaire :

– « Conçu pour accueillir la collection de tableaux décrivant les plantes rencontrées au cours de ses voyages à travers le monde, don de l'artiste, Marianne North... »

– Oh, mon Dieu ! soupira Fox-Selwyn. Une femme peintre. Enfin, l'essentiel, c'est que nous soyons à l'abri. Allons y jeter un coup d'œil !

Il s'engouffra à l'intérieur, suivi de Montmorency. Ils s'attendaient tous deux à quelques timides aquarelles disposées avec goût sur fond de papier peint floqué, mais ce qu'ils découvrirent leur coupa le souffle. Des centaines de tableaux dans leurs étroits cadres noirs tapissaient les murs, serrés les uns contre les autres. Les toiles aux couleurs éclatantes faisaient vibrer la pièce. En dessous, le mur était lambrissé de bois d'essences différentes, venues des quatre coins du monde. Au-dessus, d'immenses verrières inondaient la galerie de lumière, et une frise décorative énumérait les noms de lointaines contrées : Bornéo, Ceylan, Java, Nouvelle-Zélande, Amérique. Marianne North avait fait le tour du monde, son pinceau à la main. Quelques visiteurs frigorifiés contemplaient ses œuvres, tapant des pieds pour stimuler la circulation. Dans un coin, un homme, juché sur une échelle, avait la lourde tâche de laver les multiples baies vitrées. Il avait de grandes mains poilues et portait un pantalon vert foncé. Ses boucles brunes et drues cascadaient sur le col de sa chemise tandis qu'il essuyait vigoureusement les panneaux de verre avec son chiffon. Montmorency le reconnut aussitôt. Il donna un discret coup de coude à son ami et lui montra les portraits qu'ils avaient dessinés avec Vi, glissés entre les pages du guide.

Au centre de la pièce, l'architecte avait prévu des bancs de bois où les visiteurs se seraient volontiers assis pour se reposer, s'ils n'avaient préféré remuer pour lutter contre le froid. L'employé avait posé son épaisse veste de laine sur l'un des accoudoirs. Montmorency lança un regard à Fox-Selwyn, puis au vêtement, avec une mimique évocatrice. Le lord hocha la tête, et son ami se dirigea vers le banc, avec l'intention de fouiller les poches du suspect pour y trouver quelque indice sur son identité. Mais lorsqu'il posa la main sur la veste, l'homme au sac surprit son reflet dans le verre d'un tableau. Il se retourna et comprit aussitôt ce qui se passait.

– Hé ! Reposez ça ! cria-t-il, attirant l'attention de tous les visiteurs.

Mais Montmorency s'empara de la veste et fila hors de la galerie. L'homme au sac se lança à sa poursuite, avec force cris et moulinets de bras. Fox-Selwyn, un peu essoufflé, suivait derrière, espérant que les âmes respectables qui assistaient à la scène le prendraient pour un citoyen dévoué, soucieux de rattraper le voleur.

Montmorency prit sur la gauche, cherchant en vain un endroit où escalader le mur pour rejoindre la route. Il vit bientôt l'impressionnante silhouette de la pagode se dresser devant lui : quarante-cinq mètres de pure folie[1] dans le style chinois que le roi George III avait fait construire pour sa mère. Posés sur une large base octogonale, ses dix étages en pyramide, de plus en plus petits, se terminaient par une immense pointe dorée. Montmorency aurait pu la contourner. Il aurait pu passer sur les côtés et se cacher dans les buissons bordant l'allée. Il aurait pu ignorer complètement cette pagode. Mais au lieu de cela, il fit quelque chose de très stupide. Il ouvrit une porte au rez-de-chaussée et se précipita à l'intérieur. L'homme au sac le talonnait. Au mépris des panneaux qui interdisaient au public de se risquer dans cet escalier en colimaçon branlant, il s'élança, sur les pas de Montmorency. Ils ne pouvaient que monter, monter, monter... A mesure qu'ils gravissaient les étages, des images étourdissantes du fleuve, des serres, de la galerie, et de la route tourbillonnaient autour d'eux. Au sommet, ils se retrouvèrent face à face. Les yeux de l'homme au sac étincelaient de haine. Lorsqu'il envoya son poing poilu dans la tête de Montmorency, celui-ci esquiva, puis brisa une vitre pour jeter la veste par la fenêtre. Elle

1. Les « folies » étaient des sortes de kiosques qui agrémentaient les parcs.

dégringola l'un après l'autre les toits en pente, parfois ralenti par une tuile qui dépassait, et finit par glisser gracieusement jusqu'au rez-de-chaussée où Fox-Selwyn la rattrapa et transféra d'une main experte le contenu de ses poches dans les siennes.

Au sommet de la pagode, Montmorency et l'homme au sac se battaient, esquivant coups de poing, échangeant coups de pied. De force égale, ils étaient dans une impasse, lorsqu'un coup de tête de l'homme au sac projeta Montmorency contre la balustrade avec une telle violence que le bois vola en éclats... Et les deux hommes tombèrent dans le vide, cramponnés l'un à l'autre, et atterrirent à l'étage du dessous. Montmorency envoya son genou dans le ventre de son adversaire, ce qui lui laissa juste le temps de se ruer dans les escaliers. Il dévala quatre à quatre les marches qui restaient et bondit comme un diable hors de la pagode. Un attroupement de visiteurs s'était formé, intrigués par la poursuite, les bruits de verre et de bois brisés. Ils étouffèrent un cri surpris lorsque Montmorency surgit sous leur nez. Ils étouffèrent un cri encore plus surpris lorsque l'homme au sac surgit derrière lui. Ils applaudirent lorsque Lord George Fox-Selwyn attrapa Montmorency et lui retourna le bras dans le dos d'un mouvement expert. Puis le lord tendit théâtralement l'autre main dans la direction de l'homme au sac, annonçant d'un ton triomphal :

– Voici votre veste, monsieur !

On l'acclama.

– Que quelqu'un s'occupe de ses blessures, ordonna-t-il avec son autorité naturelle d'aristocrate.

Un petit groupe de visiteurs bien intentionnés entoura l'homme au sac, lui bloquant toute issue.

– Ne vous souciez pas de ce gredin. Il vient avec moi, décréta Fox-Selwyn.

Et il escorta ainsi un Montmorency tout piteux jusqu'à la porte du Lion, une entrée secondaire du jardin, à quelques mètres de là. Une fois dans la rue, il le lâcha. Tous deux se mirent à courir en direction de Richmond et ne ralentirent qu'une fois arrivés à la gare, où ils entrèrent en gentlemen respectables pour prendre le prochain train pour Londres.

Dans le compartiment, Fox-Selwyn vida ses poches. L'homme au sac avait tout un bric-à-brac dans sa veste : un canif, de la ficelle, des cigarettes et des allumettes, des papiers de bonbon et deux clefs. Il y avait aussi un prospectus dont les caractères rappelèrent à Montmorency des écritures qu'il avait vues sur Tarimond, mais que Fox-Selwyn identifia comme du gaélique, plutôt que de l'écossais. Enfin, ils découvrirent un morceau de papier plié, plus récent et moins froissé que le reste. Il portait l'en-tête de l'hôpital des Enfants Malades de Great Ormond Street et en rappelait le règlement ainsi que les heures de visite.

39
Questions d'éthique

Quand ils revinrent, le docteur Farcett était au Marimion, en train d'administrer à la « Contessa » un petit quelque chose pour la calmer. Voyant Montmorency entrer dans la pièce, le médecin referma soigneusement la fiole de tranquillisant et la glissa aussitôt à l'abri dans sa poche.

— Bonne journée ? demanda-t-il alors que les deux acolytes s'affalaient dans le canapé.

— Merveilleuse ! répondit Fox-Selwyn. Montmorency a juste récolté quelques bleus et égratignures que vous voudrez peut-être examiner. Mais moi, je m'en suis sorti indemne !

Vi les rejoignit dans le salon.

— Vous l'avez vu alors ? Il travaille bien à Kew ?

— Oui, nous l'avons vu.

— Alors vous savez qui c'est, vous savez où il habite ? Vous avez dit à la police où le trouver ?

— Pas encore, Vi. Il nous manque encore des éléments. Mais nous le ferons. La police refusera de nous écouter tant que nous n'aurons pas de preuve à lui fournir. Nous ne connaissons ni son nom, ni son adresse. Nous pourrions demander à la direction du jardin botanique, mais après ce qui s'est passé aujourd'hui, je doute qu'il retourne au travail.

– Alors pourquoi êtes-vous aussi contents de vous ? répliqua Vi. S'il est toujours en liberté, ça veut dire que je dois encore rester coincée ici !

– Tout à fait, Vi, confirma Fox-Selwyn d'un ton rieur. J'imagine que ce séjour au Marimion doit être une terrible épreuve pour vous. Veuillez nous en excuser, mais vous ne devriez plus en avoir pour très longtemps.

– Désolée, murmura Vi, réalisant soudain quelle ingrate elle faisait. Mais je ne vois pas ce qui vous rend aussi joyeux.

– Vi, intervint Montmorency, nous avons de bonnes raisons de croire que l'homme au sac ne va pas quitter Londres de sitôt. En fait, nous savons même où il risque de se trouver entre deux et quatre heures de l'après-midi dans les jours qui viennent.

– Et d'où vous tenez ça ? s'étonna Vi, pas vraiment convaincue.

– Regardez ! s'exclama Fox-Selwyn en tirant un papier de sa poche. Il semblerait que l'homme au sac doive rendre visite à un enfant malade à l'hôpital de Great Ormond Street.

Le docteur Farcett s'empara du papier. Il s'agissait un prospectus imprimé qui ne mentionnait aucune information sur l'identité du patient.

– A quoi ressemble cet homme ? voulut-il savoir.

Après avoir écouté la description de Montmorency et jeté un bref coup d'œil aux deux croquis, il n'eut plus aucun doute. L'homme au sac était bien M. O'Connell. L'homme en larmes qu'il avait réconforté à l'hôpital était le poseur de bombes.

Fox-Selwyn interrompit ses pensées.

– Robert, dites-moi, le spécialiste que vous avez consulté à propos des enfants de Tarimond ne travaille-t-il pas justement dans cet hôpital ? demanda-t-il innocemment. Vous pourriez lui glisser un mot à propos de l'homme au sac ?

– Oui, répondit le médecin d'un air distrait. Je vais le faire…

Farcett aurait aimé parler à ses amis de son nouveau poste à l'hôpital de Great Ormond Street et leur faire part de ses soupçons, mais c'était impossible. Il se trouvait face à un dilemme professionnel. Il avait rencontré M. O'Connell dans l'exercice de sa profession de médecin, une fonction qui lui imposait certains devoirs, entre autres une absolue confidentialité. O'Connell savait qu'il était tenu au secret professionnel, sinon pourquoi aurait-il baissé la garde en se confiant à lui ? Cet homme était sans doute un criminel ; Fox-Selwyn et Montmorency en avaient la certitude. Farcett devait-il prendre l'initiative de le livrer aux autorités ? Il essaya de se convaincre que ce ne serait peut-être pas la peine. Après tout, la police, guidée par ses amis, pourrait retrouver O'Connell sans son aide. Mais… et s'il gardait le silence et qu'une nouvelle explosion se produisait avant que Scotland Yard ait pu l'arrêter ? N'avait-il pas également des obligations envers les victimes potentielles de cet homme ?

C'était un problème auquel le docteur Farcett avait déjà été confronté, quand, récemment il avait découvert qu'un autre de ses patients était un criminel. Dans ce cas précis, il n'avait rien révélé aux autorités, mais sa conscience s'était arrangée de son silence. Et il vivait parfaitement bien avec cette décision. Car le patient criminel en question se trouvait dans la même pièce que lui, en ce moment précis, riant et plaisantant avec ses amis. Il s'agissait de Montmorency.

— Vous êtes bien silencieux, Robert. Vous n'allez donc pas nous féliciter ? s'étonna Fox-Selwyn.

— Désolé. Je suis préoccupé, bafouilla le docteur. Un problème avec un patient.

Il regarda Montmorency, là, devant lui, heureux et fier, tout à fait à l'aise dans le monde qu'il s'était construit grâce au fruit de ses cambriolages. S'il livrait O'Connell à la police, faudrait-il également qu'il dénonce Montmorency ?

Ce dernier, sans se douter du dilemme auquel était confronté son ami, continuait à parler de l'homme au sac. Farcett ne put le supporter plus longtemps. Il se leva.

— Je vais vous laisser profiter de votre victoire. Voulez-vous que je demande qu'on vous monte à souper ? proposa-t-il.

— Oh oui ! s'écria Vi. Je meurs de faim !

Ils mirent un temps infini à passer leur commande à Farcett puis, alors que ce dernier était sur le point de quitter la pièce, Fox-Selwyn ajouta :

— Dites-leur aussi de nous monter du champagne.

— Ah bon, et en quel honneur ? voulut savoir le docteur.

— Je veux porter un toast, car si l'on arrête l'homme au sac, ça ne sera pas grâce à Lecassé, mais grâce à Montmorency !

40
Le diagnostic du docteur Dougall

Farcett ne dormit pas bien. Il passa la nuit à s'interroger : devait-il livrer O'Connell à la police ? Dès qu'il penchait pour cette solution, il revoyait la petite Mary, privée du seul adulte qu'elle aimait alors que, à sa connaissance, elle n'avait commis aucun crime. Mais quand il décidait de se taire, il entendait une détonation terrible, fauchant la vie de dizaines de petites Mary et plongeant d'innombrables innocents dans le chagrin et le deuil. A l'aube, guère plus avancé, il se résolut à prendre conseil auprès de Donald Dougall et sacrifia son petit déjeuner pour lui parler avant ses visites du matin. Lorsque le médecin arriva à l'hôpital, Farcett l'attendait devant son bureau.

– Robert, je suis ravi que vous soyez là ! s'exclama Dougall avec un mélange de soulagement et d'excitation. Entrez, entrez. L'affaire est des plus sérieuses.

Farcett n'en revenait pas. Comment avait-il pu savoir ? Fox-Selwyn et Montmorency l'avaient-ils déjà contacté ?

Le docteur Dougall poursuivit :

281

– Il n'y a aucun doute, il va falloir qu'on appelle la police.

– Vous êtes certain, vraiment ? s'étonna Farcett, stupéfait.

Il ne comprenait pas : Dougall ne se sentait-il pas tenu au secret professionnel ? N'avait-il aucun remord ?

Mais il se trouva qu'ils ne parlaient absolument pas de la même chose.

– Tout à fait. La preuve est là, dans vos notes, Robert. Je ne vois pas d'autre explication : les nouveau-nés de Tarimond ont été systématiquement empoisonnés !

Farcett resta sans voix, sous le choc. Le dilemme sur le cas O'Connell passa au second plan de ses préoccupations, alors qu'il réalisait ce que Donald Dougall venait de lui dire : tous les enfants qui étaient nés sur l'île de Tarimond durant les sept dernières années avaient été assassinés. Il formula tout haut la pensée qui lui vint à l'esprit :

– L'eau ? Y avait-il quelque chose d'anormal dans l'échantillon que je vous ai fourni ?

– Non, l'eau est on ne peut plus pure, répondit Dougall. J'avais envisagé cette possibilité. De jeunes enfants peuvent succomber à des impuretés qui n'affectent pas un adulte en pleine santé. Mais il n'y a rien. Non, Robert. La clef, ce sont les symptômes. Si seulement nous avions un prélèvement effectué sur l'un des enfants décédés, je suis sûr que nous pourrions isoler le poison à action lente qui a été utilisé pour les tuer.

– Mais utilisé par qui ? Comment ? Et pourquoi ? hoqueta Farcett.

– J'espérais que vous auriez quelque idée à ce sujet. Visiblement, quelqu'un qui a pu approcher tous les bébés, quelqu'un qui a pu introduire la toxine dans leur nourriture…

Farcett le coupa :

– Pas Maggie Goudie ! Sûrement pas ! Cette femme a dédié sa vie aux habitants de Tarimond. Elle a mis au monde tous ces bébés seule. Elle m'a aidé à recueillir ces informations. Et elle continue. Je ne peux pas croire que ce soit elle.

– Mais qui d'autre alors ? Qui aurait eu l'opportunité et les moyens de commettre de tels actes ? Et pour quel mobile, surtout ?

– Aucune personne saine d'esprit ne ferait une chose si cruelle.

Tout en prononçant ces mots, Farcett revit la première image qu'il avait eue du père Michael à son arrivée sur l'île. Dominant les petites tombes de toute sa hauteur, le prêtre bravait la tempête, criant, hurlant, son habit noir volant au vent. Mais, à la sortie de l'église, ce dimanche-là, après son sermon virulent, il s'était montré cordial et chaleureux, et avait expliqué en riant qu'il jouait de la peur du jugement divin pour s'assurer la fidélité de ses ouailles. Le père Michael lui-même avait affirmé que ces morts étaient le fruit de la colère de Dieu. N'était-il pas le représentant de Dieu sur Terre ?

– Que se passe-t-il, Robert ? Vous soupçonnez quelqu'un ? le questionna le docteur Dougall.

– J'en ai bien peur, répondit Farcett en tapant son poing dans sa paume. J'ai vécu chez lui, j'ai partagé ses repas, j'ai parlé avec lui de chaque petit disparu. Je l'ai vu baptiser Jimmy MacLean, le seul survivant... s'il est encore en vie. Oh, Donald! Je dois absolument retourner à Tarimond avant que Jimmy ne se fasse tuer lui aussi.

– Vous avez évoqué un baptême. Est-ce le prêtre que vous suspectez?

– Ça ne peut être que lui. Je le sais. Je le sens.

– Parce que vous ne voulez pas que ce soit la sage-femme, peut-être? insinua Dougall en haussant un sourcil.

– Ce n'est pas elle, impossible. Je le saurais. Un médecin, plus que tout autre, doit être capable de reconnaître un tueur, non?

La voix de Farcett se brisa alors qu'il se revoyait en train de consoler O'Connell, qu'il avait pris la veille pour un homme noble et généreux.

Son silence suggéra au docteur Dougall qu'il était en train de tirer d'autres conclusions:

– Le prêtre et la sage-femme sont peut-être complices.

Mais Farcett, lui, poursuivait sa réflexion sur O'Connell.

– Il y a autre chose, une affaire tout aussi sordide, avoua-t-il. Je ne suis pas venu pour vous parler de Tarimond. Vous vous souvenez de la petite Mary O'Connell?

– Si je m'en souviens, j'étais sur le point de monter l'examiner.

Farcett lui exposa alors les soupçons de ses amis et lui fit part du dilemme auquel il était confronté: devait-il oui ou non livrer O'Connell à la police? Dougall se rendit compte que son ami était dépassé par les deux problèmes qui le tourmentaient. Il proposa de le soulager d'une moitié du fardeau.

– Laissez-moi m'occuper d'O'Connell. De toute façon, Mary est ma patiente, c'est donc à moi que la décision appartient. Vous, allez faire vos bagages. Vous devez partir au plus vite pour Tarimond. Je sais que la tâche qui vous attend n'est pas facile, Robert, mais j'aimerais tellement pouvoir vous accompagner en Écosse ! Je vais rédiger mon rapport et l'envoyer à la police de Glasgow, mais si ce que vous suspectez est vrai, mieux vaut ne pas attendre.

Farcett fila chez lui. Un rapide coup d'œil aux horaires de train lui apprit qu'il n'avait pas le temps de passer voir ses amis pour leur expliquer l'affaire. Il fit porter un message chez Fox-Selwyn, résumant dans les grandes lignes les raisons de son départ. Il ne mentionna pas O'Connell. Son destin était désormais entre les mains du docteur Dougall.

Dans le train, il relut la lettre de Maggie Goudie. Elle lui parut avoir un sens complètement différent à la lumière de ce qu'il venait d'apprendre. Disparu le billet tendre qu'il avait chéri depuis son arrivée par la poste quatre jours plus tôt ! Comment le docteur pouvait-il interpréter maintenant l'intérêt que Maggie semblait lui porter ? N'était-ce qu'une supercherie, destinée à brouiller les pistes ? Et Jimmy ? Était-il réellement en bonne santé ou avait-il déjà commencé à dépérir comme tant d'autres avant lui ? Quant au père Michael qui avait soi-disant prié pour que Montmorency et lui fassent bon voyage jusqu'à Londres... Sans aucun doute ! Il était trop content de se débarrasser de ses visiteurs et de pouvoir reprendre ses activités criminelles. Donald Dougall avait peut-être raison : le père Michael et Maggie étaient complices. Ils étaient amis depuis leur rencontre à Glasgow. Ils avaient dit tellement de bien l'un de l'autre. Ils s'étaient montrés tous deux tellement empressés et serviables, tellement ouverts et civilisés comparés aux autres habitants de l'île que c'en était suspect. Ils prétendaient essayer, depuis des années, de trouver une explication à ces décès, mais en vain. Bien sûr ! Ils ne cherchaient pas la cause des morts, ils la camouflaient derrière une habile façade d'inquiétude et de prévenance. Le père Michael avait envisagé de contacter des experts sur le continent, mais pourquoi ne l'avait-il pas fait ? N'avait-il pas tenté de dissuader Farcett de revenir à Londres avec le dossier ? Ne l'avait-il pas encouragé à rester à Tarimond, de sorte qu'il ne puisse faire part à personne de ses interrogations ? Et pourquoi le père Michael intervenait-il toujours dès que Maggie apportait des graphiques ou des documents à Farcett, corrigeant telle ou telle information, orientant discrètement leur réflexion, toujours prompt à conclure que la seule explication possible était une vengeance divine. N'avait-il pas lui-même insinué avoir enfreint la loi de Dieu ? Qu'avait-il donc fait ? Sous-entendait-il qu'il avait tué les bébés ? Comment Farcett avait-il pu s'y tromper ? Comment se faisait-il que, dès le premier jour, Montmorency et lui n'aient pas su définir l'étrange malaise qu'ils ressentaient en présence de cet homme ? Les habitants de l'île, eux, s'en méfiaient, c'était évident : Morag, les fidèles de la paroisse, et même Harvey qui était parti depuis si long-temps. Il refusait même d'approcher le prêtre. Savait-il quelque chose à son sujet ? Était-ce pour cette raison qu'il avait quitté Tarimond ? Était-ce pour cela que l'atmosphère s'était brusquement refroidie lorsqu'il était arrivé chez le prêtre ?

Le train poursuivait son chemin en cahotant. Farcett avait réussi à se persuader que le prêtre était responsable de tous ces décès, mais il ne pouvait croire à la culpabilité de Maggie. Était-elle, elle aussi, une des victimes du prêtre ? Prisonnière de son influence maléfique ? Ou bien plus encore ? Après tout, c'était elle qui avait fait venir le père Michael sur Tarimond... Une image acca-blante restait gravée dans la mémoire de Farcett : le père Michael passant le bras autour de sa taille alors qu'elle les saluait, du haut de la falaise, le jour où ils avaient quitté l'île.

Le docteur aurait voulu faire accélérer le train pour arriver plus vite à Tarimond, avant que d'autres bébés ne naissent, pour les sauver, et sauver le petit Jimmy MacLean des mains meurtrières de Maggie Goudie et du père Michael.

41
La capture

Lord George Fox-Selwyn était sorti lorsque le message de Farcett arriva, Chivers le posa donc sur la console de l'entrée. Milord était parti prendre le petit déjeuner en compagnie du ministre de l'Intérieur. Cette fois, l'atmosphère était à l'enthousiasme et à l'espoir. Ils ne détenaient qu'une très mince preuve contre l'homme au sac, mais c'était la seule piste que quiconque possédât quant à ces mystérieuses explosions. Montmorency aurait été ravi de poursuivre quelque temps son enquête clandestine – surveiller l'entrée de l'hôpital aux heures des visites, suivre l'homme au sac lorsqu'il rentrait chez lui, bavarder avec ses voisins et ses copains de pub pour découvrir son milieu et ses habitudes –, mais Fox-Selwyn avait jugé l'heure venue pour les autorités de prendre la relève. Le ministre de l'Intérieur était d'accord. Pour autant qu'il puisse en juger, les chances de succès dépassaient maintenant le risque d'humiliation, et il souhaitait pouvoir s'attribuer tout le mérite de l'opération lorsque le coupable serait arrêté. Il examina les portraits de l'homme au sac dessinés par Vi et Montmorency.

– Parfait. Je les transmettrai à Scotland Yard en disant qu'ils sont arrivés par la poste.

– Il vous faut une lettre anonyme pour les accompagner. Souhaitez-vous que je la rédige maintenant ? proposa Fox-Selwyn.

Le ministre de l'Intérieur sortit une feuille de papier à en-tête de son bureau, provoquant l'hilarité de Fox-Selwyn.

– Mieux vaudrait que votre nom et votre adresse n'y figurent pas, qu'en dites-vous ?

– Oups ! Je ne serais vraiment pas doué pour faire votre métier, n'est-ce pas ? Vous vous souvenez, à l'école, je me faisais toujours prendre.

Fox-Selwyn se rappelait effectivement à quel point il était exaspérant d'avoir pour camarade un garçon aussi empoté. S'il n'avait été aussi maladroit et désireux de se faire apprécier des plus puissants, l'épisode des grenouilles et de la mélasse ne serait jamais venu aux oreilles des surveillants. Et voilà que ce maudit gamin se retrouvait en charge de la sécurité nationale. Mon Dieu !

– Attendez, fit le lord, je vais arracher une page de mon carnet.

Il prit un crayon dans la main gauche et, avec une orthographe délibérément fantaisiste, écrivit :

Voici le portrai du teroriste de Waterloo. Il travail aux jardins de Kew. Tous les aprèmidi, il rand visite à un enfant malade à l'opital de Great Hormond Street. L'esplosion de Kings Kross, c'était pas du gaz. Vous zavez qu'à lui demander.

— Ne devriez-vous pas être un peu plus explicite ? s'inquiéta le ministre de l'Intérieur.

— Non, avec ça, la police en sait assez pour lancer l'enquête. Mieux vaut les laisser croire qu'ils ont résolu l'affaire tout seuls. Auriez-vous une enveloppe ? Blanche, sans fioritures ni armoiries ?

— J'ai bien peur que non.

— Après tout, ça vaut sans doute mieux. Cela leur évitera d'aller interroger le facteur. Écoutez, voici comment nous allons procéder : à onze heures ce soir, vous irez vous promener et quelqu'un vous passera ce mot dans le parc.

Habile stratagème. Un inspecteur, détaché par ses supérieurs pour surveiller discrètement le ministre de l'Intérieur, vit Lecassé traverser l'allée pour glisser quelque objet dans sa poche. Lecassé lui échappa, mais Scotland Yard prit d'autant plus au sérieux la découverte de ce billet qu'il leur fut ensuite apporté par l'un de leurs hommes. Quelques minutes plus tard, ils envoyaient un agent enquêter à Kew, muni du portrait-robot. Oui, cet homme travaillait bien là. Non, il n'était pas venu aujourd'hui.

Le docteur Dougall, quant à lui, n'avait toujours pas pris de décision concernant O'Connell. Il tournait et retournait dans son esprit les soupçons dont Farcett lui avait fait part. La police mit fin à son calvaire en arrivant à l'improviste à l'hôpital des Enfants Malades. Dougall identifia l'homme sur le portrait comme le tuteur de l'une de ses patientes. Il supplia la police de ne pas arrêter le suspect sur les lieux. Aux alentours de deux heures, une escouade de policiers – en uniforme et en civil – se mit donc en position dans la rue, surveillant l'entrée de l'hôpital. O'Connell apparut bientôt, un bouquet de fleurs dans ses mains poilues. Il s'y cramponnait toujours quand ils lui eurent passé les menottes aux poignets. Le docteur Dougall assista à la scène d'une fenêtre des étages, puis il se tourna vers la petite Marie qui dormait paisiblement, se cramponnant, elle, à la vie, sans savoir qu'elle venait de perdre la seule personne au monde qui se souciait d'elle.

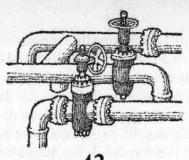

42
Interrogatoire

La semaine suivante fut riche en rebondissements, à Londres aussi bien qu'en Écosse. La police se félicitait d'avoir arrêté O'Connell, mais ils savaient qu'il leur fallait une preuve plus consistante qu'une lettre anonyme pour le garder sous les verrous. Vi était terrifiée à l'idée de devoir témoigner en public pour révéler ce qu'elle savait à son sujet.

– J'suis jamais allée au tribunal, et j'espère bien jamais y mettre les pieds, confia-t-elle à Fox-Selwyn. Imaginez que cet homme ait de la famille et qu'ils entendent parler de moi. Qu'est-ce qu'ils feront, à votre avis ? A ce moment-là, y avait qu'à le laisser me faire la peau dès le début...

Le lord voulut lui faire la leçon sur son devoir de citoyenne, mais Montmorency le prit à part :

– Elle a raison, et vous le savez. Si elle témoigne, elle ne sera plus jamais en sécurité à Londres.

– Mais comment la police va-t-elle réussir à prouver qu'O'Connell a posé la bombe de la gare de Waterloo ? Jamais il n'avouera !

– Et pourquoi pas ? En fait, il aurait intérêt. C'est sa seule chance d'échapper à la potence.

Fox-Selwyn fronça les sourcils.

– Je ne vous suis pas.

Montmorency expliqua alors son raisonnement. Son plan permettait à la fois d'éviter à Vi de devoir témoigner à la barre en tant que témoin, de découvrir la vérité à propos des attentats et de livrer à la police un nouvel informateur sur les activités des groupes terroristes irlandais de Londres. Pour cela, il fallait que la police accepte de continuer à affirmer que l'explosion de King's Cross était due à une fuite de gaz. Mais il n'y avait aucune raison pour qu'ils refusent de le faire. Après tout, s'ils changeaient maintenant leur version des faits, ils perdraient toute crédibilité.

– En fait, conclut Montmorency, avec ce plan, tout le monde est gagnant.

– Mais concrètement, que doit-on faire ? demanda Fox-Selwyn.

– Pour commencer, nous allons expliquer à la police ce qui est arrivé, enfin, selon nous. Nous sommes obligés de tout leur dire, Vi, mais je suis sûr qu'on pourra vous laisser en dehors de tout ça. Le ministre de l'Intérieur y veillera.

Le lord hocha la tête. Le ministre ne se risquerait sûrement pas à évoquer la nuit qu'il avait passée dans les bras de Vi.

– Ensuite, reprit Montmorency, ils interrogeront O'Connell. Ils lui diront qu'ils l'inculpent pour l'attentat de King's Cross et qu'il est coupable de meurtre.

– Mais c'est pas lui ! protesta Vi. C'était l'autre !

– Nous le savons, et O'Connell aussi, mais le reste du monde l'ignore. Son seul espoir d'éviter une inculpation pour meurtre est de raconter toute l'histoire.

Fox-Selwyn commençait à voir où son ami voulait en venir :

– Et la police lui proposera un marché ?

– Exactement, ils suggéreront de réduire le chef d'inculpation à une complicité dans l'attentat de Waterloo, qui n'a pas fait de victimes, s'il leur livre des informations sur ses complices – où ils se cachent, quelles actions ils projettent de mener... Plus il leur livrera d'informations, plus ils réduiront les charges qui pèsent sur lui. Et il plaidera coupable au tribunal, de sorte que toutes les preuves et témoignages ne seront pas étalés en public.

– Mais il ira quand même en prison, pas vrai ? s'inquiéta Vi.

– Oui, confirma Montmorency. Il ira en prison, et pour très longtemps. Probablement pour le restant de ses jours. Cependant, il aura la vie sauve.

– Espérons qu'il tienne assez à la vie pour accepter le marché, commenta Fox-Selwyn. Si c'est le cas, vous avez raison, tout le monde y gagne. Je vais en discuter avec le ministre de l'Intérieur, voir ce qu'il en pense.

Le ministre fut enthousiasmé par le plan, auquel il ajouta une petite touche personnelle. Puisque Lord Fox-Selwyn et Montmorency étaient les seuls à connaître toute l'histoire, c'était à eux de mener l'interrogatoire. Il les escorta donc jusqu'à Scotland Yard, où la police n'eut d'autre choix que d'accepter (à contrecœur) la proposition de son chef politique. Le préfet de police et deux inspecteurs expérimentés de la brigade spécialisée dans les affaires irlandaises se joindraient au ministre de l'Intérieur pour suivre l'interrogatoire d'une cellule voisine.

Ce fut une scène des plus étranges. Le ministre et les responsables des forces de police londoniennes descendirent en file indienne dans les sous-sols de Scotland Yard pour s'entasser dans une petite pièce nue et s'asseoir côte à côte sur un banc inconfortable. Le préfet sortit quatre verres à whisky d'une caisse de bois, et montra au ministre comment les coller contre le mur pour entendre ce qui se passait à côté. Fox-Selwyn et Montmorency s'y trouvaient déjà, pour discuter stratégie.

– Ça alors ! s'écria le ministre, surexcité. Comme c'est amusant ! Vous imaginez, j'entends leurs moindres mots.

– C'est justement l'idée, monsieur le ministre, répondit le préfet assez poliment pour masquer son mépris. Nous avons nos méthodes, monsieur le ministre.

– C'est merveilleux ! poursuivit le ministre de l'Intérieur. Ça alors ! On peut suivre n'importe quelle conversation... comme des espions !

– Exactement, monsieur le ministre, confirma le préfet en donnant l'impression qu'il s'agissait d'une grande découverte. Comme des espions.

Des portes claquèrent.

– Le prisonnier arrive, monsieur le ministre, nous devons nous taire maintenant.

Le ministre de l'Intérieur se tourna vers les inspecteurs, posa son doigt sur ses lèvres en soufflant un

« CHUT ! » sonore. Dans son dos, les hommes levèrent les yeux au ciel, exaspérés, et se remirent en position, collant leurs verres contre le mur et tendant l'oreille. Ils entendirent un bruit de chaînes dans le couloir lorsqu'un agent escorta O'Connell, les fers aux pieds, jusqu'à la cellule où l'attendaient Fox-Selwyn et Montmorency.

Le claquement de la porte et le bruit de la clef dans la serrure ravivèrent une foule de souvenirs dans l'esprit de l'ancien détenu : la solitude, les coups et les injures, la souffrance, le froid.

Montmorency était assis derrière une table carrée, au milieu de la pièce, face à la porte. On avait prévu une chaise pour Fox-Selwyn à côté de lui, mais celui-ci préférait rester debout, prêt à interroger le prisonnier. Ils avaient un plan d'attaque. Pour commencer, Montmorency garderait le silence, tandis que Fox-Selwyn poserait les questions.

– M. O'Connell, asseyez-vous, ordonna le lord d'une voix grave.

Il lui indiqua un petit tabouret bancal, choisi tout spécialement pour qu'il se sente minuscule, intimidé par l'impressionnante carrure de Fox-Selwyn.

– Nous allons vous poser une série de questions de la plus haute importance. Veuillez, je vous prie, décliner vos nom, prénom et adresse.

O'Connell marmonna ces informations sans relever la tête. Fox-Selwyn guetta alors le bruit de clef, signal convenu pour confirmer que leurs voisins pouvaient suivre tout ce qui se disait dans la salle d'interrogatoire. Voilà, parfait. Le préfet avait également prévu un second signal : si Montmorency et Fox-Selwyn entendaient une brusque quinte de toux, ils devaient s'interrompre immédiatement. La toux les avertirait qu'ils avaient été trop loin, soit en insistant trop, soit en faisant des promesses intenables. Comme l'avait résumé le ministre de l'Intérieur : « Une quinte de toux et on arrête tout. »

O'Connell était affalé sur son tabouret, l'air abattu, sans rien de commun avec l'homme énergique et arrogant que Montmorency avait pris en filature. Lorsqu'il se décida à relever la tête, il reconnut les deux hommes de la pagode, à Kew.

— Alors comme ça, vous êtes de la police ! s'exclama-t-il. Bien joué. Je savais que vous vous déguisiez parfois en vauriens, mais pas en gentlemen.

— Peu importe, l'interrompit Fox-Selwyn. Vous n'ignorez pas pourquoi nous sommes là. Parlez-nous de la bombe de Waterloo.

— J'ai rien à voir dans l'histoire.

— Vraiment ? Eh bien, nous pensons justement que si, monsieur O'Connell. Nous en sommes même sûrs.

— Comment vous pouvez le savoir ? Hein, comment ?

— C'est moi qui pose les questions, monsieur O'Connell, répliqua Fox-Selwyn d'un ton condescendant. Mais puisque vous le demandez, je vais vous le dire. Quelqu'un vous a vu.

Ce fut le premier des nombreux mensonges que le lord allait utiliser pour déstabiliser O'Connell. Dans la pièce voisine, le préfet et ses hommes étaient mal à l'aise. Ils auraient au moins souhaité s'en tenir aux faits. Mais ils commençaient à comprendre pourquoi le ministre de l'Intérieur avait eu recours à deux agents étrangers à leurs services pour mener à bien cette mission. Et ils se félicitaient de ne pouvoir être tenus pour responsables si quelque chose tournait mal.

Fox-Selwyn poursuivit :

– Voyez-vous, nous savons déjà tout, pour Waterloo. Ce qui nous intéresse, c'est King's Cross. L'explosion a fait deux victimes : un vagabond dont l'identité nous est inconnue, et une certaine Mme Mead. Une très charmante dame. Mère de famille. Assassinée. Et je suis convaincu que vous avez posé cette bombe.

– Non, je n'y suis pour rien.

– Eh bien, excusez-moi, mais je ne vous crois pas. Pourquoi vous ferais-je confiance ? Je sais que vous êtes un menteur, puisque vous prétendez ne pas être responsable de l'attentat de Waterloo.

– Parce que c'est vrai !

– Pourtant on vous a vu, affirma Fox-Selwyn. Nous savons que c'est vous.

– Mais pas à King's Cross, c'était pas moi.

– Alors vous reconnaissez que vous avez posé la bombe de Waterloo mais pas celle de King's Cross ?

– Oui… enfin, non, bafouilla O'Connell. Vous m'embrouillez.

– Alors dites-moi la vérité, ce sera plus simple. La bombe de la gare de Waterloo, c'est vous ?

O'Connell ne répondait rien, fixant la table, plongé dans ses pensées. Fox-Selwyn répéta sa question :

– La bombe de Waterloo, c'est vous ? (Il haussa le ton.) La bombe de Waterloo, c'est vous, n'est-ce pas ?

– Oui, d'accord, c'est moi, reconnut O'Connell. Mais pas celle de King's Cross. C'était quelqu'un qui me ressemblait.

Fox-Selwyn et Montmorency s'étaient préparés à ce moment. Ce moment où O'Connell admettrait le crime dont ils le croyaient coupable. Comme prévu, ils n'exprimèrent aucun sentiment, alors que ces aveux étaient la pièce maîtresse de leur stratagème. Dans la cellule voisine, le ministre de l'Intérieur serrait les poings de joie et pressait son oreille contre le verre pour mieux entendre. Fox-Selwyn poursuivit, rebondissant sur les derniers mots d'O'Connell :

– Quelqu'un qui vous ressemblait ? répéta-t-il, ironique. Quelle étrange coïncidence. Quelqu'un de votre connaissance ?

L'autre garda le silence.

– Savez-vous qui est responsable, monsieur O'Connell ? Savez-vous qui a tué Molly Mead ? Allez, mon vieux, vous le savez. Oui ou non ?

– Il ne voulait tuer personne ! s'emporta le prisonnier. La bombe ne devait pas exploser avant la fermeture de la gare.

– Qui, ne voulait tuer personne ? demanda Fox-Selwyn.

Il y eut un court silence, puis O'Connell murmura sa réponse :

– Mon frère.

– Et où est donc passé votre frère maintenant ?

Il baissa les yeux.

– Je ne sais pas.

– Oh, comme c'est commode ! (Le lord arpentait maintenant la pièce.) C'est tout ce que vous êtes capable d'inventer ? Vous n'avez rien fait, vous connaissez le coupable, mais vous ignorez où il se trouve. Vous croyez que je vais avaler ça ? Sérieusement ?

Fox-Selwyn menait sa démonstration avec tant d'ardeur qu'il avait presque réussi à se convaincre qu'O'Connell mentait, même s'il savait bien sûr qu'il disait la vérité. Le peu de preuves dont ils disposaient suggéraient trois choses : qu'O'Connell n'avait pas posé la bombe de King's Cross, qu'il savait certainement qui était le coupable, mais qu'il ignorait tout autant qu'eux ce qui lui était arrivé.

C'était maintenant au tour de Montmorency de prendre la parole :

– Monsieur O'Connell, commença-t-il doucement, mon collègue ici présent semble persuadé que vous êtes responsable de la mort de Molly Mead et de ce clochard de King's Cross. Pour quelle raison devrais-je penser le contraire ?

O'Connell était retombé dans son mutisme, effondré, la tête entre ses mains menottées. Montmorency le laissa réfléchir un moment, puis il l'interrogea de nouveau :

– Monsieur O'Connell, pouvez-vous nous donner une bonne raison de ne pas vous inculper pour meurtre ?

Dans la cellule voisine, le préfet en voyait une, et de taille : une absence totale de preuves. Mais O'Connell l'ignorait.

Montmorency insista :

– Pourquoi devrions-nous croire que vous n'êtes pas responsable de l'explosion de King's Cross ?

O'Connell leva les yeux vers lui pour déclarer finalement :

– Parce que j'ai essayé de l'en empêcher !

Ni Montmorency ni Fox-Selwyn ne s'attendaient à une telle réponse, mais Montmorency enchaîna calmement :

– Poursuivez, monsieur O'Connell, et dites-nous la vérité.

Ils n'avaient aucune raison de mettre en doute le récit que leur fit le prisonnier, car il corroborait les maigres informations dont ils disposaient. O'Connell leur apprit qu'il avait un frère aîné, Patrick, dont la femme était morte en couches. Ils avaient quitté l'Irlande pour s'installer à Londres quelques années auparavant, et travaillaient tous les deux au jardin botanique de Kew. Mais Mary, la fille de Patrick, était malade. Un médecin était en mesure de la soigner, mais le traitement s'avérerait très coûteux. Patrick avait demandé de l'aide parmi la communauté irlandaise de Londres. Finalement, il avait été contacté par un groupe de Fenians qui lui avait proposé de l'argent pour qu'il pose deux bombes : l'une à King's Cross, l'autre à Waterloo. Après l'explosion de la première, Patrick avait disparu. O'Connell s'était retrouvé seul avec la fillette, mais les terroristes avaient refusé de payer la somme prévue tant que la mission qu'ils avaient confiée à son frère n'avait pas été remplie. Il était donc parti à la recherche de son frère, mais sa piste s'arrêtait là où il avait pris une chambre la première nuit. Il avait fini par se dire que Patrick avait dû être tué dans l'explosion. Mais il avait besoin de cet argent pour payer le médecin, c'est pourquoi il était allé poser la bombe de Waterloo lui-même. Ensuite, il était retourné réclamer l'argent, mais les autres ne voulaient toujours pas le payer, ils voulaient son frère. Il fallait qu'il arrive à les convaincre que Patrick était mort. La dernière personne à l'avoir vu était sans doute la fille de la logeuse, elle pourrait confirmer que Patrick avait disparu.

« C'est donc pour ça qu'il en avait après Vi, réalisa Montmorency. Qu'il cherchait si désespérément à la voir ! »

– Il fallait que je la retrouve, poursuivit O'Connell, sans se douter que ses interlocuteurs ne connaissaient que trop bien cette partie de l'histoire. J'ai bien failli l'attraper, mais elle a disparu. Elle s'est évaporée. Et donc je n'ai jamais touché cet argent. Mais c'est encore pire. En fait, Patrick n'en avait même pas besoin, ce n'était pas la peine qu'il aille fricoter avec ces gens-là, car il existe un hôpital où l'on ne paie pas. C'est là que Mary est soignée maintenant. C'est là qu'on m'a arrêté.

Dans la pièce voisine, le ministre de l'Intérieur estimait qu'il avait dit la vérité et que l'interrogatoire était maintenant terminé. Cet homme lui inspirait même de la pitié. Il fut donc stupéfait que Fox-Selwyn reprenne de plus belle :

– O'Connell ! Si vous vous imaginez que nous allons croire ce tissu de mensonges, vous avez perdu la raison !

Il continua, déformant la vérité au-delà des limites :

– Vous nous en avez dit assez pour qu'on vous fasse inculper. Vous pouvez vous attendre à être pendu pour le meurtre de Molly Mead. Je vais demander à ce qu'on vous ramène dans votre cellule.

Il s'agissait du signal dont ils étaient convenus pour que Montmorency propose le marché. Comme s'il venait d'en avoir l'idée, il coupa Fox-Selwyn :

– Une minute, inspecteur ! Il y a peut-être moyen d'éviter l'inculpation pour meurtre.

– Et en quel honneur ferait-on cela ? aboya le lord.

– Si M. O'Connell consent à nous aider, inspecteur. S'il consent à nous livrer certaines informations sur les gens qui ont embauché son frère pour ces attentats. Alors peut-être pourrons-nous négocier un arrangement en retour.

O'Connell mordit aussitôt à l'hameçon et accepta volontiers de les aider. De l'autre côté du mur, le ministre de l'Intérieur gloussait de joie, imaginant déjà la satisfaction du Premier ministre lorsqu'il apprendrait les résultats qu'il avait obtenus. Le préfet n'en revenait pas, abasourdi et soulagé à la fois. Il n'avait même pas eu besoin de tousser pour interrompre l'interrogatoire. Par quelque miracle, alors qu'il ne possédait pas la moindre preuve, on lui servait sur un plateau les aveux du poseur de bombe de Waterloo, et il n'avait même plus besoin de se soucier de celle de King's Cross. Les deux inspecteurs des affaires irlandaises étaient également surexcités. O'Connell allait peut-être les mettre sur la piste des Fenians de Londres, ils pourraient enfin capturer les meneurs ! Assis sur leur banc, l'oreille collée à leur verre et les verres collés au mur, les quatre espions étaient triomphants. Dans la pièce voisine, O'Connell croyait avoir échappé à la peine de mort, tandis que Montmorency et Fox-Selwyn estimaient qu'ils avaient, contre toute attente, remporté une grande victoire en évitant à Vi de témoigner à la barre au procès.

Mais Montmorency se trompait en disant que son plan ne ferait pas de perdants. Comme prévu, la presse et le public continuèrent à penser que l'explosion de King's Cross était due à une fuite de gaz. Ils voulaient que quelqu'un paie pour la négligence qui avait coûté deux vies. La direction de la compagnie des gaz, sommée de maintenir la version de la fuite pour préserver la « sécurité nationale », cherchait un coupable. Le pauvre homme qui avait (sans la moindre négligence) soudé cette portion de la conduite de gaz fut remercié. Il se donna la mort dans l'année qui suivit.

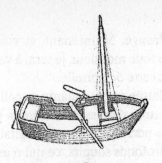

43
Le bon vouloir des autorités

Le voyage du docteur Farcett jusqu'à Tarimond fut long, lent, glacial. Le temps qu'il atteigne Glasgow, il était dans tous ses états, convaincu de la nécessité d'arrêter le père Michael et Maggie Goudie sur-le-champ. Il fut surpris de constater que les autorités de police locale voyaient les choses différemment. Lorsqu'il arriva au commissariat central, tard dans la soirée, l'agent de service au guichet le fit patienter : il était occupé avec une vieille dame qui avait perdu son perroquet. Les vaines tentatives de Farcett pour attirer son attention achevèrent de l'agacer et le dissuadèrent d'écouter ce que cet excité venu de Londres avait à dire.

— Il faut que je parle à un responsable ! insista le docteur avec un peu plus de véhémence, peut-être, qu'il ne l'aurait dû.

— Bien sûr, monsieur, répliqua le brigadier. Mais à cette heure-ci, c'est moi le responsable. Mes supérieurs sont tous rentrés chez eux et ils n'apprécieraient guère que je les dérange. Maintenant, si vous voulez bien attendre votre tour, monsieur, je serai à vous dès que j'en aurai fini avec cette demoiselle.

La dame, flattée par la galante appellation, se mit à faire la coquette, ralentissant encore la progression de son histoire de perroquet. Farcett s'agitait sur son siège, poussant de profonds soupirs, ce qui n'arrangeait absolument pas son cas.

Enfin, le brigadier raccompagna la dame à la porte et invita le docteur à s'approcher de son bureau.

– Bien, monsieur. Dites-moi ce qui vous amène.

– Un cas d'une extrême urgence, sur l'île de Tarimond, expliqua Farcett, le souffle court.

– Je comprends, fit le policier avec une gravité feinte. Eh bien, une chose pareille n'arrive certes pas tous les jours.

Il se tourna vers la carte affichée au mur derrière lui.

– Voyons voir... Tarimond est l'île la plus éloignée, continuez encore et vous arriverez aux États-Unis ! Et il y a une urgence là-bas. Bon. Qu'attendez-vous de moi exactement, monsieur... ?

– Farcett. Docteur Robert Farcett.

Il eut la présence d'esprit de préciser « docteur », titre qui aidait parfois à imposer un certain respect à ses interlocuteurs.

Le brigadier retrouva effectivement un peu son sérieux.

– Très bien, donc, docteur Farcett. Peut-être pourriez-vous m'exposer l'affaire.

Il ouvrit son bloc-notes sur une page vierge, puis remplit lentement son encrier.

Farcett s'efforça de raconter au mieux l'histoire des décès inexpliqués des nouveau-nés, du père Michael et de Maggie Goudie. Le policier prit quelques notes, mais il doutait clairement de la capacité de jugement du docteur – peut-être même de sa santé mentale.

– Et que pouvez-vous présenter comme preuve de vos allégations, docteur Farcett ?

– Eh bien, j'ai fait étudier les statistiques que j'avais recueillies et le docteur Donald Dougall, grand spécialiste de la médecine infantile, en a conclu que la seule explication possible à tous ces symptômes était un empoisonnement intentionnel.

– Et ce docteur Dougall, où habite-t-il ? Ne peut-il pas nous apporter lui-même le résultat de ses recherches ?

– Il habite à Londres, répondit Farcett dont l'assurance faiblissait.

– A Londres. Je vois. Eh bien, il ne nous sera pas d'une grande aide...

– Mais il va vous envoyer son rapport complet. Il est d'avis d'engager immédiatement une action...

– Une action contre qui, exactement ?

– Le père Michael et Maggie Goudie. Ça ne peut être qu'eux. Ou l'un d'eux. Ce sont les seules personnes possédant le savoir nécessaire et ayant eu l'opportunité d'agir.

Le brigadier s'efforçait de se montrer patient, mais il n'était visiblement pas d'humeur à engager quelque action contre qui que ce soit.

– Bien, nous verrons, fit-il, cherchant à gagner du temps. Pourquoi ne pas attendre ce rapport pour voir ce qu'il contient précisément ?

Le calme affiché par le policier décuplait l'agitation de Farcett.

– Mais ça peut prendre des jours et des jours ! protesta-t-il. Il faut arrêter ces personnes sur-le-champ. Je ne vais pas rester ici à attendre. Je dois me rendre à Tarimond immédiatement !

Le brigadier referma son bloc-notes.

– Nous sommes en pays libre, monsieur. Faites ce que vous voulez. Mais nous ne pouvons intervenir sans la moindre preuve. Je vais me renseigner sur votre père Michael. Vous m'avez dit qu'il était de Glasgow ?

– Oui, il en est parti il y a dix ans. Et Maggie Goudie était infirmière dans un hôpital de la ville.

– Bien, nous verrons ce que nous trouvons. Mais ne vous emballez pas, monsieur. La vie est rude dans les îles, et les nourrissons y meurent fréquemment. Ça ne signifie pas pour autant qu'ils sont assassinés.

Le docteur Farcett insista une dernière fois, mais il remarqua bien que le policier n'était plus disposé à l'écouter. Aucune action ne serait engagée avant que les renseignements aient été pris et que le rapport du docteur Dougall soit arrivé. Farcett ne pouvait attendre si longtemps. Il voulait protéger le petit Jimmy MacLean, et le futur frère – ou la future sœur – de Morag. Il ne serait rassuré qu'une fois arrivé à Tarimond.

L'hiver, les bateaux étaient rares et la mer agitée. Les auberges dans lesquelles Farcett séjourna à chaque étape étaient sordides. Il mit trois jours à arriver en vue de l'île et, durant tout le trajet, l'image du petit Jimmy rendant son dernier souffle ne cessait de le hanter. Le père Michael venait chez John MacLean, soi-disant pour lui apporter du réconfort, mais il en profitait pour verser du poison dans le lait de l'enfant. Tandis que le petit dépérissait, le prêtre assenait aux habitants de l'île ses sermons véhéments, les accusant de tous les maux et les exhortant à venir se confesser plus souvent pour expier leurs péchés. Farcett tenta de s'imaginer Maggie Goudie mêlée à cette machination machiavélique, mais il n'y parvint pas. Il ne pouvait, il ne voulait pas croire qu'elle était coupable, au même titre que le prêtre. Tout au plus, pouvait-il admettre que, séduite par le charisme du prêtre, elle avait fermé les yeux sur ses crimes ou l'avait aidé à les camoufler. Mais il savait qu'il serait bien obligé de la mettre face à ses responsabilités et que la scène serait pénible pour eux deux.

Enfin, il se retrouva dans la petite barque qui prenait l'eau, ramant pour traverser le dernier bras de mer qui le séparait de la plage rocailleuse de Tarimond. Au loin, il apercevait l'église de pierre grise sur son promontoire rocheux et sa rangée de petites tombes surplombant la mer. En approchant, il entendit également sonner la cloche : des coups rythmés, solennels, appelant les fidèles à la prière. Après avoir amarré le bateau, Farcett grimpa vers le cimetière. La cloche émettait un tintement aigu, métallique. Entre chaque coup, on entendait un léger grincement, indiquant qu'elle se remettait en place, prête à sonner encore. Ce n'était pourtant pas dimanche, elle devait annoncer un événement particulier. Arrivé au sommet de la falaise, le médecin réalisa avec horreur ce qu'il en était. Il remarqua un tas de terre fraîchement retournée près de la tombe de la mère de Jimmy MacLean, Jeannie, morte durant l'accouchement. Il s'agissait d'un enterrement. Il était donc arrivé un jour trop tard ?

La cloche s'arrêta, cédant la place au son de l'harmonium. Tandis qu'on jouait le premier cantique, le docteur Farcett pénétra sans bruit à l'intérieur de l'église. Quelques têtes se tournèrent pour voir qui pouvait bien être le retardataire, puis les chants se turent progressivement, à mesure que les gens se passaient le mot : le docteur était revenu. Le père Michael tournait le dos à l'assemblée, face à l'autel, les bras écartés. A côté de lui se trouvait un cercueil que Farcett trouva un peu grand pour un enfant. Il fixait la nuque du prêtre d'un regard haineux quand, réalisant que les chants s'étaient tus, remplacés par des murmures surpris, le père Michael fit volte-face pour connaître la cause de ce silence soudain.

– Dieu soit loué ! s'exclama-t-il en adressant un sourire radieux au médecin. Dieu nous a rendu notre bon docteur ! Docteur Farcett, nous sommes réunis pour dire adieu à notre doyenne, Elspeth MacLeod. Elle est morte hier, paisiblement, dans son sommeil. Docteur, joignez-vous à nous pour la confier aux bons soins du Seigneur !

Farcett n'avait qu'une envie : dénoncer le père Michael devant cette assemblée, révéler qu'il avait sacrifié toute une génération d'enfants de Tarimond. Mais l'accueil chaleureux, le sourire des habitants, et la vue de la famille MacLeod, venue dire adieu à sa grand-mère bien-aimée, l'en dissuadèrent. Il dut suivre l'office, au supplice, échangeant des signes de tête polis avec les visages familiers. La mère de Morag était là aussi, avec son ventre rebondi, pour lui rappeler pourquoi il fallait mettre fin aux agissements du père Michael. Farcett scruta les bancs de l'église à la recherche de Maggie Goudie, et la repéra, dans un coin, qui lui souriait. Elle était aux côtés de John MacLean. Et à ses pieds, dans un couffin, rose et bien joufflu, dormait le petit Jimmy, symbole d'espoir pour Tarimond.

Ce n'était pas exactement l'arrivée que Farcett avait imaginée. Ce n'était pas le lieu qui convenait pour accuser le père Michael ou même Maggie. Emporté par la foule des fidèles, le médecin fut forcé de suivre le cortège funèbre. Devant la tombe, il observa Jimmy, maintenant bien réveillé, qui gazouillait dans les bras de son père. Des larmes de soulagement coulèrent le long de ses joues.

– Enfin, docteur, le consola le père Michael, Elspeth était une vieille dame. Elle a eu une belle vie. Elle repose en paix désormais, délivrée des souffrances de la vieillesse. Il ne faut pas pleurer.

– Je ne pleure pas pour elle, répliqua Farcett en s'efforçant de rester courtois. C'est juste que...

Il hésita.

– ... Je suis... je suis très, très fatigué.

– Venez donc vous reposer dans la chambre que vous occupiez autrefois, proposa le prêtre.

– Oui, c'est un vrai bonheur de vous revoir parmi nous ! s'exclama Maggie. Mais vous êtes épuisé. Allez vous coucher et nous nous retrouverons demain matin.

John MacLean lui tendit le petit Jimmy. Lorsque le docteur prit dans ses bras le précieux ballot de linge, les larmes lui montèrent à nouveau aux yeux.

– Allez, venez, mon ami, dit le père Michael en passant un bras autour de ses épaules. Vous êtes mort !

Et Farcett le suivit. Il avait laissé passer l'occasion. Il ne pouvait pas faire de scandale. Il se retrouvait piégé chez un homme qui, pour lui, était l'incarnation du diable. Et pourtant, il obéit. Il se mit au lit.

44
Vengeance

Farcett mit plus d'une heure à trouver le sommeil, puis finit par s'endormir, vaincu par l'épuisement. Il se réveilla au beau milieu de la nuit. Tout Tarimond dormait et le silence régnait dans la maison. Il s'habilla, puis se faufila dehors, dans le noir. Il resta assis en haut de la falaise jusqu'à l'aube, à chercher ce qu'il répondrait si les gens lui demandaient pourquoi il était revenu. Il se prépara intérieurement aux deux confrontations qu'il redoutait tant. Il avait décidé d'aller d'abord trouver le père Michael, et ensuite Maggie Goudie. Mais quelque chose vint bouleverser ses plans.

Il entendit un bruissement dans les roseaux.

– Robert ?

C'était la douce voix de Maggie. Elle se tenait derrière lui, un panier à la main.

– Je vous ai apporté des œufs pour le petit déjeuner, dit-elle. Je n'ai pas pu fermer l'œil de la nuit. Je me doute que vous avez dû revenir parce qu'il y a du nouveau dans notre enquête. Je ne pouvais plus attendre. Alors, les spécialistes savent-ils de quoi sont morts les bébés ?

Farcett la dévisagea. Son expression inquiète n'avait rien de commun avec l'air anxieux et coupable d'un assassin craignant d'être démasqué. Elle n'était que douceur, vie, amour. Il essayait de se répéter de ne pas se laisser troubler, mais répondit pourtant gentiment :

– Oui, Maggie. Ils ont découvert pourquoi. Et ce n'est pas une bonne nouvelle. C'est même tragique. Maggie, vous allez sans doute avoir du mal à l'entendre, mais il n'y a pas d'autre explication. J'ai montré notre dossier à l'un des plus éminents spécialistes de Londres, que je respecte et en qui j'ai une absolue confiance. Et il n'a aucun doute : les bébés ont été assassinés. Tous.

– Mais qui ferait une chose pareille ? demanda-t-elle d'une voix étranglée.

Farcett se leva, sans un mot, les yeux rivés sur l'horizon. Puis il se retourna vers elle, se demandant si elle serait capable de tuer.

– Robert, dites-moi. Savez-vous qui a fait ça ? Et comment ?

S'il ne pouvait toujours pas se résoudre à l'accuser, il pouvait au moins lui expliquer la méthode.

– Empoisonnement. Une toxine à action lente. Que personne ici n'aurait été en mesure de déceler.

– Mais qui voudrait empoisonner un bébé ? s'étonna-t-elle, incrédule. Et qui pourrait approcher chaque enfant...

Elle s'interrompit, comprenant à l'expression de Farcett qu'elle faisait partie des suspects.

– Vous pensez que c'est moi, n'est-ce pas ? Robert, comment pouvez-vous imaginer une chose pareille ?

– Pas vous seule… non…, bafouilla-t-il.

– Comment ! Vous vous figurez qu'il existe un réseau d'assassins sur l'île et que je suis à leur tête ! Oh, Robert, réfléchissez. Vous me connaissez. Jamais je ne pourrais faire de mal à un enfant !

– Mais lui oui.

– Lui ? Qui ça, « lui » ? Nous sommes de paisibles gens de la campagne. Où se cache le meurtrier, d'après vous ?

– Là-bas, il dort tranquillement dans son lit, répondit Farcett en désignant la maison du prêtre. Puis il va se réveiller et manger un bon petit déjeuner, avec des œufs, du bacon et du porridge fournis par les paysans dont il tue les enfants !

– Le père Michael ? Je n'y crois pas une seule seconde. Je ne peux pas y croire. Je le connais depuis des années. C'est moi qui l'ai fait venir ici…

Elle réalisa ce qu'elle venait de dire.

– Ah… c'est donc pour ça que vous me suspectez, n'est-ce pas ?

– Oui, c'est l'une des raisons. Vous êtes les deux seuls à avoir eu la possibilité de le faire. Vous rendez visite à chaque nouveau-né, vous restez seuls avec le bébé. Mais je dois admettre qu'il possède un mobile plus évident que vous…

– Et quel est-il ?

– Le pouvoir. La domination de ses fidèles par la peur. Nous l'avons tous les deux vu à l'ouvrage. Vous savez comment il se conduit dans sa propre église.

– Oui, mais je sais aussi comment il se comporte en privé, tout comme vous, répliqua Maggie. C'est un homme bon. Il m'a aidée à tenter de sauver ces bébés.

– Exactement, Maggie. Il a toujours été là. Et à chaque décès, il renforçait son pouvoir sur les habitants de l'île, il les ramenait vers son église. Réfléchissez, Maggie. Que savent les gens de Tarimond de cet homme ? Pourquoi est-il venu s'installer ici ?

– Il est venu parce que je le lui ai demandé ! s'écria Maggie en fondant en larmes. Parce que nous étions amis !

Farcett revit les deux silhouettes si proches l'une de l'autre sur cette falaise, à cet endroit même.

– Amis ? Juste amis ?

– Que voulez-vous dire ? Insinuez-vous que j'ai une relation avec lui ?

Et soudain, la calme et douce Maggie assena à Farcett une gifle qui lui laissa la joue cuisante.

Il brûlait de honte.

– Maggie, je ne sais plus que penser. Je n'ai aucune envie de croire que vous êtes une meurtrière. Mais si ce n'est pas vous, alors c'est le père Michael. La police de Glasgow se renseigne à son sujet. Ils vont sans doute bientôt venir l'arrêter.

– Alors pourquoi êtes-vous revenu ? Pourquoi ne pas laisser la police régler l'affaire ?

– Je suis revenu pour Jimmy. Je voulais être sûr qu'il allait bien.

– Il est en parfaite santé. Le père Michael n'est pas en train de l'empoisonner.

– Bien sûr, il sait que nous menons l'enquête. Il ne s'y risquera pas. Vous ne comprenez pas ? Le fait même que Jimmy ait survécu prouve que le père Michael est coupable.

– J'espère que vous vous trompez ! s'écria Maggie, les traits déformés par l'émotion. Oh, Robert, j'espère que vous vous trompez !

– Mais il s'avère que la police pense que j'ai raison, répliqua Farcett, tendant le doigt vers le large.

Venue de l'autre côté de la baie, une grande barque approchait. Deux hommes en uniforme ramaient, tandis que deux autres, à la proue, éclairaient les flots à la lanterne.

– Ils vont m'arrêter aussi, n'est-ce pas ? réalisa Maggie. Robert, je vous le jure, que le père Michael soit coupable ou non, je n'ai jamais voulu faire de mal à personne.

Il la regarda dans les yeux. Il la croyait.

– Rentrez chez vous, Maggie. Je me charge de la police. L'affaire est entre leurs mains désormais. Et ils savent que, de toute manière, vous ne pouvez pas vous échapper.

– Non, je reste, décréta-t-elle courageusement. Je sais que je suis innocente.

Elle descendit donc sur le rivage avec le docteur pour aider le bateau à accoster.

– Je suis le docteur Farcett, annonça-t-il au premier policier qui posa pied à terre. J'imagine que vous avez reçu le rapport du docteur Dougall.

Le brigadier lui serra la main et l'attira à l'écart.

– Effectivement, docteur. Par ailleurs, notre enquête nous a révélé des faits troublants au sujet du père Michael. Nous sommes venus l'arrêter.

– Et Maggie Goudie ? demanda Farcett tout en lui faisant signe d'approcher. La voici. Elle assure n'avoir rien à voir avec cette affaire. Je dois vous avouer que je la pensais coupable. Mais maintenant, croyez-moi, je n'en suis plus sûr du tout.

– Nous n'avons trouvé aucune preuve contre cette dame, docteur, répondit le policier.

Farcett ferma les yeux, laissant échapper un soupir de soulagement, tandis qu'il poursuivait :

– Nous sommes venus pour le prêtre, docteur. Est-il chez lui ?

Le médecin les conduisit jusqu'à la maison du prêtre. Le père Michael était dans sa cuisine, sifflotant gaiement en se préparant une tasse de thé. Les policiers entrèrent sans frapper. Restés dehors, Maggie et Farcett entendirent d'abord un bonjour surpris, puis quelques explications confuses, et enfin un grand cri de dénégation. Les habitants de l'île, ayant aperçu le bateau, étaient venus voir de quoi il retournait. Il faisait jour maintenant. Le père Michael finit par sortir, les mains libres, mais encadré par deux policiers. Il s'arrêta pour s'adresser à la foule toujours plus nombreuse. Sa robe flottait au vent et ses cheveux hirsutes volaient en tous sens. Il avait repris l'allure menaçante qu'il arborait lorsque Farcett l'avait vu pour la première fois.

– Mes amis ! tonna-t-il. Je vous en conjure, ne croyez pas un mot de ce qu'on vous raconte sur moi. Ces hommes prétendent que j'ai tué vos enfants. Ils m'emmènent sur le continent, mais je vais rétablir la vérité. Priez pour moi, je vous en supplie. Je m'en vais, mais je reviendrai, je vous le promets.

La plupart des habitants de l'île n'avaient entendu que quelques bribes de son discours. On se questionnait, on s'interrogeait les uns les autres pour savoir ce qu'il avait dit. En quelques instants, les soupçons se changèrent en conviction, et la nouvelle se répandit que le père Michael avait éliminé toute une génération des enfants de Tarimond.

L'un des agents se tourna vers Farcett.

– Pourriez-vous nous accompagner, docteur ? Nos services de Glasgow souhaiteraient vous interroger.

Le médecin s'en fut chercher son sac chez le prêtre, se frayant un passage parmi la foule qui s'était amassée, avide d'informations. Le policier lui demanda de se presser, mais tout en marchant, Farcett tentait de leur livrer des explications, et les habitants de l'île se répétaient en écho ses propos. Le mot « poison » résonnait dans toutes les bouches.

Une fois sur la plage, Farcett s'arrêta pour dire au revoir à Maggie.

– Je vous pardonne, Robert ! s'exclama le père Michael, déjà dans le bateau de la police. Mais vous vous trompez. Vous vous trompez, Robert.

La véhémence de ses protestations atteignit le médecin en plein cœur.

– Qu'ai-je fait ? chuchota-t-il en serrant Maggie dans ses bras pour la dernière fois.

— Si vous avez raison, Robert, vous avez fait ce qu'il fallait, répondit-elle, le visage rougi par les larmes. Nous voulions savoir pourquoi nos enfants mouraient, et vous l'avez découvert. En éliminant la cause de cette hécatombe, vous sauvez des vies. Dieu sait si je m'en veux. C'est moi qui ai amené le père Michael sur cette île. Je l'ai supplié de venir. Que Dieu me pardonne !

— Non, Maggie, fit Farcett en l'embrassant sur le front, vous n'avez rien à vous reprocher. Je vous présente mes excuses pour tout ce que je vous ai dit. Je vous écrirai, Maggie. Et je vous en prie, écrivez-moi aussi.

La nouvelle s'était entre-temps répandue dans toute l'île. Les gens arrivaient de partout. Ils s'agrippèrent au manteau de Farcett tandis que les policiers le faisaient monter à bord de leur bateau. Avant même qu'ils aient largué les amarres, la stupéfaction de la foule s'était transformée en rage bouillonnante. Quelqu'un jeta un caillou qui écorcha le front du prêtre. Il tomba à genoux, et se mit à prier frénétiquement. Les policiers accélérèrent le mouvement, ramant de plus en plus vite pour s'éloigner de la foule en furie. Mais avant d'avoir atteint l'île voisine, ils voyaient déjà les flammes dévorer le toit de la maison du prêtre. Pour les familles en deuil, l'heure de la vengeance avait sonné.

45
Adieu, Contessa

En l'absence du docteur Farcett, Montmorency et Fox-Selwyn eurent fort à faire, non seulement avec les suites de l'affaire O'Connell, mais également avec Vi et sa mère. La jeune femme s'était merveilleusement adaptée à la vie au Marimion, jouant ses rôles de fille et de servante à la perfection, et gagnant la faveur des autres domestiques – sans parler un traître mot d'anglais. Le personnel, sous le charme, ne voyait pas ce qu'elle trouvait à Lecassé, en compagnie de qui elle sortait fréquemment, ils formaient cependant un beau couple. Tout comme Violetta et Montmorency. La menace de l'homme au sac écartée, Vi et sa mère n'avaient plus de raison de rester enfermées à l'hôtel, mais les hommes n'avaient pas le cœur de les renvoyer dans l'humidité de Covent Garden, d'autant que Mme Evans n'était pas au mieux.

La riche cuisine du Marimion avait aggravé son état de santé, qui n'était déjà pas florissant au départ. Il y avait un avantage certain à son déclin : ses jurons avaient cédé la place aux geignements, puis au silence, maintenant qu'elle passait ses journées à dormir. Et c'était tant mieux, car le docteur n'était pas là pour lui administrer des calmants. Lorsqu'il revint au bout de dix jours, Farcett confirma qu'il n'y avait plus aucun espoir et, moins d'une semaine après, elle s'éteignit sans souffrance durant la nuit. Ayant rendu son dernier souffle dans le cadre somptueux du Marimion, il semblait approprié qu'elle soit enterrée en grande pompe. Le lord lui paya un corbillard tiré par des chevaux emplumés, et la famille réduite de la défunte (Violetta, Montmorency, Fox-Selwyn et Farcett) assista à un court, mais très digne service funéraire en l'église Saint James de Piccadilly, suivi d'un enterrement dans l'un des cimetières les plus chics de Londres. Vi emménagea ensuite chez Fox-Selwyn, en attendant de trouver un logement, et Montmorency retrouva sa petite chambre chez Bargles.

C'est là – à l'Affamé Majeur, plus précisément – que, le lendemain des funérailles, la conversation dévia sur le procès du père Michael. Le docteur Farcett, que la police de Glasgow tenait informé du déroulement de l'affaire, donnait régulièrement des nouvelles à ses amis.

– Alors ce monstre leur a-t-il avoué quel poison il utilisait ? demanda Montmorency.

– Non, répondit le docteur, il clame toujours son innocence. Pour un homme qui a recueilli des milliers de confessions, il ne semble guère disposé à faire la sienne.

– A moins qu'il ne soit pas coupable, remarqua Fox-Selwyn d'un ton détaché. Vous possédez aussi peu de preuves dans cette affaire que nous dans la nôtre ! Si nous n'avions pas obtenu les aveux d'O'Connell, la police aurait dû le relâcher, vous savez.

— Ce serait un scandale que le père Michael s'en sorte sans être inquiété.

— Mais ce serait également un scandale s'il s'avérait qu'il y a une autre explication, intervint Montmorency.

— Écoutez, répliqua Farcett, vous connaissez Maggie Goudie. En toute honnêteté, pouvez-vous croire qu'elle soit coupable ?

— Absolument pas, et vous savez que j'ai toujours trouvé ce prêtre étrange et inquiétant. Même s'il nous a évité le supplice de dormir dans le lit des parents de Morag !

Fox-Selwyn fit signe au serveur :

— Sam, apportez-nous donc de la sauce !

Ils enchaînèrent alors sur l'épisode comique de leur première nuit à Tarimond. Après le dîner, le docteur Farcett et Montmorency rejouèrent la scène sur la petite banquette des « Conspirateurs », tandis que Fox-Selwyn les observait, hilare. A minuit, ils se séparèrent et regagnèrent chacun leurs pénates, les côtes endolories par le rire.

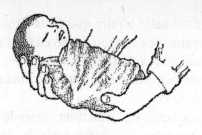

46
Pourquoi Jimmy?

Cette nuit-là, Farcett se réveilla en sursaut à trois heures du matin. Ces derniers temps, il ne dormait pas bien. Le drame de Tarimond le poursuivait sans relâche. Il y avait d'abord eu les cauchemars avec le visage torturé du père Michael au moment où les policiers l'emmenaient. Et maintenant, c'était les mots de Montmorency qui le torturaient. Et s'il y avait une autre explication possible à tous ces décès? Fox-Selwyn avait raison. A strictement parler, ils ne détenaient que peu de preuves contre le prêtre. Certes, depuis son arrestation, les habitants de l'île s'étaient soudain souvenus que, en telle ou telle occasion, il avait eu un comportement étrange. Certains se rappelaient des regards bizarres ou de sinistres paroles. D'autres prétendaient qu'il s'était intéressé d'un peu trop près à Maggie et à son école. Mais il était tout de même étonnant que tout cela resurgisse maintenant, alors que personne n'en avait parlé auparavant. La police de Glasgow aussi avait recueilli des témoignages – assez inquiétants pour venir sur-le-champ arrêter le prêtre sur Tarimond. Mais à quoi se résumaient-ils, en définitive ? Parmi les anciens paroissiens du père Michael, certains ne l'appréciaient guère. Le bruit courait qu'il buvait. Des infirmières s'étaient plaint qu'il traînait toujours dans l'hôpital, en particulier à la maternité, et passait son temps à câliner les nourrissons et à discuter avec le personnel. Avait-il profité qu'elles aient le dos tourné pour subtiliser du poison ? Ou s'agissait-il simplement d'un homme d'église excentrique qui s'efforçait de remplir sa mission de son mieux ?

Farcett fit alors ce qu'il faisait chaque fois que ses souvenirs de Tarimond le tourmentaient. Il prit la précieuse savonnette de Maggie dans le tiroir de sa table de nuit. Son seul parfum suffisait à le transporter là-bas. Il lui rappelait le calme et l'efficacité de Maggie, les jours heureux où ils avaient travaillé côte à côte pour améliorer le quotidien des habitants de l'île.

Mais malgré ses soudains accès de sensiblerie, Farcett avait l'esprit scientifique. Cette terrible affaire de poison préoccupait toujours la partie de son cerveau qui se nourrissait de faits objectifs et concrets. Cette faculté, un moment obscurcie par la fureur et la jalousie qu'il éprouvait envers le père Michael, réclamait maintenant une réponse aux questions qu'il avait éludées jusque-là. Et si ces empoisonnements avaient une cause naturelle ?

L'étude du cas du petit Jimmy lui révélerait sans doute la clef de l'énigme. Comment expliquer qu'il ait survécu dans un environnement où tous les autres bébés étaient morts ? Était-ce simplement parce que le meurtrier craignait de se faire prendre, rendu méfiant par la présence sur l'île de Farcett et de Montmorency ? Ou bien se pouvait-il que Jimmy n'ait pas été en contact avec l'élément naturel qui avait empoissonné les précédents nouveau-nés ?

Farcett remonta aux tout premiers instants de la vie de Jimmy, quand Maggie l'avait mis au monde. Il s'efforça de retrouver l'enchaînement précis des événements, serrant dans sa main le savon de Maggie.

Maggie avait amené le petit Jimmy à son père. Farcett s'en souvenait. Ensuite, elle n'avait plus quitté le chevet de Jeannie. Jusqu'à ce qu'elle décède. Et, même alors, la sage-femme était restée pour la nettoyer, l'arranger, la laver, la parfumer avec son savon…

Le savon ! Était-ce possible ? Il était uniquement constitué d'huile, d'herbes et de fleurs de l'île. Il ne pouvait être nocif ! Toutes les mères l'utilisaient, et aucune n'était tombée malade.

Mais Donald Dougall avait précisé que les nourrissons pouvaient succomber à des toxines qui ne provoquaient aucune réaction chez des sujets plus âgés. Maggie Goudie offrait son savon à toutes les jeunes mères. Elle s'en servait pour débarbouiller les nouveau-nés. Oh, comme il l'avait complimentée pour son hygiène irréprochable ! Mais le petit Jimmy MacLean n'avait pas été lavé avec cette savonnette. C'était le docteur Farcett qui l'avait baigné dans l'évier de la cuisine, avec le savon qu'il avait trouvé là. Les autres bébés de Tarimond avaient été nourris par leurs mères, tétant leurs seins nettoyés avec le savon de Maggie. Jimmy MacLean avait, lui, bu du lait de chèvre dans une cruche stérilisée à l'eau bouillante. Et qui l'avait bercé jusqu'à ce qu'il s'endorme ? Son père, tellement accablé de chagrin et de travail qu'il ne se lavait presque jamais. Et qui l'avait dorloté ? Le docteur Farcett lui-même, qui lui se lavait sans arrêt, mais avec son fameux savon phéniqué qui lui donnait une odeur aussi caractéristique, à sa façon, que les huiles, herbes et fleurs de Maggie. Voilà en quoi la vie du petit Jimmy avait été différente. Voilà pourquoi il avait survécu. Il n'avait pas été en contact avec le savon de Maggie Goudie.

Farcett examina la savonnette, sa pâte pâle et huileuse constellée de morceaux de feuilles et de pétales. Contenait-elle quelque microbe ou agent chimique nocif pour le petit organisme des nourrissons ? Il l'enveloppa dans un mouchoir propre et la glissa dans la poche de sa veste, qu'il avait posée sur le dossier d'une chaise.

Durant toute son enquête sur la mort inexpliquée des enfants de Tarimond, il s'était représenté ce moment où le mystère serait enfin résolu. Il avait même laissé sa vieille ambition resurgir par instants, imaginant le public en admiration devant cette prouesse scientifique. En secret, il voyait déjà pleuvoir récompenses et applaudissements, il retrouvait le respect de ses collègues en reconnaissance de cette victoire éclatante dans le domaine de la santé publique. Même en mettant de côté la célébrité et la gloire professionnelle, il se représentait, menant une vie tranquille, apaisé par la satisfaction d'avoir rempli sa mission. La perspective de sauver les vies futures de Tarimond ne pouvait lui apporter que de la joie, n'est-ce pas ? Et pourtant, ce soir, seul dans sa chambre, il se sentait accablé de tristesse. Il allait faire analyser le savon, même si la concentration de toxine risquait d'être trop faible pour être détectée. Mais au fond de son cœur, il savait que sa théorie était juste, et que sa douce amie, Maggie Goudie, avait, sans le vouloir, été à l'origine d'un drame terrible.

Il consulta sa pendule. Il était quatre heures et demie du matin. Il lui fallait attendre plus de cinq heures avant d'emmener la savonnette au laboratoire pour la faire analyser. Le docteur Dougall était censé être le principal témoin à charge au procès du père Michael. Mais si la théorie de Farcett se révélait juste, Dougall pourrait bien devenir le pilier de la défense.

Lorsque le médecin finit par s'endormir, bien loin de là, sur Tarimond, la mère de Morag se tournait et retournait dans son lit. Le bébé s'agitait dans son ventre, elle n'arrivait pas à trouver une position confortable. Son mari avait depuis plusieurs semaines quitté le lit-armoire pour dormir par terre, sur un matelas. Elle caressa son ventre bombé. Il n'y en avait plus pour longtemps, maintenant.

47
Course contre la montre

L'insistance de Farcett à faire analyser sa savonnette exaspéra Donald Dougall, mais il finit par accepter. Il avait promis à ses collègues qu'il serait passionnant de travailler aux côtés du docteur Farcett – il entendait « passionnant » dans le sens professionnel, louant les talents de chirurgien de ce médecin particulièrement doué. Il n'avait pas imaginé assister à un tel défilé de policiers, être mêlé à une enquête criminelle et voir sans arrêt son ami disparaître dans le nord du pays. Car Farcett avait décidé de repartir. Comme la mère de Morag était sur le point d'accoucher, il souhaitait empêcher Maggie Goudie d'utiliser son savon, au cas où. Il ne voulait même pas attendre les résultats des analyses. Il allait prendre le train sur-le-champ. Après avoir annoncé sa décision à Dougall, Farcett se rendit chez Lord Fox-Selwyn pour lui faire part de ses intentions.

– Vous serait-il possible d'emmener Vi avec vous ? demanda le lord. Chivers n'ose pas se plaindre, mais je crois qu'elle le fait tourner en bourrique.

– Elle pourrait m'être utile, reconnut Farcett. Elle attendrait sur le continent les résultats d'analyse que Dougall doit m'envoyer, puis elle me les apporterait. En y réfléchissant, Montmorency souhaiterait peut-être nous accompagner également. Je vais le lui proposer.

– Oh, et puis flûte ! Pourquoi n'irions-nous pas tous ensemble ? suggéra Fox-Selwyn. J'ai très envie de découvrir votre fameuse île, et puis je vais m'ennuyer tout seul ici... Voyons si mon cher cordon-bleu peut nous préparer du caramel pour le voyage.

La cuisinière de milord s'en sortit avec brio. Ils partirent avec un assortiment de viandes froides, de la salade, un énorme pâté en croûte, des fruits, des petits gâteaux et, bien sûr, l'indispensable caramel. Vi fut subjuguée par la beauté du paysage givré qui défilait par la fenêtre du train. Montmorency était heureux d'enterrer ainsi les affreux souvenirs de son premier voyage vers l'Écosse. A la dernière minute, Fox-Selwyn se défila, effaré à la pensée du logement spartiate qui l'attendait sur Tarimond, et proposa d'être celui qui resterait à Glasgow pour attendre le courrier de Donald Dougall. Entre dîners fins, musées et spectacles, il rendit visite au père Michael en prison et lui apprit les dernières nouvelles. A l'inverse de Montmorency, il trouva ce mélange de fragilité humaine et de spiritualité profonde que l'on sentait chez le vieux prêtre plutôt attachant. Avant même que le rapport du docteur Dougall n'arrive, il avait l'intuition que cet homme était innocent. Le père Michael, de son côté, remerciait Dieu chaque jour de lui avoir envoyé ce nouvel ami.

Farcett, Montmorency et Vi trouvèrent un marin qui accepta de les emmener d'une traite jusqu'à Tarimond. Bien avant de toucher le rivage, ils aperçurent au loin le squelette carbonisé de la maison du prêtre. Farcett savait déjà ce qu'il ferait en arrivant : aller trouver Maggie Goudie et lui présenter ses excuses pour tout ce qu'il avait dit et fait. Il devrait ensuite lui exposer sa théorie, même si cela risquait d'être une terrible épreuve pour elle. Montmorency se rendit chez Morag en compagnie de Vi, où la famille attendait, pleine d'espoir : la mère de Morag devait accoucher d'un instant à l'autre. Elle était convaincue que, désormais, le père Michael étant sous les verrous, ce bébé avait une chance de survie, aussi ses visiteurs préférèrent-ils ne pas lui apprendre les dernières nouvelles. Montmorency donna un coup de main dans la grange, tandis que Morag et Vi faisaient connaissance tout en lavant la vaisselle.

Au début, Morag fut un peu intimidée par l'allure sophistiquée de Vi, mais ses manières simples et ses questions sans détour délièrent bientôt la langue de la jeune fille.

– Ils forment une drôle d'équipe, ces trois gentlemen, n'est-ce pas ? remarqua Vi. Toujours à courir le pays pour résoudre les problèmes des autres.

– Oui, mais ils ont aussi quelques soucis de leur côté, vous savez. M. Montmorency n'était pas au mieux de sa forme lorsque je l'ai vu pour la première fois.

– C'est vrai ? s'étonna Vi, puis avec un clin d'œil grivois, elle ajouta : Il m'a pourtant toujours semblé en pleine santé ! Qu'est-ce qui n'allait pas ?

Réalisant qu'elle avait peut-être été trop loin, Morag changea de sujet.

– Oh, rien ! Le docteur Farcett l'a vite guéri. Vous l'avez connu à Londres, lui aussi ?

– Oui, il passait souvent à notre hôtel. Il s'est bien occupé de maman… jusqu'à sa mort, bien entendu, mais c'était pas sa faute. En fait, j'ai toujours eu l'impression que le cœur du docteur n'était pas à Londres, mais plutôt par ici, si tu vois ce que je veux dire.

– Tu veux parler de Maggie Goudie, hein ? On a tous remarqué qu'il avait un petit faible pour elle. Je me demande s'il va rester ici pour l'épouser. Ce serait un exploit parce qu'y en a plein qu'ont essayé. Tiens, elle a brisé le cœur de mon oncle Harvey il y a quelques années. Ils se fréquentaient depuis un bon moment, et puis il lui a demandé de l'accompagner quand il a été embauché à Glendarvie, mais elle a refusé. Ce maudit prêtre a réussi à la convaincre de rester ici – on avait soi-disant besoin d'elle pour soigner les gens. Harvey lui a jamais pardonné, mais en fait ça valait sans doute mieux. Elle ne l'aimait pas vraiment, hein, puisqu'elle voulait pas le suivre… Harvey m'a raconté de ces histoires à propos du père Michael ! Il les tenait de Maggie, à l'époque où ils sortaient ensemble. Tout ce qu'il avait fait à Glasgow. Harvey prétend qu'un jour il a aidé une vieille dame à mourir. C'est un péché, ça. Il ira en Enfer. Et puis maintenant on sait qu'il tuait les bébés. Il était terrifiant. On savait tous qu'y avait quelque chose qui clochait chez lui, mais il nous faisait trop peur.

Comme on lui avait recommandé de ne pas parler du prêtre, Vi dirigea la conversation sur Glendarvie.

– Tu as travaillé au château, pas vrai ? J'ai entendu Lord Fox-Selwyn parler de toi.

– Oui, j'étais au service de son frère et de sa belle-sœur. Mais pas très longtemps. C'est magnifique, comme endroit. J'avais la belle vie. Mais je vais te dire, je préfère vivre libre ici, que de devoir servir quelqu'un là-bas. Vous les riches, vous avez de l'eau chaude au robinet et des belles cafetières, mais nous nous avons le ciel et la liberté. Alors je préfère travailler dur ici plutôt que de devoir suivre une lady comme un petit chien.

– Riches ? s'esclaffa Vi. Oh, si tu savais. Là où j'habite, c'est la misère et la crasse, tu peux pas imaginer.

Vi lui décrivit alors sa maison de Covent Garden, et s'exclama :

– Moi, je te dis, ici, vous avez la belle vie !

A cet instant, la mère de Morag entra dans la petite maison en se tenant le ventre.

– Morag, file prévenir Maggie ! cria-t-elle. Je crois que c'est l'heure !

Vi l'installa confortablement en attendant Maggie et le docteur. Ils arrivèrent juste à temps pour mettre une petite fille au monde sans le moindre souci. Sa mère la nomma Violette, en honneur de la dame si gentille et si drôle qui lui avait tenu la main pendant les pires moments de l'accouchement, et préparé une bonne tasse de thé après. Violette et sa mère sentaient le savon phéniqué, pas la rose ni les herbes, et ce bébé avait toutes les chances de survivre et de partager bientôt les jeux du petit Jimmy.

48
Les résultats

Deux jours plus tard, Montmorency coupait du bois en haut de la falaise, lorsqu'il repéra une barque approchant du rivage. L'imposant gentleman paresseusement affalé sur le banc arrière faisait pencher si fortement le bateau vers la poupe que l'homme qui le conduisait avait du mal à plonger ses rames dans l'eau. Montmorency, reconnaissant aussitôt son vieil ami, appela Vi, qui ramassait les plus gros éclats de bois pour allumer le feu.

– Voilà Lord George Fox-Selwyn ! cria-t-il. Toujours aussi élégant !

Il lui adressa de grands signes.

Repérant la silhouette familière, le lord voulut se mettre debout pour répondre, et l'embarcation tangua dangereusement. Elle allait se retourner, elle allait se remplir d'eau et couler… Mais non, elle se stabilisa finalement, tandis que le gigantesque gentleman peinait à garder son équilibre et que l'homme le tirait par le bas de son manteau, l'implorant de se tenir tranquille. Cependant, tandis que Fox-Selwyn tentait de se rasseoir, le bateau tressaillit une dernière fois avant d'arriver sur le rivage, et le lord passa par-dessus bord. Montmorency se précipita au secours de son ami, dont les premiers pas sur Tarimond promettaient d'être semblables aux siens : humides et dégoulinants !

Comme lui, il passa sa première soirée sur l'île à regarder ses beaux vêtements sécher, pendus au-dessus du feu chez les parents de Morag.

– Ôtez les papiers de ma poche ! cria Fox-Selwyn, emmitouflé dans des couvertures rugueuses. Ce sont les résultats d'analyse qu'a envoyés Dougall.

Montmorency secoua le document trempé page par page. L'encre avait coulé. Le texte était presque illisible, on ne distinguait que quelques mots ici et là : « bactéries », « toxines » et « animales ».

– Une chance que j'aie lu le rapport avant de venir, remarqua le lord. Il s'avère que Robert avait vu juste. Le savon était truffé de microbes provenant de l'huile, apparemment. Rien qui puisse affecter un adulte, mais ils étaient fatals aux nourrissons. Une fois leur organisme contaminé, ils n'avaient pas les moyens de lutter contre l'infection. Ils tentaient de résister, c'est pour cela qu'ils survivaient aussi longtemps. Mais les pauvres petits étaient condamnés dès le départ.

Le docteur Farcett les rejoignit et tenta à son tour de déchiffrer les résultats.

– Des toxines d'origine animale ! s'exclama-t-il. D'où proviennent-elles donc ? Le savon est exclusivement composé d'huile végétale et de plantes.

– Mais vous avez vu où Maggie range les ingrédients ? intervint Montmorency, revoyant la rangée de petits ballons pendant d'une perche au plafond de sa cuisine. Elle conserve l'huile dans des estomacs d'oiseaux de mer, et le savon dans une panse de brebis, pour l'empêcher de sécher. Voilà peut-être l'explication...

– Eh bien, quoi qu'il en soit, bravo, Robert ! le félicita Fox-Selwyn en agitant sa veste trempée devant le foyer. Vous aviez raison.

Mais le médecin ne partageait pas son enthousiasme.

– Raison ? Oui, peut-être, en définitive, mais regardez le mal que j'ai fait en chemin. Le pauvre père Michael, vous imaginez ? Vous avez vu sa maison, George ? La carcasse brûlée au sommet de la falaise ? Eh bien, tout ça, c'est ma faute. J'ai tiré des conclusions hâtives, je l'ai fait arrêter et traîner en prison. Je ne mérite aucun compliment.

Fox-Selwyn le dévisagea d'un air grave.

– Robert, vous avez fait ce qui vous semblait juste. Tout comme Montmorency et moi lorsque nous avons conclu que l'homme au sac avait posé la bombe de Waterloo. Nous n'avions aucune preuve véritable, nous nous sommes basés sur des faits isolés et surtout fiés à notre instinct. Mais nous avons fait ce qui nous semblait juste, nous l'avons fait arrêter. Et nous l'avons fait avouer.

Montmorency eut une pensée pour O'Connell, qui entamait sa longue peine à la prison de Londres, sans se douter du piège qu'on lui avait tendu. Il s'estimait heureux d'avoir échappé au gibet, sans s'imaginer qu'il aurait normalement dû échapper à la prison. Il avait bien commis un crime, mais on lui avait illégalement arraché ses aveux.

– Nous avons eu de la chance, c'est tout, affirma Montmorency. Il se trouve que nous avions raison, et le ministre de l'Intérieur nous considère désormais comme de véritables héros. Vous aussi, vous avez fait de votre mieux, Robert. Vous vous êtes trompé, mais vous avez agi ainsi dans le but de sauver d'innombrables vies.

– Et au lieu de ça, j'ai brisé celle d'un homme de grande valeur, murmura le docteur Farcett, que la démonstration n'avait pas convaincu.

Le brusque changement d'humeur de ses amis inquiéta Fox-Selwyn.

– Allez ! Essayez de voir les choses du bon côté ! Fini les décès inexpliqués, les enfants de Tarimond vont pouvoir vivre et grandir sur leur île !

Il posa la main sur l'épaule de Farcett avant de poursuivre :

– Et le père Michael s'en remettra. La police l'a relâché. Il voulait m'accompagner, mais je lui ai conseillé d'attendre que les habitants de l'île sachent ce qui s'est véritablement passé. Après toute cette affaire, je crois même préférable qu'il trouve une nouvelle paroisse, et Tarimond un nouveau prêtre. Mais il vous a pardonné, Farcett. Il sait que vos intentions étaient bonnes.

Le médecin était toujours au comble du désespoir.

– Il va maintenant falloir que j'apprenne les résultats des analyses à Maggie, marmonna-t-il.

– Non, c'est inutile, fit une voix qu'il connaissait bien.

Maggie Goudie venait d'arriver, mais elle en avait entendu assez pour deviner que le rapport du docteur Dougall confirmait les soupçons de Farcett, et qu'elle avait sans le vouloir causé toutes ces morts.

Puis-je voir les résultats d'analyse ?

Montmorency lui tendit la liasse trempée qu'elle s'efforça de déchiffrer à son tour.

— Des toxines d'origine animale, lut-elle à haute voix. Comment est-ce possible ? Mon savon est fait d'huile végétale, de feuilles et de pétales.

Montmorency l'interrompit :

— Que vous conserviez dans des estomacs d'oiseaux et d'animaux.

Maggie tomba à genoux en réalisant qu'elle avait hébergé ce poison dans sa propre cuisine.

— Que Dieu me pardonne !

— Il vous pardonnera, Maggie, fit la douce voix de la mère de Morag. J'ai perdu cinq bébés, mais je sais que vous n'avez pas voulu leur mort.

Le calme et la dignité avec lesquels elle avait prononcé cette phrase laissèrent les hommes admiratifs.

— Reste à espérer que tous les habitants de l'île le prendront ainsi, glissa Montmorency à l'oreille de Fox-Selwyn.

Il ne voulait pas effrayer Maggie, mais il redoutait une nouvelle flambée de haine et de violence. Il avait encore en mémoire la scène qui s'était produite lorsque la police était venue arrêter le père Michael.

— Je dois informer les gens sur les véritables causes de ces décès, décréta le docteur Farcett, fixant les flammes. Montmorency, faites sonner la cloche de l'église et rassemblez la population.

Ils s'en furent donc vers la falaise, laissant Maggie aux bons soins de Fox-Selwyn.

49
L'assemblée

L'église était sale et sombre. Elle n'avait pas été entretenue depuis le départ du père Michael. D'étranges gribouillis et symboles avaient été tracés à la craie sur l'un des murs, indéchiffrables témoignages de haine et de douleur. Le docteur Farcett alluma quelques cierges et s'installa devant l'autel alors que les habitants de l'île, perplexes, venaient voir pourquoi la cloche sonnait. Il scruta la foule et, lorsqu'il lui sembla que tout le monde était rassemblé, leva la main pour obtenir le silence, puis se lança courageusement :

– Mes amis, je suis venu demander votre pardon. J'ai commis une terrible erreur, qui a profondément affecté cette communauté. Par ma faute, vous avez perdu votre prêtre. Et je constate, vu l'état de cette église, que certains d'entre vous ont même perdu la foi. Je suis venu vous dire que je m'étais trompé. Nous avons la preuve formelle que le père Michael n'était en rien responsable de la mort de vos enfants.

Il y eut un silence, tandis que la nouvelle faisait son chemin dans les esprits, puis l'inévitable question s'éleva des rangs du fond :

– Qui les a tués, alors ?

Une autre voix résonna :

– Maggie Goudie ?

Ainsi, Dieu sait comment, le bruit avait couru qu'on la soupçonnait elle aussi.

– C'est cette sorcière qui a empoisonné nos enfants ?

L'atmosphère devenait plus pesante, minute après minute. Les uns, les autres se retournaient, cherchant Maggie des yeux. Un murmure parcourut la foule. Farcett sentit monter une vague de haine. Craignant de perdre le contrôle de la situation, il écarta les bras :

– Non, arrêtez ! cria-t-il.

Montmorency donna un nouveau coup de cloche pour réduire l'assemblée au silence, alors que Farcett poursuivait :

– Rappelez-vous ce qui est arrivé la dernière fois que vous vous êtes précipités aveuglément, criant vengeance ! Maggie Goudie est une femme dévouée et une bonne infirmière. Elle ne pouvait pas savoir qu'elle empoisonnait ces enfants. Je vais vous expliquer.

Farcett leur exposa les faits en pesant ses mots. Il souligna qu'il s'agissait d'une pratique répandue sur Tarimond que de conserver des choses dans des panses d'animaux, comme Maggie. Il sortit une petite outre remplie d'huile apaisante et s'en enduisit les mains.

– Vous voyez, pour un adulte, ou même un jeune enfant, cette huile est inoffensive. (Il la renifla.) Elle possède

340

même des vertus bénéfiques. Vous l'avez tous employée pour soigner vos douleurs et vos courbatures. Et elle vous a soulagés, n'est-ce pas ?

Il y eut quelques hochements de tête.

– Vos organismes n'ont eu aucun mal à combattre les bactéries qui proviennent non de l'huile mais des panses d'animaux dans lesquelles elle est conservée. Allez-vous accabler cette femme pour une erreur qu'elle a commise sans le savoir ? Franchement, qui aurait pu s'en douter ? Même moi, qui ai pourtant suivi de longues études de médecine, je l'ignorais. Je vous demande de lui pardonner son erreur, tout comme vous pardonnerez la mienne !

Les habitants gardaient le silence. Alors que leur revenait le souvenir du départ mouvementé du père Michael, la honte surpassa la colère, et ils commencèrent à poser des questions. Le docteur Farcett leur expliqua comment des organismes microscopiques, invisibles à l'œil nu, avaient pu causer la mort de leurs enfants. John MacLean vint à son secours en levant le petit Jimmy à bout de bras.

– Vous voyez mon fils, il est bien vivant. Maggie Goudie s'est occupée de lui et il a survécu.

La mère de Morag souleva sa petite Violette.

– Je fais confiance à Maggie pour prendre soin de mon nouveau bébé, même si j'en ai perdu cinq avant elle. Je sais qu'elle n'avait pas l'intention de leur faire du mal.

Montmorency se joignit au chœur :

– Je ne suis pas né sur cette île, mais j'ai vu Maggie à l'œuvre. Elle vous a apporté la santé et l'éducation. Elle a aujourd'hui besoin de votre soutien, car soyez certains qu'elle partage votre peine.

Farcett prit ensuite à témoin des personnes dans la foule :

– Hamish, Maggie n'a-t-elle pas soigné efficacement votre bras cassé ?

Le fermier le leva en l'air pour montrer qu'il était parfaitement remis.

– Janet, lorsque votre mère a souffert de cette forte fièvre, qui est resté à son chevet ?

– Maggie.

– Lui a-t-elle donné un remède pour faire baisser la température ?

– Oh que oui, et ça a marché. Pas vrai, m'man ?

La vieille dame debout à ses côtés acquiesça.

Bientôt, des voix s'élevèrent pour faire l'éloge de Maggie :

– Elle m'a appris à lire.

– Et moi à écrire.

Même Vi renchérit en ajoutant :

– Je viens de Londres. J'y ai croisé de vrais assassins et d'affreux malfaiteurs. Cette femme n'est pas une meurtrière, c'est une héroïne. Vous devriez être fiers d'elle !

Farcett reprit alors la parole :

– Maggie a vu ce qui est arrivé au père Michael. Elle a peur. Allons tous ensemble la trouver pour lui dire qu'elle n'a rien à craindre !

Un murmure d'approbation parcourut la foule. Les habitants de l'île quittèrent l'église pour se diriger vers le petit cottage où Maggie attendait, rongée d'angoisse, en compagnie de Fox-Selwyn. Les voyant arriver, le lord s'interposa entre elle et la porte, craignant un débordement de violence. Il lança à Maggie un manche à balai pour qu'elle puisse se défendre. Mais la foule s'immobilisa sur le seuil et, sans un mot, se déploya en demi-cercle devant la maison avant de se mettre à applaudir. Fox-Selwyn sortit à leur rencontre, tenant par la main une Maggie en larmes – des larmes de gratitude et de regret. On s'embrassa, on se serra la main, puis petit à petit, chacun regagna son chez-soi et le petit groupe venu de Londres put enfin s'asseoir, épuisé, devant un bon bol de soupe. Ce soir-là, dans le cottage, tout le monde coucha par terre. Même les parents de Morag n'osèrent tenter de faire rentrer l'imposante carrure de Lord Fox-Selwyn dans leur petit lit-armoire.

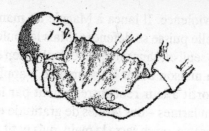

50
Un avenir pour Tarimond

Les visiteurs restèrent une semaine, hébergés par différentes familles de Tarimond. A la grande surprise de tous, Lord George Fox-Selwyn se plaisait beaucoup sur l'île. La majesté de ce paysage sauvage l'avait charmé, même s'il eût évidemment préféré le contempler d'un endroit plus confortable que le cottage des parents de Morag. Le dernier jour, il organisa une fête sur la plage pour remercier tous ceux qui leur avaient offert l'hospitalité, à ses compagnons et à lui. Montmorency alluma un feu de joie pour y faire rôtir un cochon de lait. Guidée par les bons conseils de Morag, Vi s'essaya à la pâtisserie. Depuis bien longtemps, on n'avait vu de telles réjouissances sur les rivages de Tarimond.

A la lueur d'un soleil couchant d'une beauté à couper le souffle, Fox-Selwyn frappa dans ses mains.

– Mes amis, commença-t-il, j'ai quelque chose à vous annoncer. Comme vous le savez sans doute, nous partons demain. Mais nous reviendrons.

Un mélange d'acclamations et de gémissements faussement navrés accueillit cette nouvelle.

— Pour ma part, en tout cas, je compte revenir souvent. Une fois sur le continent, j'ai l'intention d'engager un architecte pour me faire construire une résidence d'été de la plus grande simplicité sur cette île.

— Moi, je peux vous la faire, et pour moins cher ! proposa une voix dans le fond.

— Merci, monsieur, mais cela risque d'être un chantier assez important car, tant que nous y sommes, je vais lui demander de bâtir un dispensaire, une école et une nouvelle maison pour le prêtre. J'estime que vous méritez une petite compensation après avoir subi une telle invasion de Londoniens. Et maintenant, trinquons ! Profitez-en, mesdames, c'est votre dernière chance de danser avec Montmorency !

La fête reprit dans un tonnerre d'applaudissements. Adossées à la falaise, trois vieilles dames au visage revêche, assises sur une couverture râpeuse, se plaignaient déjà du dérangement qu'allaient causer les travaux. Au bord de l'eau, Maggie, Farcett, Fox-Selwyn et Montmorency discutaient des projets de construction. Vi s'approcha d'eux et, égayée par le bon vin, s'adressa au lord :

— Excusez-moi, George… euh, je voulais dire milord… mais vous aurez sans doute besoin d'une gouvernante pour votre résidence d'été ?

— Eh bien, je n'y avais pas encore réfléchi, Vi, mais je suppose que oui.

— Parfait, je me porte donc candidate pour le poste,

fit-elle avec une solennité exagérée. Comme ça, je chaufferai la maison pendant que vous n'êtes pas là.

– C'est une excellente idée, Vi, confirma le lord. Nous en reparlerons à Londres.

Le visage de la jeune femme s'assombrit.

– En fait, George, euh, je veux dire milord, je n'avais pas l'intention de rentrer à Londres.

– Alors comme ça, Vi, vous préférez la vie de Tarimond à votre coquette maison de Covent Garden ? la taquina Montmorency.

– Ça, je la comprends, approuva Fox-Selwyn. D'ailleurs vous-même, vous étiez pressé d'en partir !

– Mais où logerez-vous en attendant que la demeure de George soit construite ? s'inquiéta le docteur Farcett. Cela risque de prendre un moment, vous allez vous ennuyer.

– Oh, j'aurai de quoi m'occuper, le détrompa Vi. Je me demandais si Maggie ne pourrait pas m'héberger et, en échange, je lui donnerais un coup de main.

Maggie parut surprise mais, sans lui laisser le temps de répliquer, Vi ajouta :

– Vous voyez, je crois que je vais avoir besoin de l'aide de Maggie dans quelques mois.

Le petit groupe mit quelques minutes à réaliser le véritable sens de ses paroles. Montmorency, puis le docteur Farcett et enfin Lord Fox-Selwyn rougirent jusqu'à la racine des cheveux.

Un nouveau bébé allait bientôt voir le jour sur Tarimond. La relève était assurée…

TABLE DES MATIÈRES

202 022

Mise en pages : Didier Gatepaille

Loi n°49-956 du 16 juillet 1949
sur les publications destinées à la jeunesse
ISBN 2-07-051739-X
Numéro d'édition : 133339
Numéro d'impression : 74097
Dépôt légal : juin 2005
Imprimé en France sur les presses de la Société Nouvelle Firmin-Didot